新生児診療マニュアル

KCMC Manual of Neonatal Care

第7版

神奈川県立こども医療センター 編

監修 豊島勝昭　編集代表 下風朋章・柴崎 淳・齋藤朋子

東京医学社

おことわり
本マニュアルの内容は最新かつ正確を期しましたが,医薬品の用法・用量などについては,添付文書もご確認のうえ,実際の診療にあたってください。

第7版の序

　1986年に初版を出版した「神奈川県立こども医療センター 新生児診療マニュアル」は，2014年までに第6版まで改訂を重ねて，今回8年ぶりに第7版の発行となりました。

　この8年間で，神奈川県立こども医療センター新生児科の診療は大きく変わりました。26年間稼働してきたNICU病棟を，集中治療と家族支援の両立を目指して増改築し，リニューアルオープンしました。新生児科医が増員され，後輩世代の人財育成の期間でした。

　第7版は引退していく第6版の執筆陣とともに，未来を担う若手メンバーとで繰り返し勉強会を行い，それをもとに若返りした執筆陣で全面改訂いたしました。新たに生まれ変わった新生児科のスタートラインとなるべく作成したマニュアルです。

　新生児医療にもEBMや診療ガイドラインが普及しつつあり，マニュアルの存在意義も再考いたしました。今回，優れた診療ガイドラインを拠り所にするべき箇所は，思い切って削除しました。一方で，広域・高度化している臨床の現場で，EBMだけでは，日々の診療で目の前の赤ちゃんとご家族に何をしてあげられるか迷うことが多いのも新生児医療の実際だと考えます。実情に合わないと感じる科学的根拠のみを記載することを避けながら，広域・高度化に対応する現場に即して，大幅に加筆・修正しました。

　新生児医療における医学の進歩や技術革新は日進月歩です。未来に向けてわかること，できることは必ず増えていきます。その知識や科学技術に溺れず，NICUにやってくる赤ちゃんたちに適切に活用して，今よりもよりよい未来を届けられる「NICU医療」をこれからも皆さまと一緒に探していきたいと願っています。

　われわれがやっていることが正しいとは限りませんし，今後もこのマニュアルを改訂し続けていく所存ですが，これから新生児医療を志す世代の先生方や，全国各地で赤ちゃん達に向き合うNICUスタッフの皆様にもこのマニュアルをご活用いただき，この先の新生児医療をともに考えていけたらと願っています。皆様の日々の診療や研修に少しでもお役に立てれば幸いです。

2022年8月

豊島勝昭

監修・編集・執筆者一覧

監修
豊島勝昭　Katsuaki Toyoshima

編集代表
下風朋章　Tomoyuki Shimokaze
柴崎　淳　Jun Shibasaki
齋藤朋子　Tomoko Saito

執筆者（五十音順）

青木宏諭	Hirosato Aoki	谷山禎彦	Yoshihiko Taniyama
稲垣佳典	Yoshinori Inagaki	豊島勝昭	Katsuaki Toyoshima
江原元気	Genki Ehara	永渕弘之	Hiroyuki Nagafuchi
大山牧子	Makiko Ohyama	西　盛宏	Nishi Morihiro
勝又　薫	Kaoru Katsumata	西田剛士	Takeshi Nishida
川滝元良	Motoyoshi Kawataki	野口崇宏	Takahiro Noguchi
齋藤朋子	Tomoko Saito	星野陸夫	Rikuo Hoshino
柴崎　淳	Jun Shibasaki	松井　潔	Kiyoshi Matsui
清水達人	Tatsuto Shimizu	室谷浩二	Koji Muroya
下風朋章	Tomoyuki Shimokaze	林　辰司	Tatsuhi Rin
新開真人	Masato Shinkai		

編集協力
兼次洋介　Yosuke Kaneshi
　　　　　釧路赤十字病院小児科
田仲健一　Kenichi Tanaka
　　　　　社会医療法人愛育会 福田病院小児科

表紙・扉イラスト
きしがみまこと

目次 / Contents

- ■第7版の序 …………………………………… 豊島勝昭　iii
- ■監修・編集・執筆者一覧 …………………………………… iv
- ■本書で使用される略語一覧 …………………………………… xvii

1 新生児管理

1 　正常新生児の管理　2

- a. 母児同室基準 …………………………………… 2
- b. 管理指針 …………………………………… 2
- c. 低血糖予防 …………………………………… 2
- d. 黄疸管理 …………………………………… 3
- e. 退院基準 …………………………………… 4
- f. 退院後のケア …………………………………… 4

2 　産科との連携　5

- a. 入院予定患者カンファレンス …………………………………… 5
- b. 胎児カンファレンスと親への説明 …………………………………… 5
- c. 初回面会 …………………………………… 6
- d. 生後ごく早期に死亡した場合 …………………………………… 6

3 　家族への対応　7

- a. 入院に際しての家族への説明 …………………………………… 7
- b. 面会時間（新型コロナウイルス感染症非流行時の対応） …………………………………… 7

4 　分娩室での蘇生　9

- a. 準備 …………………………………… 9
- b. 蘇生の実際 …………………………………… 10

5 　入院時および入院中の検査・処置　11

- a. 入院時検査 …………………………………… 11

- b. 入院時処置 …… 11
- c. 眼底検査 …… 12
- d. 新生児マススクリーニング …… 13
- e. リハビリテーション …… 13

6 感染予防　14

- a. 病棟入室者の感染予防 …… 14
- b. 診療時の感染予防 …… 14
- c. カテーテル感染予防 …… 15
- d. 感染モニタリング …… 15

7 新生児の褥瘡・皮膚のトラブル　16

8 保育環境　17

- a. 入院時 …… 17
- b. コット移行 …… 17
- c. 閉鎖型保育器から開放型保育器への移行 …… 17

9 輸液療法　18

- a. 適応 …… 18
- b. 出生体重 1,500 g 以上および正期産児 …… 18
- c. 出生体重 1,000 〜 1,499 g の児 …… 18

10 栄養計画（経腸・経口）　20

- a. 母乳栄養 …… 20
- b. 母乳育児支援 …… 23
- c. 在胎 35 週以降に出生した母乳栄養の新生児に対する補足 …… 24
- d. 短期間入院の正期産児，または正期産に近い週数で生まれた児の母乳育児 …… 25
- e. 人工栄養・ドナーミルク …… 26
- f. 経管栄養の適応と注意 …… 26

g. 少量経管栄養	29
h. 母乳を誤って与えた場合の対応	30

11 在宅医療への移行計画　31

a. 経管栄養 ·· 31
b. 在宅酸素療法（HOT） ·· 32
c. 気管切開での退院条件 ·· 33
d. 高度在宅医療（とくに在宅人工呼吸管理） ············· 33

12 予防接種　35

13 退院後のフォローアップ　36

a. フォローアップ対象 ·· 36
b. 新生児科 ·· 36
c. 眼科 ··· 37

14 NICU フォローアップカンファレンス　38

a. 目的 ··· 38
b. 構成人員 ·· 38
c. 対象 ··· 38
d. 方法 ··· 38

15 新生児搬送　39

16 バックトランスファー　41

a. 目的 ··· 41
b. 準備 ··· 41
c. 条件 ··· 41
d. 手順 ··· 41

2 検査

1 画像診断　44

- a. X線単純撮影検査 … 44
- b. X線造影検査 … 45
- c. 造影CT … 47
- d. ガドリニウム造影MRI … 47
- e. 頭部エコー … 47
- f. 頭部MRI … 53
- g. 頭部CT … 57
- h. amplitude-integrated electroencephalogram（aEEG）… 57
- i. 心エコー … 60

2 モニタリング　65

- a. 動脈血圧モニタリング … 65
- b. 経皮的酸素分圧（$TcPO_2$）・経皮的二酸化炭素分圧（$TcPCO_2$）モニタリング … 66

3 呼吸器系検査　67

- a. 気道陰圧試験（内視鏡・胸部CT検査）… 67
- b. 血液ガスによる酸素化の指標 … 68
- c. 換気力学測定 … 68
- d. 気管支ファイバー … 69

4 生理検査　72

- a. 新生児聴覚スクリーニング（自動ABR装置）… 72
- b. 心電図 … 72
- c. 肺高血圧（PH）の評価 … 73
- d. 24時間多チャンネルインピーダンスpH（MII-pH）モニター検査 … 75
- e. 十二指腸液検査（Meltzer-Lyon法）… 76

5 胎盤検索　78

- a. 適応 … 78
- b. 肉眼的観察の方法 … 78
- c. 切り出し … 79
- d. 組織学的検索 … 80
- e. 胎盤組織学的所見とその解釈 … 80

3 処置

1 血管カニュレーション　90

- a. 末梢動脈カニュレーション … 90
- b. 臍動静脈カニュレーション … 91
- c. 末梢挿入中心静脈カテーテル（PI カテーテル）… 96

2 呼吸管理　99

- a. 酸素療法 … 99
- b. nasal high flow … 100
- c. 経鼻持続陽圧 … 100
- d. 気管挿管 … 102
- e. 挿管中の管理 … 104
- f. 間歇的強制換気（IMV）… 106
- g. 高頻度振動人工換気（HFO）… 107
- h. NAVA（neurally adjusted ventilatory assist）… 110
- i. 換気グラフィックモニター … 113
- j. 呼吸管理中の鎮静・筋弛緩 … 114
- k. 抜管 … 117
- l. 下咽頭挿管 … 118
- m. 気管切開 … 119

3　輸血　120

- a. 適応 … 120
- b. 準備 … 120
- c. 輸血量 … 122
- d. 輸血時間 … 122
- e. 輸血ルート … 123
- f. 病棟での血液保存 … 123
- g. フィルター … 123
- h. 輸血後チェック事項 … 123
- i. 超緊急輸血 … 123

4　交換輸血　125

- a. 適応 … 125
- b. 注意点 … 125
- c. 使用血液 … 125
- d. 交換血液量 … 126
- e. ルート … 127
- f. 交換速度 … 127
- g. 交換輸血中の管理 … 127
- h. 終了後の管理 … 128

5　穿刺　129

- a. 胸腔穿刺 … 129
- b. 腰椎穿刺 … 131

6　栄養輸液　133

- a. 適応 … 133
- b. 輸液ルート … 133
- c. 輸液内容 … 133
- d. 合併症 … 134
- e. 周期的中心静脈栄養（cyclic TPN） … 136

7 十二指腸栄養 ... 137

a. 適応 ... 137
b. 方法 ... 137
c. 注意 ... 137
d. 管理 ... 137

8 血液浄化療法 ... 139

9 脳室-腹腔シャントおよび脳脊髄液リザーバー管理 ... 140

a. 頭皮下髄液リザーバー（Ommaya リザーバー）の穿刺・排液 ... 140
b. 脳室-腹腔シャント（V-P シャント） ... 142
c. 脳室-心房シャント（V-A シャント） ... 143

10 窒素吸入療法（低酸素換気療法） ... 144

a. 目的 ... 144
b. 対象疾患 ... 144
c. 適応 ... 144
d. 方法 ... 145
e. 目標 SpO_2 ... 145
f. 注意点 ... 145

4 異常と対策

1 ハイリスク児 ... 148

a. 超早産児全般 ... 148
b. 早産および極低出生体重の SGA 児 ... 163
c. 後期早産および正期産の SGA 児 ... 165

2 糖・電解質異常　　166

- a. 低血糖 ······ 166
- b. 高血糖 ······ 169
- c. refeeding 症候群 ······ 170
- d. 低ナトリウム血症 ······ 171
- e. 高ナトリウム血症 ······ 171
- f. 低カリウム血症 ······ 172
- g. 高カリウム血症 ······ 173
- h. 低カルシウム血症 ······ 174
- i. 高カルシウム血症 ······ 175
- j. 低リン血症 ······ 175
- k. 高リン血症 ······ 176
- l. 低マグネシウム血症 ······ 176
- m. 高マグネシウム血症 ······ 177

3 呼吸　　178

- a. 急性呼吸障害一般 ······ 178
- b. 呼吸窮迫症候群（RDS） ······ 178
- c. 新生児一過性多呼吸（TTN） ······ 180
- d. 胎便吸引症候群（MAS） ······ 181
- e. dry lung 症候群 ······ 182
- f. leaky lung 症候群 ······ 182
- g. 肺出血 ······ 182
- h. エアリーク ······ 183
- i. 無気肺 ······ 183
- j. 気道狭窄（咽頭狭窄，喉頭狭窄，気管・気管支狭窄/軟化症） ······ 184
- k. 抜管困難 ······ 185
- l. 新生児慢性肺疾患（新生児 CLD） ······ 185
- m. 無呼吸発作 ······ 189

4 循環 — 191

- a. 新生児期に問題となる心疾患 …… 191
- b. 未熟児動脈管開存症（未熟児 PDA）…… 195
- c. 新生児遷延性肺高血圧症（PPHN）…… 200
- d. 新生児高血圧 …… 205
- e. 不整脈 …… 207
- f. 先天性心外シャント疾患 …… 214
- g. 双胎間輸血症候群（TTTS，慢性）…… 215
- h. 急性腎障害（AKI）…… 219
- i. 胎児水腫 …… 221
- j. 先天性乳び胸 …… 224

5 脳神経 — 228

- a. 新生児仮死，低酸素性虚血性脳症（HIE）…… 228
- b. 脳室周囲白質軟化症（PVL）と白質障害（white matter injury）…… 237
- c. 脳梗塞（watershed infarction を除く）…… 240
- d. 新生児けいれん（新生児発作，neonatal seizure）…… 242
- e. 正期産児の頭蓋内出血 …… 245
- f. 早産児の脳室内出血（IVH）・出血後水頭症 …… 251
- g. 先天性筋強直性ジストロフィー（その他のフロッピーインファントを含む）…… 257
- h. 先天性多発性関節拘縮症（AMC）…… 261
- i. 二分脊椎・脊髄髄膜瘤 …… 264

6 血液・黄疸 — 268

- a. 黄疸 …… 268
- b. 新生児溶血性疾患 …… 271
- c. Down 症候群に伴う一過性骨髄異常増殖症（TAM）…… 273
- d. 胆汁うっ滞 …… 274
- e. 胆道閉鎖症 …… 276
- f. 新生児肝不全 …… 277

g.	新生児ヘモクロマトーシス	278
h.	貧血	279
i.	多血症	282
j.	播種性血管内凝固（DIC）	282
k.	新生児同種免疫性血小板減少症（NAIT）	284
l.	血栓症	285

7　感染症　　286

a.	先天性・周産期感染症	286
b.	全身重症感染症（敗血症・髄膜炎）	296
c.	真菌感染症	297

8　消化器・外科疾患　　300

a.	哺乳障害	300
b.	嘔吐	301
c.	吐血・下血	301
d.	壊死性腸炎（NEC）	303
e.	胎便病	305
f.	消化管異常	307
g.	腹壁異常（臍帯ヘルニア・腹壁破裂など）	313
h.	先天性横隔膜ヘルニア（CDH）	316
i.	先天性嚢胞性肺疾患	322
j.	腹部腫瘤	324
k.	泌尿生殖器疾患	325

9　内分泌・代謝　　329

a.	晩期循環不全	329
b.	先天代謝異常	329
c.	糖尿病母体児	337
d.	甲状腺機能異常	338
e.	未熟児骨減少症	342

10 その他 　　　　　　　　　　　　　　　　345

a. 未熟児網膜症（ROP） 345
b. 分娩損傷 347

付録

1 公式集 　　　　　　　　　　　　　　　　358

2 基準値 　　　　　　　　　　　　　　　　359

a. CRP の早期新生児の生理的変化 359
b. 気道吸引液・肺リンパ液・血漿・羊水の組成 360
c. 正常新生児の凝固因子 360
d. 在胎週数，出生体重による凝固因子活性，
凝固検査値，血小板数 361

3 診断・検査 　　　　　　　　　　　　　361

a. 母体血中胎児ヘモグロビン検査 361
b. アプトテスト 362
c. マイクロバブルテスト 362

4 治療 　　　　　　　　　　　　　　　　363

a. 超低出生体重児 check list 363
b. 極・超低出生体重児の栄養管理チェックシート 364
c. 産科・小児科・NICU で流行する可能性のある
感染症対策 365
d. 新型コロナウイルス感染症対策 372
e. NICU 抗菌薬・抗真菌薬初期投与 373
f. 薬用量
①抗菌薬 376
②抗ウイルス薬 379

③抗真菌薬	380
④おもな静注用薬剤	381
⑤内服薬	388

■ 索引

和文索引	391
欧文索引	401
数字・ギリシャ文字・記号索引	405

■ POINT

カップ授乳の注意点	27
一定期間内に必要な乳汁量の1例	31
HOT での退院時の家族への説明	33
換気力学的指標に基づく呼吸器設定の基礎知識	71
臍動静脈カニュレーション挿入の要点	95
PI カテーテル挿入の要点	97
極低出生体重児の呼吸管理方針	113
oxygen reduction test	187
心電図モニターで簡便に wide QRS（変行伝導を伴う PAC と PVC）を鑑別する方法	209
除細動の実際	212
TTTS の重症度評価	217
Apgar スコア	231
新生児けいれんの原因	247
表在脳実質性軟髄膜出血の画像	251
頭囲拡大，脳室拡大の評価	256
TAM 診療の注意点	273
Ca と P の必要量	343
低リン血症や尿 Ca/Cr 高値への対応	344

本書で使用される略語一覧

略語	英語	日本語
AaDO$_2$	alveolar arterial oxygen tension difference gradient	肺胞気動脈血酸素分圧較差
ABR	auditory brainstem response	聴性脳幹反応
ACE	angiotensin converting enzyme	アンジオテンシン変換酵素
ADHD	attention deficit hyperactivity disorder	注意欠如多動性障害
ADPKD	autosomal dominant polycystic kidney disease	常染色体優性多発性嚢胞腎
aEEG	amplitude-integrated electroencephalogram	―
AFL	atrial flutter	心房粗動
AFP	alpha-fetoprotein	α-フェトプロテイン
AGA	appropriate gestational age	―
AKI	acute kidney injury	急性腎障害
AMC	arthrogryposis multiplex congenita	先天性多発関節拘縮症
APTT	activated partial thromboplastin time	活性化部分トロンボプラスチン時間
ARPKD	autosomal recessive polycystic kidney disease	常染色体劣性多発性嚢胞腎
AT	acceleration time	加速時間
AT	atrial tachycardia	心房頻拍
ATL	adult T-cell leukemia-lymphoma	成人T細胞白血病・リンパ腫
ATP	adenosine triphosphate	アデノシン三リン酸
AVNRT	atrioventricular nodal re-entrant tachycardia	房室結節回帰[性]頻拍
AVRT	atrioventricular reciprocating tachycardia	房室回帰[性]頻拍
BE	base excess	塩基過剰
BPD	bronchopulmonary dysplasia	気管支肺異形成
BPD	biparietal diameter	児頭大横径
CDH	congenital diaphragmatic hernia	先天性横隔膜ヘルニア
CGM	continuous glucose monitoring	持続血糖モニター
CHDF	continuous hemodiafiltration	持続的血液濾過透析
CIC	clean intermittent catheterization	清潔間歇導尿法
CK	creatine kinase	クレアチンキナーゼ
CLD	chronic lung disease	慢性肺疾患

略語	英語	日本語
CMV	cytomegalovirus	サイトメガロウイルス
CMV	conventional mechanical ventilation	従来型人工換気法
CoA	coarctation of the aorta	大動脈縮窄[症]
COHb	carboxyhemoglobin	一酸化炭素ヘモグロビン
CPAM	congenital pulmonary airway malformation	先天性肺気道奇形
CPAP	continuous positive airway pressure	持続気道陽圧[呼吸]
CPK	creatine phosphokinase	クレアチンホスホキナーゼ
Cst	static lung compliance	静肺コンプライアンス
CTG	cardiotocogram	胎児心拍陣痛図
CTR	cardiothoracic ratio	心胸郭比
CVC	crying vital capacity	啼泣時肺活量
DCH	diffuse chorioamniotic hemosiderosis	びまん性絨毛膜羊膜ヘモジデローシス
DIC	disseminated intravascular coagulation	播種性血管内凝固
DMD	Duchenne muscular dystrophy	Duchenne型筋ジストロフィー
DPAP	directional positive airway pressure	呼気吸気変換方式持続陽圧
DQ	developmental quotient	発達指数
ECMO	extracorporeal membrane oxygenation	体外式膜型人工肺
Edi	electrical activity of the diaphragm	横隔膜活動電位
EF	ejection fraction	左室駆出率
eGFR	estimated glomerular filtration rate	推算糸球体濾過量
EIEE	early infantile epileptic encephalopathy	乳児早期てんかん脳症
EME	early myoclonic encephalopathy	早期ミオクロニー脳症
ESBL	extended-spectrum β-lactamase	基質特異性拡張型βラクタマーゼ
ESWS	end-systolic wall stress	収縮末期左室壁応力
ET	ejection time	左室駆出時間
EVT	extravillous trophoblast	絨毛外栄養膜細胞
FDP	fibrinogen/fibrin degradation products	フィブリノゲン・フィブリン分解産物
FE_{Na}	fractional excretion of sodium	ナトリウム排泄分画
FFP	fresh frozen plasma	新鮮凍結血漿

略語	英語	日本語
FGR	fetal growth restriction	胎児発育不全
FiO$_2$	fraction of inspiratory oxygen	吸入気酸素濃度
FM	fibrinmonomer	フィブリンモノマー
FT$_3$	free triiodothyronine	遊離トリヨードサイロニン
FT$_4$	free thyroxine	遊離サイロキシン
GBS	group B beta hemolytic streptococci	B群β溶血性レンサ球菌
G-CSF	granulocyte colony-stimulating factor	顆粒球コロニー刺激因子
GDM	gestational diabetes mellitus	妊娠糖尿病
GER	gastroesophageal reflux	胃食道逆流
GFR	glomerular filtration rate	糸球体濾過量
GI	glucose-insulin	グルコース-インスリン
GIR	glucose infusion rate	ブドウ糖投与速度
G6PD	glucose-6-phosphate dehydrogenase	グルコース-6-リン酸脱水素酵素
HBIG	human anti-HBs immunoglobulin	抗HBsヒト免疫グロブリン
HBV	hepatitis B virus	B型肝炎ウイルス
HCV	hepatitis C virus	C型肝炎ウイルス
HD	hemodialysis	血液透析
HFO	high frequency oscillatory ventilation	高頻度振動人工換気
HIE	hypoxic ischemic encephalopathy	低酸素性虚血性脳症
HIV	human immunodeficiency virus	ヒト免疫不全ウイルス
HLA	human leukocyte antigen	ヒト白血球抗原
HOT	home oxygen therapy	在宅酸素療法
HPA	human platelet specific antigen	血小板特異抗原
HR	heart rate	心拍数
HTLV-1	human T-cell lymphotropic virus type 1	ヒトT細胞白血病ウイルス1型
HVA	homovanillic acid	ホモバニリン酸
IAA	aortic arch interruption	大動脈弓離断[症]
ICG	indocyanine green	インドシアニングリーン
ICV	internal cerebral vein	内大脳静脈
IFALD	intestinal failure-associated liver disease	腸管不全合併肝障害
IMA	inferior mesenteric artery	下腸間膜動脈

略語	英語	日本語
IMV	intermittent mandatory ventilation	間歇的強制換気
iNO	inhaled nitric oxide	一酸化窒素吸入療法
IUFD	intra uterine fetal death	子宮内胎児死亡
IVC	inferior vena cava	下大静脈
IVH	intraventricular hemorrhage	脳室内出血
IVIG	intravenous immunoglobulin	ガンマグロブリン静注
IVU	intravenous urography	静脈排泄性尿路造影
JET	junctional ectopic tachycardia	接合部異所性頻拍
LA/Ao	left atrium/aorta	左房径/大動脈径
LAVI	left atrial volume index	左房容積係数
LGA	large for gestational age	―
LV	left ventricle	左室
LVA	lymphaticovenous anastomosis	リンパ管静脈吻合術
LVDd	left ventricular end-diastolic diameter (dimension)	左室拡張終(末)期径
LVDs	left ventricular end-systolic diameter (dimension)	左室収縮終(末)期径
MAP	mean airway pressure	平均気道内圧
MAS	meconium aspiration syndrome	胎便吸引症候群
MCDK	multicystic dysplastic kidney	多嚢胞性異形成腎
MCT	medium-chain triglyceride	中鎖脂肪酸
MD	myotonic dystrophy	筋強直性ジストロフィー
MG	myasthenia gravis	重症筋無力症
MR	mitral [valve] regurgitation	僧帽弁逆流
MRSA	methicillin-resistant *Staphylococcus aureus*	メチシリン耐性黄色ブドウ球菌
MV	minute volume	分時換気量
mVcfc	mean velocity of circumferential fiber shortening	心拍補正左室平均円周短縮速度
NAIT	neonatal alloimmune thrombocytopenia	新生児同種免疫性血小板減少症
NAVA	neurally adjusted ventilatory assist	―
NEC	necrotizing enterocolitis	壊死性腸炎
NICCD	neonatal intrahepatic cholestasis caused by citrin deficiency	シトリン欠損症による新生児肝内胆汁うっ滞
NIVNAVA	noninvasive neurally adjusted ventilatory assist	―

略語	英語	日本語
NRFS	non-reassuring fetal status	胎児機能不全
NSAID(s)	nonsteroidal anti-inflammatory drug(s)	非ステロイド性抗炎症薬
NSE	neuron specific enorase	神経特異エノラーゼ
NSF	nephrogenic systemic fibrosis	腎性全身性線維症
NT-proBNP	N-terminal prohormone of brain natriuretic peptide	ヒト脳性ナトリウム利尿ペプチド前駆体N端フラグメント
OI	oxygenation index	—
OGTT	oral glucose tolerance test	経口ブドウ糖負荷試験
PAC	premature atrial constraction	心房期外収縮
PCDA	premature closure of ductusarteriosus	動脈管早期収縮
PCFO	premature closure of foramen ovale	卵円孔早期閉鎖
PD	peritoneal dialysis	腹膜透析
PDA	patent ductus arteriosus	動脈管開存[症]
PEEP	positive end-expiratory pressure	呼気終末陽圧[呼吸]
PFIC	progressive familial intrahepatic cholestasis	進行性家族性肝内胆汁うっ滞[症]
PGE$_1$	prostaglandin E$_1$	プロスタグランジンE$_1$
PH	pulmonary hypertension	肺高血圧[症]
PI	pulsatility index	拍動係数
PIC	plasmin-α_2-plasmin inhibitor complex	プラスミンα_2プラスミンインヒビター複合体
PIP	peak inspiratory pressure	最大吸気圧
PIVKA	protein induced by vitamin K absence or antagonists	—
PIカテーテル	peripherally inserted central venus catheter	末梢挿入中心静脈カテーテル
PPHN	persistent pulmonary hypertension of newborn	新生児遷延性肺高血圧[症]
PPI	proton pump inhibitor	プロトンポンプ阻害薬
PROM	premature rupture of membrane	前期破水
PS	pressure support	プレッシャーサポート
PSV	peak systolic velocity	収縮期最高血流速度
PSVT	paroxysmal supraventricular tachycardia	発作性上室頻拍
PT-INR	prothrombin time international normalized ratio	プロトロンビン時間国際標準比
PT	physical therapist	理学療法士

略語	英語	日本語
PTH	parathyroid hormone	副甲状腺ホルモン
PVC	premature ventricular contraction	心室期外収縮
PVH	periventricular hemorrhage	脳室周囲出血
PVL	periventricular leukomalacia	脳室周囲白質軟化[症]
RBC	red blood cell	赤血球
RDS	respiratory distress syndrome	呼吸窮迫症候群
RI	resistance index	抵抗係数
ROP	retinopathy of prematurity	未熟児網膜症
RR	respiration rate	呼吸数
Rrs	respiratory resistance	呼吸抵抗
RSTI	right ventricular systolic time index	右室収縮時間
RV	right ventricle	右室
RVaw	right ventricular anterior wall	右室前壁厚
SFMC	soluble fibrinmonomer complex	可溶性フィブリンモノマー複合体
SGA	small for gestational age	―
SIADH	syndrome of inappropriate secretion of antidiuretic hormone	抗利尿ホルモン不適切分泌症候群
SIMV	synchronized intemittent mandatory ventilation	同調性間歇的陽圧換気[法]
SiPAP	sigh positive airway pressure	―
SIRS	systemic inflammatory response syndrome	全身性炎症反応症候群
SMA	superior mesenteric artery	上腸間膜動脈
SMV	superior mesenteric vein	上腸間膜静脈
SUA	single umbilical artery	単一臍帯動脈
SV	stroke volume	1回拍出量
SVC	superior vena cava	上大静脈
SVT	supraventricular tachycardia	上室頻拍
TAM	transient abnormal myelopoiesis	一過性骨髄異常増殖症
TAT	thrombin-antithrombin complex	トロンビン-アンチトロンビン複合体
TC	time constant	時定数
$TcPCO_2$	transcutaneous carbon dioxide pressure	経皮的二酸化炭素分圧
$TcPO_2$	transcutaneous oxygen pressure (tension)	経皮的酸素分圧
TDM	therapeutic drug monitoring	治療薬物モニタリング

略語	英語	日本語
TEF	tracheoesophageal fistula	気管食道瘻
Ti	inspiratory time	吸気時間
TIBC	total iron binding capacity	総鉄結合能
TPN	total parenteral nutrition	中心静脈栄養
TR	tricuspid [valve] regurgitation	三尖弁逆流
TRAb	thyroid stimulating hormone receptor antibody	甲状腺刺激ホルモン受容体抗体
TSAb	thyroid-stimulating antibody	甲状腺刺激ホルモン刺激性受容体抗体
TSBAb	thyroid stimulation-blocking antibody	阻害型甲状腺刺激ホルモン受容体抗体
TSH	thyroid stimulating hormone	甲状腺刺激ホルモン
TTN	transient tachypnea of the newborn	新生児一過性多呼吸
TTTS	twin-to-twin transfusion syndrome	双胎間輸血症候群
UB	unbound bilirubin	アンバウンドビリルビン
VCUG	voiding cystourethrography	排尿時膀胱尿道造影
VEGF	vascular endothelial growth factor	血管内皮細胞増殖因子
VF	ventricular fibrillation	心室細動
VMA	vanillyl mandelic acid	バニールマンデル酸
VSD	ventricular septal defect	心室中隔欠損
VT	ventricular tachycardia	心室頻拍
VT	tidal volume	1回換気量
VUR	vesicoureteral reflux	膀胱尿管逆流
VZV	varicella zoster virus	水痘・帯状疱疹ウイルス
WMS	Wilson-Mikity syndrome	Wilson-Mikity症候群
$\beta_2 MG$	β_2-microglobulin	β_2マイクログロブリン
%TRP	%tubular reabsorption of phosphate	尿細管リン再吸収率

第1章

新生児管理

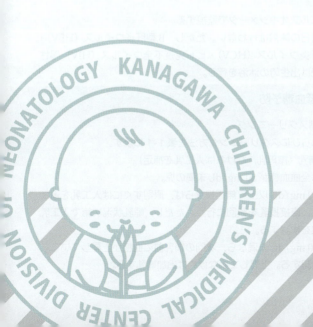

1 正常新生児の管理

a 母児同室基準

- 35週以上かつ出生体重 2,000 g 以上（2,000 g 未満では一般病棟の室温で体温を保持するのが困難なため）。
- 胎児異常の指摘はあるが全身状態が良好，かつ必要な検査がエコー，心電図，X線のみの場合。

【例】羊水量が保たれている尿路奇形，無症状の卵巣嚢腫，合併奇形のない唇顎口蓋裂，サイトメガロウイルス（CMV）感染疑いの児，シャントの少ない心室中隔欠損（VSD）など。

- MRI，CTで鎮静が必要な場合でも母児分離せず，検査に合わせて NICU へ入室する。ただし，定期的な診察は欠かさない。

b 管理指針

- 早期接触を出生直後に十分に行う（母親が分娩室に滞在する2時間）。
- 必ずパルスオキシメータで監視する。
- 出生当日の沐浴は行わない。ただし，B型肝炎ウイルス（HBV）・C型肝炎ウイルス（HCV）・ヒト免疫不全ウイルス（HIV）陽性母体児は出生時の沐浴を行う。

c 低血糖予防

1 低血糖スクリーニング
- 対象ならびにスクリーニング方法を表1-1に示す。

2 追加哺乳（搾母乳，なければ人工乳を補足）
- 対象は全血血糖が 50 mg/dL 未満の児。
- 血糖 50 mg/dL 以上で無症候ならば，原則すぐには人工乳を追加せずに，直接授乳を頻回に行う。ただし，哺乳状況次第で人工乳の追加を検討する。
- 血糖 50 mg/dL 未満なら，次回の哺乳前に血糖が上昇していることを確認する。上昇していなければ追加哺乳する。

表1-1 低血糖スクリーニングの対象と方法

対象	出生体重 2,500 g 未満 (在胎週数に関係なく) small for gestational age (SGA) 児 large for gestational age (LGA) 児 糖尿病母体 長期 (分娩直前まで1週間以上) に母体へのリトドリン投与 一過性多呼吸で，新生児室でも酸素投与を要した 出生体重より10%以上減少 低血糖を疑う症状 (易刺激性・哺乳不良・not doing well・筋緊張低下・低体温・無呼吸・嘔吐など) の存在
方法	生後3～6, 12, 24, 48時間後, 足底から全血血糖測定

表1-2 出生体重ごとの追加哺乳量

出生体重	追加哺乳量
2,500 g 未満	5 mL/回で開始し，翌日から5 mLずつ増量する。 日齢1：1回10 mLを2～3時間ごと 日齢2：1回15 mLを2～3時間ごと
2,500 g 以上	5～10 mLで追加を開始し，上記と同様に増量する。

- 追加哺乳は，原則としてカップを使用する。
- 出生体重に応じて追加哺乳量を調整する（表1-2）。
- 追加哺乳は原則，生後72時間まで。それ以降は症例ごとに決定する。

3 NICU に入室する基準

- 症候性の低血糖。
- 無症候でも，頻回授乳・追加哺乳にもかかわらず，血糖値 45 mg/dL 未満が続く場合。

d 黄疸管理

- 母体の抗D抗体以外の不規則抗体陽性例では，生後数時間以内に Hb, COHb, T-Bil を測定し，Hb＜12 g/dL, COHb＞1.4％, T-Bil＞4 mg/dL の場合は NICU で管理する。
- ルーチンでの児の血液型チェックはしない。
- 日齢1から経皮 Bil 測定を行う。日齢別体重別の基準値（☞ p.270～271）を超えたら，毛細血管採血（足底血）で確認後，光線療法を行う。

- 光線療法中も，直接授乳が妨げられることがないようにする。
- 母乳摂取不足による黄疸の場合は，追加哺乳を考慮する。
- 光線療法中止後，翌日に採血し，基準値を超えていれば光線療法を再開する。

e 退院基準

- 出生体重に達していなくても，体重が増加傾向にあること。
- 治療を要するような高ビリルビン血症がないこと。
- 早産児の場合，基本的には37週以降とする（36週で退院基準を満たしている場合は，家族と相談のうえ退院とする）。

f 退院後のケア

- 母乳摂取量が少ない場合や母親が母乳分泌に不安をもっている場合は，1カ月健診までの間，母親と相談して助産師外来で授乳状況を確認する。
- 哺乳量の半分以上が母乳の場合は，ビタミンK欠乏性出血症の予防のため，生後3カ月まで週1回，ケイツー®（ビタミンK_2）シロップを内服する方法があることを伝え，希望者には処方する。

2 産科との連携

a 入院予定患者カンファレンス

- 産科入院中および外来フォローアップ中の妊婦については，産科医より最近の状況を報告してもらう。その情報に基づき，近い将来 NICU への入院が予測される患児のベッドを準備する。

b 胎児カンファレンスと親への説明

- 母体の経過，胎児エコー全般（産科から），胎児心臓・脳エコー，家族背景を共有し，診断や治療方針を各科（産科・新生児科，疾患によっては遺伝科・循環器科・外科・脳外科・麻酔科・成人内科）で議論する。新生児・産科看護スタッフ，医療ソーシャルワーカー，心理士も参加する。
- カンファレンスで合意した方針を，産科・新生児科医が（必要時には関係各科とともに）両親に説明する。
- とくに新生児期早期に手術が必要になる可能性がある場合は，手術成績や長期予後についても伝える。
- 疾患が特定しにくい場合は，正直にわからないことを伝える。鑑別疾患については混乱を招きやすいので，詳細には話さない。
- 十二指腸閉鎖，房室中隔欠損，乳び胸水など染色体異常の合併頻度が高い疾患の場合には，その頻度について正直に話す。
- 肺低形成など予後不良な胎児異常の場合は，出生直後の死亡の可能性と診療方針を十分に話し合う。
- 緩和ケアを行いつつ侵襲的治療を差し控える場合は，カンガルーマザーケアをしながら過ごすなど，家族の時間をもてるよう配慮する。
- 重症児には疾患の予後をふまえ，胎児期から児とどう過ごしたいかを医療者と家族で話し合うアドバンスケアプランニングを行っている。日本小児科学会による「重篤な疾患を持つ子どもの医療をめぐる話し合いのガイドライン」[1]を参考にする。

- 早産週数で分娩が予測される場合，産科医とともに新生児科医が

自施設のデータに基づく児の予後と経過について話す（**表 4-1**, ⇨ *p.149*）。

c 初回面会

- 帝王切開の場合，児との面会は，母親は手術室で，父親は蘇生室で行い，その後 NICU へ入室させる。
- 自然分娩の場合，胎児期の診断や説明をふまえ，早期接触前に状況を簡単に説明する。
- 説明は原則，両親が揃っているときに行う。

d 生後ごく早期に死亡した場合

- 診断確定のために，全身骨 X 線撮影や，染色体検査（ヘパリン採血管）や遺伝子検査（EDTA-2Na 採血管）のための臍帯血の採取を考慮する。
- 家族と過ごしたのちに，産科医とともに両親に病状を説明し，剖検の案内を行う。
- 剖検を行った場合は剖検直後に説明をするとともに，6〜12 カ月後に産科医とともに最終の解剖結果を両親に話し，両親の生活や精神的安定を確認する。
- 医療ソーシャルワーカーが死亡退院後もフォローを行い，わたぼうしの会（児を亡くした親の会）や新しい命のためのサポートセンター（先天的な病気が関係する病気のカウンセリング部門）を紹介している。

3 家族への対応

a 入院に際しての家族への説明

- 児の家族背景を把握する(家族構成,父親その他の家族の協力,同胞の数と年齢,経済面,自宅から病院までの距離と交通手段,母親の就労予定など)。
- 医師は入退院時および重要な病状の説明を,看護スタッフや医療ソーシャルワーカー同席のもと,両親に対して面談室で行う。
- 入院時の説明内容を表1-3に示す。
- 母乳の重要性・必要性を家族に説明し,搾母乳を定期的に運んでもらう。
- 先天異常・重複疾患の場合,緊急を要するものから話を進めていく。
- 院外出生で,児の生命に危険がある場合,母親の転院を考慮する。

b 面会時間(新型コロナウイルス感染症非流行時の対応)

- 両親と祖父母は 24 時間面会可能。
- きょうだい面会は土日祝日も含め 13 ～ 16 時。ただし,児の状態が不安定な場合には随時面会可能。
- きょうだい面会に必要な条件は,①父母が希望している,②予防接種(四種混合,BCG,麻疹・風疹,水痘,おたふくかぜ)が済んでいる,もしくはこれらに罹患したことがある,③風邪症状,発熱,目のかゆみ,長引く咳,皮膚のピリピリした痛み・発疹,胃腸炎症状がない,④きょうだいの行動範囲(家庭内,近所,保

表 1-3 入院時の説明内容

病状	現在の児の状態 出生時および搬送中の様子 入院を必要とする理由
上記に対する治療	機器,薬剤の使用目的 治療と治療に伴う副作用の可能性
今後予測される合併症	基礎疾患に伴うもののみならず,医療行為に伴う避けられないリスクについても伝える
今後の見通し	退院を含めた今後の見通しを共有する

育所，学校など）で感染症※1 が流行していないこと。

※1 感染症：麻疹，水痘，流行性耳下腺炎，風疹，インフルエンザ，RS ウイルスなどによる呼吸器感染症，百日咳，感染性胃腸炎，手足口病・伝染性紅斑・ヘルパンギーナなどの発疹性疾患，流行性角結膜炎，など

4 分娩室での蘇生

a 準備

- 準備する器材を**表1-4**に示す。
- ハイリスク分娩[※2]には新生児科医が立ち会う(重症が予測される

表1-4 新生児蘇生のための器材準備

吸引器具	口腔内吸引カテーテル 8, 10, 12, 14 Fr 気管内吸引カテーテル 4, 5, 6.5, 8 Fr
換気器具	流量膨張式バッグ,自己膨張式バッグ マスク cushioned rim 未熟児用,成熟児用 酸素ブレンダー
挿管器具	喉頭鏡 ミラー No 00, 0, 1 ブレード 気管チューブ 内径 2.0, 2.5, 3.0, 3.5 mm (カフなし) スタイレット ディスポーザブル呼気 CO_2 センサー 挿管チューブ固定用テープ 小・中・大
薬剤	ボスミン® 10倍希釈 メイロン® 2倍希釈 生理食塩液 10%ブドウ糖液 ヘパリン
その他	開放型保育器 搬送用保育器 心肺モニター パルスオキシメータ 栄養チューブ 4, 5, 7 Fr 医薬品注入器(カテーテルチップ) 栄養チューブ固定テープ ジェルコ針(24 G)・注射針(18, 22, 23 G) シリンジ アルコール綿 臍クリップ・臍帯剪刀 ガーゼ 体温計 食品用ラップフィルム

※その他,胎児診断の重症度に応じて個別に一酸化窒素吸入システム,鎮静薬,エコー検査機器,穿刺キットなどを準備する。

[※2] ハイリスク分娩:胎児異常,早期産,胎児発育不全,胎児機能不全,帝王切開,コントロール不良の母体糖尿病など。

場合は 2 名以上)。
- 胎児診断から可能な限り出生後の児の重症度を判断し,他科とも連携して娩出方法や出生後の介入方法を決定する。
- すべての分娩で,蘇生に備えて開放型保育器を温めて準備する。超早産児では室温も 30℃程度が望ましい。

b 蘇生の実際

- 超重症児[※3] 以外は,基本的には新生児蘇生法に準じる。
- 重症新生児仮死では脳保護を意識して,蘇生中も意識的に体温を測定する。体温は 36℃台前半を目指す。低体温療法が必要と判断すれば,可及的速やかに(遅くとも生後 6 時間以内に)目標体温に到達させる (⇒p.228)。なお,正常児では 36.5〜37.5℃を目標とする。
- 皮膚蒼白は,循環不全,重症貧血,低体温,アシドーシスを疑う徴候である。
- 在胎 28 週未満の児では,呼吸が不安定または呼吸障害があれば早めに気管挿管する。
- 心肺停止状態が 10 分以上続くなど蘇生が困難な症例や,新生児期の致死的基礎疾患が疑われる場合は,親権者に蘇生室に入ってもらい,蘇生継続の希望や過ごし方について相談する。可能であれば母親とも相談して方針を決定する。

[※3] 超重症児:出生直後より集中治療を要する児(先天性横隔膜ヘルニア,重症 Ebstein 病,肺静脈狭窄を伴う総肺静脈還流異常症など)。

5 入院時および入院中の検査・処置

a 入院時検査

- 必要最小限の検査を行い,採血性貧血を避ける。

1 血液生化学検査

- 病棟内血液ガス（Na, K, Cl, Ca^{2+}, Bil, 血糖, 乳酸含む）。
- CRP, Ht。
- 血算（血液像,網状赤血球）。
- 生化学（TP, Alb, BUN, UA, Cr, シスタチンC, AST, ALT, LDH, ALP, CK, Na, K, Cl, Ca, P, Mg, T-Bil, D-Bil, CHE）。
- 1,500 g 未満の児では,母親の CMV-IgG 検査を産科医に依頼しておく。

2 検尿

- 尿定性と尿定量（電解質, NAG, β_2-マイクログロブリンを含む）。

3 画像検査

- X線：胸腹2方向,骨盤を含む。
- エコー：脳・心臓・腹部（胆嚢,腎臓,副腎,門脈,膀胱）。

4 輸血前検査など

- 輸血前検査は ABO・Rh のみ,抗体スクリーニングはしない。検体は本人血で行い,交差時は再度,本人血を提出する。
- 凝固検査はルーチンには行わず,必要に応じて提出する。翌日からは児の状態に応じて行う。

b 入院時処置

1 栄養カテーテル挿入

- 栄養カテーテルを挿入する際は,呼吸障害がある場合は経口的に,ない場合は経鼻的に挿入し,胃内容物の性状・量を確認する。

2 ビタミンK投与

- 出生時,ケイツー®N（ビタミンK_2）を静注する（体重2,000 g以上：2 mg/0.4 mL, 2,000 g未満：1 mg/0.2 mL）。ビタミンK_2の追加投与は通常2回（日齢4～7, 1カ月時）,初回投与量と同量を静注する。

- 入院時,哺乳量が 100 mL/kg/日以上になっていれば,ケイツー®シロップを内服する(2,000 g 以上:2 mg/1mL,2,000 g 未満:1 mg/0.5 mL)。
- 定期投与以外に,児の状態(出血傾向,術前など)に応じてケイツー®N 追加静注を考慮する。

C 眼底検査

1 対象
- 在胎 34 週未満。
- 出生体重 1,800 g 未満。
- 交換輸血,高濃度酸素投与を受けた児。
- その他(基礎疾患精査)。

2 開始時期
- 原則,在胎 28 週未満の症例では修正 30 週から,それ以外の症例では生後 2〜3 週から開始する。

3 検査方法
- 散瞳にはカプト点眼薬(表 1-5)[2]を用いる。
- 点眼後は涙点を圧迫し,点眼薬の鼻涙管への流入や吸収を最小限に抑える。
- 極低出生体重児では,眼底検査時の無呼吸・徐脈に注意する。児の状態に合わせて呼吸器条件などを適宜,調整する。

表 1-5 カプト点眼薬(院内処方)

混合割合	ネオシネジン®5%点眼液(フェニレフリン塩酸塩)	20 mL
	ミドリン®P 点眼液(0.5%トロピカミド,0.5%フェニレフリン塩酸塩)	10 mL
	サイプレジン®1% 点眼液(シクロペントラート塩酸塩)	10 mL
組成	フェニレフリン塩酸塩	2.625%(原法:2.5%)
	トロピカミド	0.125%(原法:0.5%)
	シクロペントラート塩酸塩	0.25%(原法:0.5%)
使用期限	1 カ月	

Caputo AR, et al. Dilation in neonates : a protocol. Pediatrics 1982;69:77-80[2]を参考に作成

d 新生児マススクリーニング

- 全患児で,栄養状態にかかわらず日齢4〜7に採血する。再検査は自治体の検査機関の指示に従う。

e リハビリテーション

1 全身のリハビリテーション
- 極低出生体重児は抜管後,その他の児は必要に応じて,全身の運動療法のリハビリテーションを依頼する。
- 理学療法士(PT)が運動障害予防・不良肢位の矯正に向けて指導・訓練を行う。あわせて,看護スタッフ・親への指導も行う。

2 呼吸理学療法
- 対象:気管挿管して1週間以上経つ急性期を過ぎた児,慢性肺疾患ハイリスク児。
- 呼吸理学療法の見合わせ:肺高血圧発作,無酸素発作や脳室内出血などの合併症の発症リスクが高い場合。

3 哺乳のリハビリテーション
- 対象:哺乳が進まないと判断された児。
- 極低出生体重児は覚醒度が低く経口哺乳ができないことが多いため,38週以降をめやすに開始する。
- 出生体重1,500g以上の児でも,先天奇形・唇顎裂など哺乳に問題がある場合は,経口哺乳開始に合わせて評価を依頼する。
- 退院後も継続する。

6 感染予防

a 病棟入室者の感染予防

- 発熱・発疹・下痢のある場合，または流行性角結膜炎罹患時は入室禁止。
- 帯状疱疹罹患時は皮疹が痂皮化するまでは入室禁止。
- 口唇ヘルペスの場合はマスクを着用して入室可。

b 診療時の感染予防

- 皮膚や腸内に異常な細菌叢（フローラ）が形成され病原菌が増殖すると，皮膚や粘膜の破綻をきっかけに感染症が起こる。
- 遅発型も含む感染予防には，良好なフローラ形成が重要である。そのため，無菌状態で出生した児に触れる際には，異常フローラ形成を起こす菌を伝播させない。とくに出生直後は注意する。
- WHOの手指衛生ガイドラインの5つのタイミングを守る。
  ① 患者に触れる前
  ② 清潔・無菌操作の前
  ③ 体液曝露後
  ④ 患者に触れた後
  ⑤ 患者周辺の環境に触れた後
  （意外に守られないのは④と⑤である。児または保育器・呼吸器などの周辺機器，個人持ち物品に触った手または手袋で，他の物品や自分の身体に触れない）。
- ハンドソープを用いた手洗い，または15秒以上のアルコール手指消毒を行い，手袋を着用する。
- 点滴など児の処置のために用意する物品は，清潔トレイに載せる。保育器の外側・輸注ポンプなどに点滴や挿管チューブ固定用のテープを貼らない。
- 児専用の聴診器・軟膏類・メジャー類・エコーゲルを使用する。
- 共用の診断機器で患児に触れる部分（エコープローブなど）は，使用の前後に環境クロス（第4級アンモニウム塩含有）で清拭する。
- 開放型保育器やコットにいる児への処置時には，ディスポーザブ

ルエプロンを着用する。

c カテーテル感染予防

- PIカテーテル・臍帯カテーテル・中心静脈カテーテル挿入時には、手術時手洗いをして、ガウン・マスク・帽子・滅菌手袋を着用し、児に全身覆布をかけてから行う。
- 挿入部の皮膚消毒は、0.5%ヘキザック®アルコール液（アルコール含有、クロルヘキシジン）で行う。生後早期の超早産児は皮膚が脆弱なため、0.05%マスキン®水（クロルヘキシジン）を用いる。
- 臍帯カテーテル挿入前に抗菌薬の予防投与をする（PIカテーテル挿入時は予防投与しない）。
- 輸液ラインは閉鎖システムを使用し、三方活栓は最小限とする。輸液ライン接続部の消毒およびアクセスポートから側注する際には、単包エタノール80%含浸綿で最低15秒間拭く。
- PIカテーテルは原則として、1カ月で入れ替えを検討する。
- 脂肪製剤は開封後冷蔵し、24時間以内に使用する。
- 輸血用血液製剤は最低6時間ごとにシリンジ交換をする。

d 感染モニタリング

1 入院時監視培養
- 咽頭、皮膚、便培養。
- 真菌も含めて培養を行う。

2 入院中監視培養
- 週に1回、1本のスワブで咽頭→肛門周囲の順に、2カ所なぞる。
- 選択分離培地で以下を検出：メチシリン耐性黄色ブドウ球菌（MRSA）、基質特異性拡張型βラクタマーゼ（ESBL）、カルバペネム耐性腸内細菌科細菌、多剤耐性緑膿菌、多剤耐性アシネトバクター。
- B群β溶血性レンサ球菌（GBS）は対象外。

7 新生児の褥瘡・皮膚のトラブル

- 新生児は皮膚が薄く、容易に褥瘡やびらんを形成する。
- 頭部（とくに側頭部）、仙骨部、耳、および末梢静脈ライン・動脈ライン・PIカテーテルのライン固定などに関連する圧迫部位に生じやすい。
- 経鼻持続気道陽圧（経鼻CPAP）・経鼻胃管・経鼻十二指腸チューブ挿入時には鼻腔の損傷をきたしやすいため、鼻翼軟骨のある部位には固定しない（図1-1）。
- 超低出生体重児（とくに在胎23～24週の児）の急性期は皮膚トラブルのハイリスクである。当院では、23～24週ではコンタクトゲルのみで経皮CO_2モニターのプローブ（37℃設定）を貼付している。

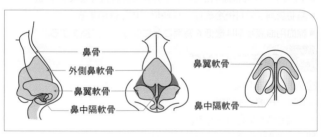

図1-1 尾翼軟骨部位

8 保育環境

a 入院時

- 出生体重 2,000 g 未満の児は，原則として閉鎖型保育器に収容する。
- 保育器内の温度と湿度のめやすを**表 1-6** に示す。
- 2,000 g 未満でも外科的治療などが必要な場合は，開放型保育器に収容する。
- 1,000 g 未満の体温管理の詳細は *p.149* 参照。

b コット移行

- 正期産児は，症状の改善があり体温維持できれば，コットに移す。
- 低出生体重児は，保育器内温度 28℃未満で体温が保持でき，着衣での観察に支障がなければコットに移す。
- コットでは 25℃前後の環境温が望ましい。

c 閉鎖型保育器から開放型保育器への移行

- 長期呼吸管理中の児が体温保持可能となったら，積極的に開放型保育器に移し，家族との接触を図る。

表 1-6 保育器内の温度と湿度のめやす

在胎週数（出生体重）	入院時 器内温度	入院時 湿度	72 時間以降 体温が安定しているなら，湿度 5%/8 時間ずつ下げる
23〜24 週	37℃	95%	器内温 35℃台
25〜26 週	36℃	90%	器内温 34℃台
27〜29 週（1,000 g 未満）	35℃	85%	器内温 33℃台
27〜29 週（1,000 g 以上）	35℃	80%	器内温 33℃台
30 週以上（1,500 g 未満）	33〜34℃	70%	器内温 33℃台
32 週以上（2,000 g 未満）	32〜33℃	60%	体温が安定しているなら加湿をオフ

湿度は 60％を目標に下げて，体温が安定したら加湿はオフにする。湿度が 40％になる場合には，湿度 50％に設定する。

9 輸液療法

a 適応

- 出生体重 2,000 g 未満の低出生体重児。
- 低血糖を呈する児。
- 経口的栄養摂取が不十分な児。

b 出生体重 1,500 g 以上および正期産児

- 日齢 0 は 10% ブドウ糖 60〜70 mL/kg/日で開始,水分量は 10 mL/kg/日ずつ増量する。経口的栄養摂取がなく輸液のみの場合は,120〜140 mL/kg/日で維持する。
- 正期産児で血糖が安定している場合(血糖値 70 mg/dL 以上)は,5% ブドウ糖で開始することがある。
- SGA 児の場合は,水分量 70〜80 mL/kg/日で開始する。
- 生後 1 週以内は出生体重で,1 週以降はその日の体重で輸液の計算をする。
- 蛍光管による光線療法時代には水分量を 10〜20 mL/kg/日増量していたが,LED に切り替わってからは,体温が保たれていれば,ルーチンに水分量を増やすことはしない。
- 日齢 1〜2 をめやすに血液 Na,K を確認し,Na,K に応じて電解質維持輸液(ソルデム®3AG またはソルデム®3A)に変更する。
- 経腸栄養からの水分摂取量が 80〜100 mL/kg/日となり血糖が安定したら,維持輸液のブドウ糖濃度を順次下げ,経腸と輸液とを合わせた総水分量が 140〜160 mL/kg/日になるよう調節する。

c 出生体重 1,000〜1,499 g の児

- 輸液計画は低出生体重児(出生体重 1,500 g 以上)に準じるが,毎日の体重変動に注意するとともに,日齢 2 までは少なくとも 12 時間ごとに電解質を検査して,その結果をもとに輸液計画を立てる。
- 水分量は 60〜70 mL/kg/日で開始し,10〜20 mL/kg/日増量する。X 線の心胸郭比(CTR),心エコーでの動脈管や左室拡張終末期径(LVDd)など,また体重減少と高ナトリウム血症から判

断し，140〜160 mL/kg/日まで増量する。
- ブドウ糖投与速度（GIR）は 3〜4 mg/kg/分をめやすにするが，グルコース-インスリン（GI）療法施行時および，インドメタシン，イブプロフェン投与時は低血糖に注意する。
- 血中 Ca の低下傾向を認めた場合や母体への長期硫酸 Mg 投与があった場合は，輸液にグルコン酸 Ca（カルチコール®）2〜5 mL/kg/日の添加を検討する。
- K 添加は，血清 K<5 mEq/L で利尿が十分であることを確認後に，0.5〜1 mEq/kg/日から徐々に行う。
- Na 添加は，生後 48 時間以降，利尿状況・体重減少を確認後に，1〜2 mEq/kg/日から開始する。
- 低リン血症（血清 P<5 mg/dL）予防のため，維持輸液はフィジオ®35 を使用する。
- 生後 1 週以降で浮腫がなく，血清・全血 Na<135 mEq/L かつ尿中 Na<10 mEq/L の場合は，生理食塩液による輸液補正を考慮する。Na 不足が疑われるが輸液ルートがない，または輸液を中止する場合は，10%NaCl の 2〜3 mL/kg/日（＝3.4〜5.1 mEq/kg/日）分 8 の内服を開始する。Na の必要投与量は約 3 mEq/kg/日。尿中 Na 喪失は SGA 児では多いこともあり，個人差がある。
- 呼吸管理中の児，血圧変動がある児，アシドーシスや高乳酸血症が続く児は，循環状態不安定で脳室周囲白質軟化（PVL）のハイリスクと考えられる。動脈ラインを留置し，超低出生体重児に準じて管理する（→ p. 153）。
- 高カリウム血症，低ナトリウム血症を認める児も未熟性が強いと考え，超低出生体重児に準じた管理をする。

10 栄養計画（経腸・経口）

a 母乳栄養

- 極低出生体重児に対する母乳栄養は，壊死性腸炎（NEC）の発症予防ならびに NEC による死亡率の低下や腸管狭窄などの合併症を予防するのに非常に重要である。
- 極低出生体重児を後遺症なく，より健康に育てるためには，長期母乳育児が必要である。
- 母乳育児の中・長期効果には，①網膜症のリスク軽減，②退院後の感染防御・免疫制御，③認知能力の向上，がある。
- 母乳育児を長続きさせるためには，「退院後も直接授乳すること」がもっとも単純で楽な方法である。
- 母乳分泌を確立・維持するための母親への情報提供を，産前から退院後まで行う（参考：神奈川こども NICU 早産児の育児応援サイト内「家族のパワー」）。
- 以下に，上記の目的のためのステップをふまえた母乳育児の方法を示す。この方法は極低出生体重児だけでなく，出生体重 1,500 g 以上の低出生体重児にも応用できる。

1 母乳育児の方法

- 早産，とくに極低出生体重児では生後 24 時間以内に母乳の注入を始める（超早期授乳；表 1-7）。
- 超早期授乳の頃から，母親と一緒に母乳の口腔内滴下を行う。
- 在胎 30 週未満の極低出生体重児には 1 日 1 回，修正 36 週まで（NEC のリスクに応じて）ビフィズス菌を与える。
- 極低出生体重児には超早期授乳を 2 日間行い，1 mL の母乳が入るようになったら，その後は 100 mL/kg/日になるまで毎日 1～2 mL/kg/回ずつ増やす。
- 出生体重 1,500 g 以上の児には日齢 0 から母乳のみで開始し，日齢 1 以降，毎日増量する。母乳分泌が十分でなければ，人工乳を併用する。増量のめやすを表 1-8 に示す。
- 極低出生体重児では，哺乳量が 100 mL/kg/日に達したら，母乳添加用粉末（HMS-1，森永乳業）の添加を半濃度から開始する

表1-7 超早期授乳

目的	①生後禁乳にすると，腸管の萎縮，正常な腸内細菌の増殖阻止，細菌の腸管外への病的移行が起こり，多臓器不全をきたす。 ②早期授乳と普通の授乳開始とでは，壊死性腸炎の発生頻度に差がない。 ③口腔内に母乳を滴下すると，正常な細菌叢の定着，舌下腺リパーゼの分泌によいといわれている。
対象	極低出生体重児全例。児の全身状態が悪くても開始する。ただし，壊死性腸炎を疑うものは除く。
方法	①生後24時間から2日間をめどに，1 mLを3時間ごとに胃内に自然注入する。 ②母乳分泌が悪く，1回の搾乳量が少ない場合は注射器から口腔内滴する。 ③23〜24週の児では，1回 0.5 mL としてもよい。

表1-8 出生体重1,500 g以上の児への増量のめやす

出生体重	増量のめやす（/日）
1,500〜1,999 g	3〜4 mL ずつ
2,000〜2,499 g	5 mL ずつ
2,500 g 以上	5〜10 mL ずつ

(**表1-9**)。**表1-10**に強化母乳の組成を示す。

- 経管栄養では注入量が100 mL/kg/日以上になったら，体重増加を適正に保ちながら160〜180 mL/kg/日まで増量する。SGA児の場合，180〜220 mL/kg/日以上まで増量することもある。
- 注入後嘔吐・胃内停滞・無呼吸発作などがあれば，その程度に応じて注入量を減らすか，注入を中止する。腹部膨満・腸蛇行がみられる場合は慎重に進める。
- 児に与える優先順位は，初乳＞新鮮母乳＞冷凍母乳＞人工乳の順である。
- 極低出生体重児では，生後1カ月未満は人工乳を与えることがないように，最大限の母乳育児支援を行う。
- 1回の搾乳の後半に得られる後乳は，前半で得られる母乳と比べ脂質濃度が高いため，高カロリーで，神経発育に必須の長鎖多価不飽和脂肪酸を多く含む。1回の母乳分泌量が50〜60 mLを超え，1日あたりの母乳分泌量が児の1日哺乳量を上回っていたら，後乳を優先して与える。

表1-9 母乳添加用粉末(HMS)添加の実際

対象	・原則として出生体重1,500 g未満の児。
開始時期	・授乳量が100 mL/kg/日に達してから。
方法	・母乳60 mLあたり1包(1/2濃度)を添加。 ・腹部膨満,下痢など消化器症状がないことを数日間確認後,母乳30 mLあたり1包を添加。
注意点	・HMS-1には脂肪,ビタミンD,鉄,亜鉛,銅が添加されていない。 ・HMS-2には脂肪が添加されている。 ・ビタミン類,鉄は従来どおり添加が必要。
モニタリング	・身体計測:体重は連日〜週3回,身長・頭囲は週1回。 ・血算・血液生化学(TP, Alb, 鉄, TIBC, ChE, プレアルブミン, フェリチン, BUN, Cr, Na, K, Cl, Ca, P):1〜2週ごと。 ・尿(Na, K, Cl, Ca, P):1〜2週ごと。 ・母乳が哺乳量の50%未満になったら,強化効果が薄れる。
中止時期	・退院予定の2週間前で体重2,000 g以上。 ・HMSを中止しても体重増加良好で,TP, Pの低下がないことを確認。

表1-10 母乳と強化母乳(HMS-1, HMS-2)の比較

成分	HMS-1 (0.8 g/ 30 mL)	HMS-2 (1.3 g/ 30 mL)	母乳 (100 mL)	強化母乳 -1 (100 mL)	強化母乳 -2 (100 mL)
熱量 (kcal)	3	6	68	78	88
たんぱく質 (g)	0.22	0.3	1.3	2	2.3
脂質 (g)	0.01	0.3	4.2	4.2	5.2
MCT (g)	−	0.27	−	−	0.9
糖質 (g)	0.46	0.53	6.2	7.7	8
Na (mg) (mEq)	2.7 0.12	5.6 0.24	16 0.70	25.0 1.10	34.7 1.50
K (mg) (mEq)	3.1 0.08	7.5 0.19	57 1.46	67 1.73	82 2.09
Ca (mg) (mEq)	21 1.05	30 1.50	32 1.60	102 5.10	132 6.60
P (mg) (mmol)	12 0.39	18 0.58	13 0.42	53 1.71	73 2.36
浸透圧 (mOsm/kgH$_2$O)	−	−	280	340*	360*

*溶解後2時間以内の場合。時間が経過するにつれて上昇する。
注:カルチコール®1 mLあたりCa 7.8 mg (0.39 mEq), リン酸Na補正液は1 mLあたりP 15.5 mg (0.5 mmol)。

- 体重増加目的のために中鎖脂肪酸(MCT)オイル(8 kcal/mL)を加えることがあるが,これには必須脂肪酸は含まれず,エネルギー付加の意味のみである。使用する場合は0.5〜2.0 mL/kg/日,分3〜8。
- 強化母乳と後乳の使用で,十分な体重増加が得られることが多い。
- 児の呼吸状態と腹部膨満の程度をみながら,注入時間を調整する。無呼吸があっても,注入との因果関係が明らかでない場合は注入時間を短縮する。

2 後乳の選び方

- 1回の搾乳の始めの2〜3分で容器を替え,残りを最後まで搾乳する(後乳)。脂肪成分は射乳反射のたびに増加するので,分泌がよい場合は,より最後の部分を使用するとよい。

b 母乳育児支援

1 母乳育児支援アルゴリズム

- 母児分離の母親が母乳分泌を確立・維持するために,母乳育児支援アルゴリズムに沿って支援を行っている。
  ① 産後1時間以内〜3日までは1日8〜11回以上搾乳する。産後4日〜2週間は1日7回以上,産後2週間以降は搾乳量が十分であれば,生活のリズムに合わせて5回以上の搾乳を行う。
  ② 搾乳量を制限せずに,最大限まで増やす(目標500 mL/日以上)。
  ③ できるだけ早期からカンガルーマザーケアを行い,ケア中には非栄養的吸啜を行う。
  ④ 早期(カンガルーマザーケア中)から直接授乳を開始する。
  ⑤ 同胞を含むファミリーケアが必須である。

2 搾乳支援

- 手による搾乳方法をすべての母親に教える。母児分離が1カ月以上継続することが予測される場合は,高性能の電動搾乳器のレンタル情報を提供する。電動搾乳器は両側同時搾乳ができるダブルポンプ式が望ましい。母親が快適な搾乳方法を見つけられるように支援する。
- 電動搾乳器を使用する際は,ハンズオンポンプ(空いている手で乳房を軽く圧迫して乳汁の流れを促す。流れが緩やかになったら別の場所を圧迫する)が有効である。

3 直接授乳の開始と注意点

- 直接授乳は，蘇生を要するような無呼吸がなくなり，昼間，経鼻持続気道陽圧（経鼻 CPAP）が外せるようになったら開始する。修正週数や体重の制限はない（nasal high flow，経鼻酸素では実施）。
- 合併症のない極低出生体重児が直接授乳できるのは修正 32 週頃から，また吸啜・嚥下・呼吸の調節ができ直接授乳の量が増え出すのは修正 34〜37 週頃である。
- カンガルーマザーケア中からリクライニング授乳を試みると，スムーズに直接授乳に移行できる。
- 正期産児では，疾病の軽快を確認後，経口哺乳を開始する。
- 経口哺乳の練習中は SpO_2 モニターを併用し，無呼吸・徐脈・チアノーゼの出現に注意する。
- 乳汁移行がみられ始めたら，哺乳量測定を始める。
- 直接授乳の量が増えてきたら，面会時間中は自由に授乳し，不足分の注入は次回，または次々回の授乳時間以降とする。
- 1 回授乳量が少なくても，一定の時間内に必要量を摂取できている場合は直接授乳のみで退院可能である。
- 母親の不在時は，搾母乳を注入する。ただし，体動のため注入が危険であったり，哺乳欲求が強い場合や直接授乳で 1 回の哺乳量を飲むことができる場合は，哺乳瓶による授乳を考慮する。

4 哺乳瓶による授乳

- 哺乳瓶による授乳は，直接授乳に比べ徐脈，SpO_2 の低下をきたしやすいため，直接授乳の開始前に哺乳瓶による授乳を行うのは，危険である。
- 哺乳瓶による授乳を先に始めることで，児の直接授乳の妨げになることがある。また，母親の母乳育児の意欲をそぐことがある。

5 母乳の保存期間と搾母乳の取り扱い

- 推奨される母乳の保存期間を表 1-11 に示す。

C 在胎 35 週以降に出生した母乳栄養の新生児に対する補足

- 体重減少（>10 % 減）の際には血糖，Bil，Na を評価する。
- 低血糖（血糖<50 g/dL），高ナトリウム血症（全血 Na≧150 mEq/L）を呈する場合は補足する。

表1-11 推奨される母乳[*1]の保存期間

母乳の種類	保存方法	早産児, NICU入院児	強化母乳	健康な正期産児	退院した乳児
新鮮母乳	室温	≦4時間[*2] 持続注入の場合, 4時間を超えても可	可能な限りただちに	≦6時間	≦6時間
	冷蔵庫	2〜4日[*3]	≦24時間	≦5日	≦8日
	冷凍室 (≦-20℃)	理想：≦1カ月 最適：≦3カ月 可能：≦12カ月	凍結しない	理想：≦3カ月 最適：≦6カ月 可能：≦12カ月	≦12カ月
解凍母乳	室温	≦4時間	ただちに	≦4時間	≦4時間
	冷蔵	≦24時間	≦24時間	≦24時間	≦24時間

[*1]：本人の母親の母乳をさす。
[*2]：冷蔵する予定の母乳は搾乳後, ただちに冷蔵する。
[*3]：細菌数は8日以降も減少するが, 栄養的, 免疫的な質は長期冷蔵で損なわれる可能性がある。したがって, NICU入院児では従来どおり48時間をめやすとすることが望ましい。

- 上記を満たさなくても, 母親の疲労が強く, 母乳分泌遅延がある場合は, 母親への十分な支援を行いつつ補足を考慮する。
- 補足は搾母乳または人工乳。
- 補足量のめやすは**表1-2**（☞ p.3）を参照。
- 補足には原則として, カップやスプーンを使用する。
- 補足が必要な児は, 適切に飲みとれているかの評価を行い, 直接授乳回数が減らないようにする。
- 人工乳使用の際は, 医学的な必要性に加えて, 懸念されること（ミルクアレルギー発症のリスク, 母乳育児期間の短縮など）を親に説明する。
- 補足は原則, 生後72時間までとする。72時間以降は, 症例ごとに決定する。

d 短期間入院の正期産児, または正期産に近い週数で生まれた児の母乳育児

- 哺乳量のめやすを**表1-12**に示す。
- 直接授乳は母親の体調さえよければ, 生後6時間以内に開始。
- 生後24時間は搾母乳か直接授乳のみ。
- 哺乳瓶は原則, 使用しない。母親のいない間はカップ授乳（図

表1-12 短期間入院の正期産児，または正期産に近い週数で生まれた児の哺乳量のめやす

	哺乳量
生後12時間〜	5 mL×8
日齢1〜	10〜15 mL×8
日齢2以降	20〜30 mL×8

1-2）を行う。
- 日齢2以降の補足は直接授乳の量を差し引いて行う。
- おしゃぶりは児が明らかにおしゃぶりを欲しがっているときだけ使用する。
- カップ授乳時はこぼしが多いので，漏れたタオルを計測し，こぼれた分を補足する。

e 人工栄養・ドナーミルク

- 人工乳の使用は，医学的に母乳禁忌の場合〔児がガラクトース血症，母親がヒト免疫不全ウイルス（HIV）感染またはヒトT細胞白血病ウイルス1型（HTLV-1）感染で，かつ人工乳を選択した場合〕のみとする。
- 超低出生体重児を出産した母親に母乳分泌遅延がみられる場合は，期間を限定して認可された母乳バンクのドナーミルクを検討する。

f 経管栄養の適応と注意

- 在胎35週未満の低出生体重児，吸啜不良・呼吸障害・誤嚥のリスクのある児は経管栄養で開始する。
- 授乳のたびに，栄養チューブの先端が胃内にあることを確認する（図1-3）。
  ①胃吸引して吸引物が得られることを確認。
  ②吸引物が得られないときは側臥位にしてみる。
  ③空気1〜2 mLを入れてみてから再度吸引する。
  ④pHチェッカーでpH<5.5であることを確認する。
- 万一，誤嚥した場合，肺への刺激が少ないのは母乳<水<糖水<人工乳の順で，もっとも刺激が強いのは人工乳である。

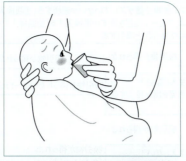

図1-2 カップを使った授乳方法

①児が穏やかに覚醒していること（眠くないこと）を確認する。
②児の手がカップにぶつからないよう布で包み，児を縦抱きにする。
③搾母乳・人工乳が少なくともカップ半分以上入った状態にし，児の口元にカップを近づけ，少し傾ける。児が口を開けたとき，カップが下唇の上で静止し，乳汁が児の上唇に触れるようにする。その際，下唇に圧をかけないようにする。
④軽くカップを傾け，乳汁を2～3滴，児の口に流し込む。
⑤そのままの状態に保ち，児が自分のリズムで飲めるようにする。必要なら休憩し，児が飲まなくなったら中止する。

POINT カップ授乳の注意点

- ◆カップによる授乳は与えた量の30%以上をこぼすという報告があるため，あらかじめ多めに乳汁を用意する。
- ◆寝かしたままの姿勢，または児が飲まなくなってからの流し込みは危険。
- ◆カップは児の下唇に軽く乗せるようにし，カップの縁が上唇の外側に触れるようにする。ソフトカップの場合は，児の口に合わせてシリコン部を曲げる。
- ◆授乳時間は30分までとし，児が自分のペースを保てるようにする。児は満ち足りると口を閉じ，それ以上飲もうとしなくなる。予定している量を飲まなかったとしても，次回に飲む量を増やすか，飲む回数を増やせばよい。
- ◆どのくらい摂取しているかは，1回ごとにみるのではなく，24時間以上の期間でみるようにする。
- ◆時々，げっぷをさせる。
- ◆ごくごく飲む児もいれば，時々休憩する児もいる。授乳中に舌を出してくる児もいれば，出さない児もいる。母親には，児の様子をよく観察し，ペースを尊重してあげるよう話す。

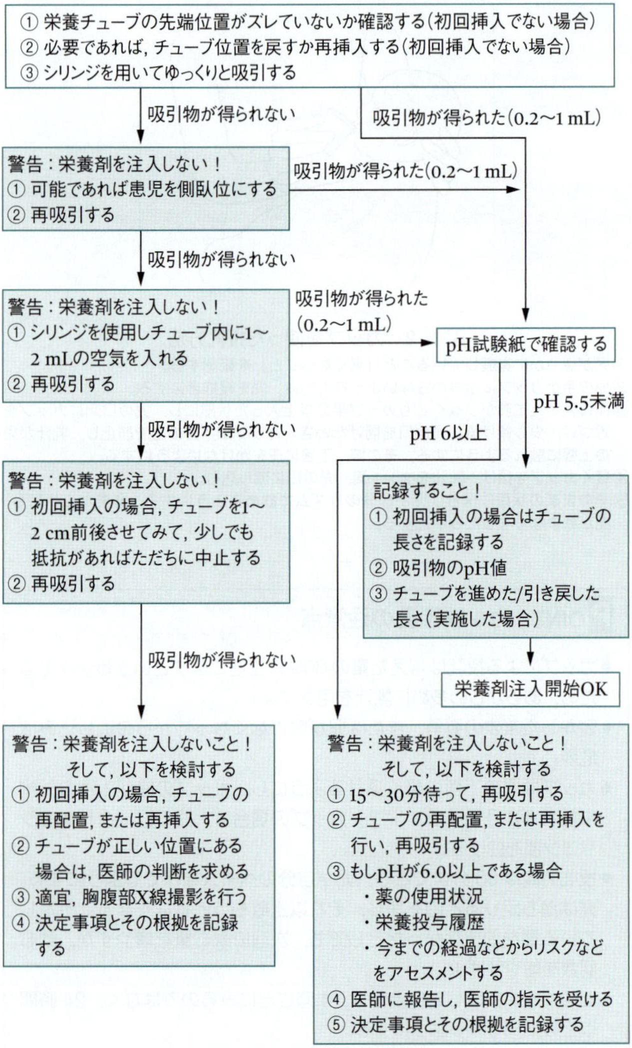

```
┌─────────────────────────────────────────────────────────┐
│ ① 栄養チューブの先端位置がズレていないか確認する(初回挿入でない場合) │
│ ② 必要であれば,チューブ位置を戻すか再挿入する(初回挿入でない場合)  │
│ ③ シリンジを用いてゆっくりと吸引する                        │
└─────────────────────────────────────────────────────────┘
```

吸引物が得られない ↓   → 吸引物が得られた(0.2〜1 mL)

警告:栄養剤を注入しない!
① 可能であれば患児を側臥位にする
② 再吸引する
  → 吸引物が得られた(0.2〜1 mL)

吸引物が得られない ↓

警告:栄養剤を注入しない!
① シリンジを使用しチューブ内に1〜2 mLの空気を入れる
② 再吸引する
  → 吸引物が得られた(0.2〜1 mL) → **pH試験紙で確認する**

吸引物が得られない ↓

警告:栄養剤を注入しない!
① 初回挿入の場合,チューブを1〜2 cm前後させてみて,少しでも抵抗があればただちに中止する
② 再吸引する

吸引物が得られない ↓

pH試験紙で確認する分岐:
- pH 5.5未満 → **記録すること!**
  ① 初回挿入の場合はチューブの長さを記録する
  ② 吸引物のpH値
  ③ チューブを進めた/引き戻した長さ(実施した場合)
  → **栄養剤注入開始OK**
- pH 6以上 ↓

警告:栄養剤を注入しないこと!
そして,以下を検討する
① 初回挿入の場合,チューブの再配置,または再挿入する
② チューブが正しい位置にある場合は,医師の判断を求める
③ 適宜,胸腹部X線撮影を行う
④ 決定事項とその根拠を記録する

警告:栄養剤を注入しないこと!
そして,以下を検討する
① 15〜30分待って,再吸引する
② チューブの再配置,または再挿入を行い,再吸引する
③ もしpHが6.0以上である場合
 ・薬の使用状況
 ・栄養投与履歴
 ・今までの経過などからリスクなどをアセスメントする
④ 医師に報告し,医師の指示を受ける
⑤ 決定事項とその根拠を記録する

図1-3 経鼻胃管の位置確認

g 少量経管栄養

- 超早期授乳ののち,経管栄養では十分なエネルギーを得ることができず,静脈栄養を続ける必要がある場合でも,母乳 1 〜 3 mL を経腸栄養することで,胆汁うっ滞,bacterial translocation,腸

表 1-13 母乳を誤って別の患児に与えた場合

看護スタッフ	1. 注入,経口にかかわらず,ただちに胃内吸引する。 2. 投与された母乳が新鮮母乳か冷凍母乳か,ドナーと誤投与された患児名をチェックし,ただちに主治医または当直医に報告する。 3. 誤投与の事実関係を文書化し,看護科長・病棟補佐に伝達する。 4. 看護科長・病棟補佐は事故後 24 時間以内の日勤帯に,双方の家族に謝罪する。 ・誤投与された児の家族への謝罪は医療的な説明を要するので,看護科長・病棟補佐が,主治医・当直医とともに行う。 ・ドナー側には看護科長または病棟補佐のみが行い,医師は参加しない。 ・家族が事故当日に面会の場合は,当日中に行う。また,家族の目前で事故を起こした場合は,担当看護師も同席する。
医師	1. 主治医・当直医は看護師から誤投与の報告を受けたら,ただちに提供者の母体情報で HBV,HCV,HTLV-1 を確認する。 2. ドナーが HBV 陽性の場合は,誤投与された児に 24 時間以内に HBIG を筋肉内注射する。 3. 新鮮母乳を与えた場合は,ドナーと誤投与された児の双方の母親のCMV 抗体の有無確認する。 ・冷凍母乳を与えた場合は,CMV 感染のリスクはないと考え,特別な処置をしない。 ・いずれかの CMV 抗体が未検で,誤投与された児に CMV 感染のリスクがある場合は,CMV 感染症の症状発現に注意する。 4. 誤投与された児の家族への説明は,新鮮母乳・冷凍母乳にかかわらず,主治医または当直医が看護科長または病棟補佐と一緒に,事故後 24 時間以内(夜間の場合は翌日日勤帯)に行う。
説明内容	・輸血検査時に行う感染症のチェックが陰性の母乳をドナー母乳として使用しているため,ドナー母乳の誤投与による感染のリスクはきわめて低い。 ・ドナー母乳が CMV 陽性の母親による新鮮母乳で,誤投与された児の母親が CMV 陰性かつ,誤投与された児の修正週数が 32 週未満の場合には,リスクは低いが CMV 感染の可能性もあるので,注意して観察していく。 ・ドナー母乳が CMV 陽性の母親による母乳であっても,冷凍母乳であれば CMV 感染のリスクはより低くなる。

HBV:B 型肝炎ウイルス,HCV:C 型肝炎ウイルス,HTLV-1:ヒト T 細胞白血病ウイルス 1 型,HBIG:抗 HBs ヒト免疫グロブリン,CMV:サイトメガロウイルス

管の萎縮を防ぐことができる。
- 母乳栄養は，経胎盤性の受動免疫を受けていない極低出生体重児に継続して特異免疫を受けられる機会を提供する。

h 母乳を誤って与えた場合の対応

- 母乳を誤って別の患児に与えた場合の，看護スタッフならびに医師の対応を**表 1-13** に示す。

11 在宅医療への移行計画

a 経管栄養

- 経管栄養をしている児が在宅医療へ移行する場合，以下の条件を満たしている必要がある。
  ① 1日の注入回数が6回以下で，1回の注入を1時間以内に済ませられる状態。
  ② 家族が経鼻胃管を確実に挿入できる。
  ③ 前回胃残を認めた場合に対処（注入量の決定を含め）できる。
  ④ 経口哺乳量に合わせた注入量を決定できる。
- 在宅医療へ移行する際には，払い出し物品（胃管，テープなど）を確認する。
- 経管栄養の意義を理解してもらう。とくに部分的に経口哺乳が可能な場合，無理に経口摂取を進めると，将来的に哺乳・摂食障害を引き起こす可能性がある。

1 経口摂取困難（経口残注入で退院する場合）

- 次回外来までに予想される総乳汁量を決定する。
- 現在の1回経管注入量の最高量を知る（全部注入するとして，嘔吐や不快なく注入できる量）。
- 一定期間内に必要な乳汁量＝総乳汁量 / 1回注入最高量。
- 自宅での生活に合わせて，経口哺乳を児のペースで進め，時間内に不足になる分量を注入する。

POINT 一定期間内に必要な乳汁量の1例

1日必要乳汁量が600 mL，1回の経管栄養可能量が150 mLとすると，6時間で150 mL栄養摂取できていればよい。ある時刻から経口哺乳をしていき，6時間後までに100 mL経口哺乳した場合，［1回の経管栄養可能量（150 mL）－6時間で飲んだ総乳汁量（100 mL）＝50 mL］を注入する。これを1日4回繰り返す。注入は1日4回で済み，経口摂取の練習もできる。

この方法は，たとえば3時間ごとに哺乳して毎回残注入とするよりも，子ども主導の哺乳ができ，また哺乳回数が減らないメリットがある。

2 経口哺乳を哺乳瓶ではなく直接授乳している場合

- 哺乳前後の体重測定を行う方法もあるが、煩雑なため、厳格な水分摂取量の把握が必要となる心不全の場合などに限られる。
- 通常、現在の1日あたりの残注入量を3時間ごとではなく、6〜8時間ごとに大まかに分け、その間は好きなだけ直接授乳し、2〜3週後に体重を確認するのが現実的である。

b 在宅酸素療法（HOT）

1 入院継続基準

① Room air で $SpO_2<88\%$
② 酸素投与（0.25 L/分）をしても啼泣・哺乳・深睡眠時にチアノーゼを呈する
③ $PCO_2>55$ mmHg
④ 体重増加不良（<140 g/週）
⑤ 肺高血圧スコア3点以上（**表2-12**, ☞ p.74）

2 HOTでの退院条件

- 入院継続基準に該当するものが1つもなく、安静時に酸素投与を30分以上中止しても $SpO_2≧88\%$ を維持可能（在宅での酸素投与トラブルに備えて）。
- 24時間 SpO_2 のヒストグラム解析で、酸素流量≦0.5 L/分で、$\%SpO_2>95\%$（$SpO_2>95\%$ を示す時間が全解析時間に占める割合）が90％以上。
- 家族の協力と教育の完了。
- HOTでの退院基準を満たす酸素流量は、ほとんどが0.25 L/分、多くても0.5 L/分。

3 外来受診時に確認する離脱基準

- Room air で $SpO_2≧95\%$ を維持していることを確認する。
- 酸素投与時と非投与時の心拍数、SpO_2 に差がない。
- 肺高血圧の軽減または消失（肺高血圧スコア2点以下）。
- 日常生活でチアノーゼがない。
- 気道感染による頻回の入院がない。
- 酸素投与中止は SpO_2 維持だけでなく、肺高血圧の評価、体重増加や哺乳状況をふまえて決める。酸素投与中止に迷う場合はモニタリングも行う。

c 気管切開での退院条件

- 気道吸引隔を覚醒時で1時間以上空けられる状態。
- 日常管理だけでなく緊急対応（その場でカニューレ交換し，必要であれば心肺蘇生）についての十分な家族指導ができている。
- 緊急時に備え，ワンサイズ下のカニューレと挿管チューブを常備する。
- 呼吸状態の急変時にはカニューレトラブル（閉塞・抜去・半抜去など）を第一に考えて，カニューレ交換を行う。
- 気管切開をしている児が在宅医療に移行する場合，イメージをもってもらうために，国立成育医療研究センターの「子どもの気管切開なび」を家族に紹介する。

d 高度在宅医療（とくに在宅人工呼吸管理）

- できるだけ一般小児科に転棟させて，院内・院外外泊訓練を経たのちに退院。
- 退院計画は主治医・担当看護スタッフをはじめ，医療ソーシャルワーカー，地域医療連携室員，在宅医療審査会担当医などで構成される支援チームがカンファレンスを行い，計画を立てる。
- 院内・院外の外泊前に在宅医療審査会に進行状況を提出し，支援チーム以外の構成員の意見を診療に反映させる。
- 訪問看護やヘルパーを積極的に利用する。また，必要な医療ケア物品の入手方法や物品購入にかかる費用（保険診療による病院払

POINT HOTでの退院時の家族への説明

- ◆低酸素は目に見える症状に乏しいが，酸素療法は哺乳不良や体重増加不良，慢性肺疾患に伴う肺高血圧の予防に必要なことを家族に理解してもらう。
- ◆中止時期の見込みを案内する。
- ◆月1回の定期受診と，緊急時の受け入れ体制（気道感染時の受け入れ病院など）を調整する。
- ◆SpO_2モニターは原則，持ち帰らないようにしている。家族を医療者化しないことが大事である。

- い出し分と家族負担分）も検討する。
- 退院後の家族休養のためのレスパイト（在宅医療評価入院）なども事前に計画する。
- 急変が予測される場合，蘇生指導をする（希望がある場合には，自己膨張式バッグも案内する）。

12 予防接種

- 医学的に安定している児は，NICU入院中であっても，修正月齢ではなく暦月齢に従って予防接種を進めていく。
- 早産児や低出生体重児であってもワクチン接種量を減量しない。
- 予防接種で無呼吸などの有害事象が増加する可能性もあり，接種前から無呼吸を認めている児ではより注意が必要である。
- 予防接種による呼吸循環への有害事象は，接種後48時間以内に発生することが指摘されている。多くの場合は治療介入を要さず一過性だが，一時的に酸素投与などの治療介入が必要な場合もある。
- 家族に母子手帳を持参してもらう。また，同意書と接種対象住所地に居住していることを確認する。
- GCU内では，BCG，ロタウイルスワクチンを含む生ワクチン接種の制限はしない。ただし，ロタウイルスワクチンは人工肛門管理中と下痢をしている場合には接種を控える。
- 接種時期は，「日本小児科学会が推奨する予防接種スケジュール」を参照。
- 13および18トリソミーの児では予防接種後にしばしば急変するため，生後6カ月以降をめやすに全身状態が安定していれば，家族とよく相談のうえで接種している。
- シナジス®（パリビズマブ）は予防接種ではないので，他の予防接種と並行して投与可能である。

13 退院後のフォローアップ

a フォローアップ対象

- 極低出生体重児。
- ハイリスク児〔重症新生児仮死,多発奇形,染色体異常,基礎疾患の合併の多い疾患(食道閉鎖,横隔膜ヘルニア),TORCH 症候群〕。

b 新生児科

- 発達の問題は,長期的に観察しないとわからない。
- 外来受診のめやすを**表1-14**に示す。
- 年齢ごとの発達検査を**表1-15**に示す。

表1-14 年齢ごとの外来診察のめやす

年齢	外来受診のめやす
退院～1歳6カ月	3～4カ月ごと
1歳6カ月～3歳	6カ月ごと
3～9歳	1年ごと

表1-15 発達検査

年齢	発達検査
修正1歳6カ月	新版 K 式発達検査 M-CHAT →全23項目中3項目以上,または重要10項目中1項目以上の不通過を陽性とする
3歳	新版 K 式発達検査
5歳以降	ADHD 評価スケール
6歳,9歳	WISC™-Ⅳ →発達または知能指数が,＜70:遅滞,70～84:境界,≧85:正常
7歳	読み書きスクリーニング(DQ＞80で読み書きの問題を抱えているケース)

M-CHAT:Modified Checklist for Autism in Toddlers(乳幼児期自閉症チェックリスト修正版),ADHD:注意欠如多動性障害,WISC™-Ⅳ:Wechsler Intelligence Scale for Children—4th edition

- 結果は家族・療育・教育機関と共有する。療育機関と検査が重複しないよう確認が必要である（検査への学習効果で評価が不適切になるため）。
- 神奈川県での児童発達支援先は，神奈川県内の障害福祉サービス総合情報サイト＞障害児通所サービス＞児童発達支援を参照。

C 眼科

- 未熟児網膜症のフォローアップが中心となる。重症度によってフォローアップ期間が異なる。
- 眼科フォローがなくなった児で，新生児科フォローアップ中に屈折異常・眼位の異常などに気づいた際は，トリアージ目的に近くの眼科クリニックの受診をすすめ，近医から適宜紹介してもらう。

14 NICU フォローアップカンファレンス

a 目的

- 退院後に生じた医療・社会的な問題点を，家族の利益が得られるように解決する。

b 構成人員

- 新生児科医に加え，院内保健師，医療ソーシャルワーカー，NICU看護スタッフ，理学療法士，作業療法士，言語聴覚士，臨床心理士。

c 対象

- 継続訪問看護の依頼・情報提供票（神奈川県内共通の書式）を提出した外来フォローアップ中のハイリスク児（おもに早産児）。

d 方法

- 退院後6カ月で評価を行う。極低出生体重児は修正18カ月，3歳，6歳，9歳の診察後にも評価する。
- 医療的・社会的問題点を取り上げ，各職種間の認識を共通化する。
- フォローアップ漏れは受診勧奨する。
- 家族支援が必要な場合は，地域の保健所に児の現状を報告する。他の社会的資源（療育センター・訪問看護ステーション・児童相談所・ボランティアなど）の利用推進を図る。

15 新生児搬送

- 基本的には医師と看護スタッフが付き添う。
- 専用蘇生セット（表1-16）を携帯する。
- 搬送用保育器の器内温は35℃に設定，低酸素性虚血性脳症（HIE）を疑う成熟児の搬送の場合は電源を切っておく。

表1-16 携帯用蘇生セット

上段			下段		
物品名	規格	常備数	物品名	規格	常備数
喉頭鏡	ハンドル W 小	1	聴診器	新生児用	1
ブレード	00号（ELBW用） 0号（新生児用）	1 1	MPI T ピース	1	1
			アンビューバッグ		1
予備電池	単3	2	マスク	未熟児用 成熟児用	1 1
ワーデル®	25 mm 巻	1	気管チューブ	2.0 mm 2.5 mm 3.0 mm 3.5 mm 4.0 mm	1 2 2 2 1
マイクロポア™	茶色 12 mm 巻	1			
チューブ固定テープ	未熟児用 成熟児用	4 2			
ハサミ		1			
キシロカイン®ゼリー		1	気管吸引カテーテル	4.0 Fr. 5.0 Fr. 6.5 Fr.	2 3 3
滅菌グローブ		2			
注射シリンジ	10 mL aaAAA	2	サフィード®吸引カテーテル	8 Fr.	2
栄養シリンジ	10 mL	1			
注射針	18 G 23 G	3 3	ジェイフィード®栄養カテーテル	4 Fr. 5 Fr. 6 Fr. 7 Fr.	1 1 1 1
生理食塩液	20 mL	2			
消毒用エタノール綿	単包	10	手袋（単包）	6.0 6.5 7.0 7.5	2 2 2 2
			SpO₂ プローブ		1
			ペディキャップ™		1

- 予想される疾患に対して使う可能性のある薬剤をあらかじめ準備する。

> 【例】呼吸窮迫症候群（RDS）→サーファクテン®
> 動脈管依存性心疾患→リポプロスタグランジン E_1（lipo PGE_1）製剤
> 新生児遷延性肺高血圧症（PPHN）→鎮静薬・2倍希釈の7％炭酸水素Na・生理食塩液

- チアノーゼを認める児に対しては，$SpO_2>90\%$を目標にして酸素投与する。
- 必要な処置を行い状態を安定させ，搬送中は必ずモニタリングする。
- 搬送中の処置は救急車を停車させて行う。

16 バックトランスファー

a 目的

- 家族の面会の利便性向上，および退院後に自宅で生活することを見越して，地域とのつながりをもつため。

b 準備

- 入院時に必ず，医学的に状態が安定したら地域病院に転院することを両親に話しておく。
- 医師・看護スタッフともに，積極的に転院を行う方針を理解する。
- 個々の地域病院が転院を受け入れられる条件をよく把握しておく。そのため，日頃から地域病院と交流しておくこと。

c 条件

- 原則として挿管下の呼吸管理が必要ないこと。
- 在宅医療の必要がないと見込まれること。
- 無呼吸が頻発していないこと。
- 経管栄養を開始し，順調に増量できていること。
- 母親が退院していること。
- 出生体重 1,500 g 未満の児では，修正 36 週前後となり，頭部 MRI 検査が済んでいること。
- ただし，ベッド事情により上記の条件を満たさなくても，転院先と家族との話し合いで転院することがある。

d 手順

- 転院の時期が近づいてきたら，主治医は両親に転院が近いことを知らせ了承を得ておく。また，希望病院についても情報を得ておく。
- 転院が可能と判断したら，地域病院の責任者に連絡して転院を依頼する。児の状況を正確に伝え，メチシリン耐性黄色ブドウ球菌（MRSA）の保菌状況や家族背景などの情報提供も忘れずに行う。
- 転院日時が決定したら，家族に連絡して了承を得る。退院後のフォローアップについてもよく話しておく。

- 看護スタッフは転院先の病院案内を家族に渡し，説明を補足する。看護スタッフ・医療ソーシャルワーカーは，病院によって面会時間，持ち込み物品，保険外診療材料費などが異なるため，転院先病院の情報を得て伝える。

📖 文 献

1) 日本小児科学会 倫理委員会小児終末期医療ガイドラインワーキンググループ．重篤な疾患を持つ子どもの医療をめぐる話し合いのガイドライン．2012 https://www.jpeds.or.jp/uploads/files/saisin_120808.pdf（2022.8.19 アクセス）
2) Caputo AR, et al. Dilation in neonates : a protocol. Pediatrics 1982；69：77-80

📖 参考文献

- 森沢 猛，他．新生児血液型不適合溶血性黄疸における COHb の検討．日未熟児新生児会誌 2012；24：285-289
- Lozar-krivec J, et al. The role of carboxyhemoglobin measured with CO-oximetry in the detection of hemolysis in newborns with ABO alloimmunization. J Matern Fetal Neonatal Med 2016；29：452-456
- Hansen TW, et al. Neonatal Jaundice Treatment and Management. Peidatrics : Cardiac Disease and Critical Care Medicine. 2017 https://emedicine.medscape.com/article/974786-treatment#d6（2021.2.26 アクセス）

第2章

検 査

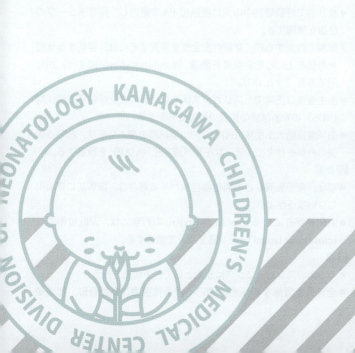

1 画像診断

a　X線単純撮影検査

- 性腺への被曝を減らすため,漫然と骨盤込みの撮影をしない。
- 首の向き,斜位の程度,AP・PA像,吸気・呼気条件,照射線量などの撮像条件によって画像の印象が大きく異なる場合がある。評価の際にはこれらを念頭におき,評価困難であれば撮り直す。
- 撮像範囲全体の観察を心がけ,以下にも注意する。
  ① チューブやカテーテルの位置
  ② 骨格・軟部組織の骨折,脱臼
  ③ 肺野,心胸郭比(CTR),消化管ガス分布
  ④ 関節や腹腔内・陰嚢の異常ガス像や石灰化など

1 胸部

- 早産児におけるCTRの低下は,高い胸腔内圧か循環血液量不足を考える。
- 腹臥位で呼吸管理中の児は腹臥位PAで撮影し,挿管チューブの位置を確認する。
- 気胸で脱気する際,穿刺の安全性を予測するには,穿刺する体位＝患側を上にした側臥位正面像(decubitus view,図2-1)が有用である(☞p. 183)。
- 出生直後は正常でもスリガラス状に見えるので,呼吸窮迫症候群(RDS)の診断は肺の拡張の程度で判断する。
- 高頻度振動人工換気(HFO)時は横隔膜の高さや形状,肺野過膨張の有無を参考に,適正な平均気道内圧(MAP)を設定する。

2 腹部

- 嘔吐,腹部膨満などの消化器症状がある場合は,撮影前に胃吸引しないほうがよい。
- 消化管穿孔によるfree airやniveauの観察には,仰臥位側面像(cross table lateral view;図2-2)で撮像する。

3 骨

- くる病のスクリーニングは原則として左手関節で行う。
- 全身骨を撮像する場合の適応:骨系統疾患,多発奇形,梅毒疑

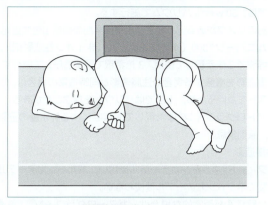

図 2-1　側臥位正面像（decubitus view）

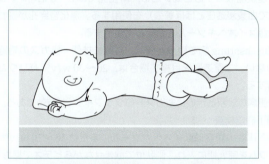

図 2-2　仰臥位側面像（cross table lateral view）

い，基礎疾患を疑う small-for gestational age（SGA），原因不明の死産。

b　X 線造影検査

- いずれも外科医に依頼して施行する。

1 上部消化管造影

- 消化管の通過障害（肥厚性幽門狭窄を除く），気管食道瘻，胃食道逆流（GER），胃または腸管の捻転などの診断を目的に撮像する場合が多い。
- 正期産で誤嚥（食道閉鎖術後など）や消化管穿孔のリスクがない

児では，30 w/v% バリウムで施行する。
- 上記のリスクがある児，および出生後早期の極低出生体重児では，オムニパーク®300〔イオヘキソール（非イオン性造影剤）；生理食塩液で2倍希釈して使用。3倍希釈で等浸透圧〕で施行する。
- 二重造影を撮像する場合や注腸造影と同時造影の場合は，コントラストをつけるため，上部ではバリウムを選ぶことがある。
- ガストログラフイン®は希釈しても誤嚥による肺水腫の危険があり，原則禁忌。

2 注腸造影

- サフィード®ネラトンカテーテルを用い，バルーンカテーテルやゴム製のネラトンカテーテルは使わない。
- 消化管穿孔が否定的な場合は，ガストログラフイン®（浸透圧が生理食塩液の9倍と高いため，新生児では3〜5倍希釈。5倍希釈で血漿浸透圧とほぼ等張）を使用する。消化管穿孔が疑われる場合はイオヘキソールを希釈して使用する。
- Hirschsprung病を疑うときは，直前に排便・排ガスの処置は行わない。二重造影を目指す場合は，20〜30 w/v% バリウムで施行する。
- 胎便病の診断と治療にもガストログラフイン®が有効である。

3 嚥下機能検査

- 嚥下運動の観察にはイオヘキソール，または10〜20 w/v% のバリウムを哺乳瓶に入れ，側臥位で飲ませながらビデオで撮影する。

4 腎尿路系造影

- 生後1カ月以内では造影剤の排泄能が低いため，静脈排泄性尿路造影（IVU）は行わない。
- イオヘキソールをゆっくり静注し，通常30〜60分で腎盂・尿管系が造影される。
- 水腎症などで排泄が悪いときは，6〜12時間後まで追跡する。
- 排尿時膀胱尿道造影（VCUG）はイオン性造影剤（ウログラフイン®60% 100 mLを生理食塩液300 mLに混注して使用）を50〜80 cm水柱圧で自然滴下する。通常，30 mL滴下注入し，自然に完全排尿するまで撮影する。尿路感染症のリスク児では検査前に抗菌薬を投与する。検査後，尿路感染に注意する。

c 造影 CT

- 推算糸球体濾過量(eGFR) 30〜45 mL/分/1.73 m² 未満が造影剤腎症のリスクとされる。新生児・乳児のデータはないが,成人同様に腎機能に配慮する。

d ガドリニウム造影 MRI

- eGFR 30 mL/分/1.73 m² 未満は腎性全身性線維症(NSF)のリスクとされる。新生児・乳児のデータはないが,成人同様に腎機能に配慮する。

e 頭部エコー

1 新生児頭部エコーの基本
- NICU入室児は全例,頭部エコー検査をルーチンとする。
- 頭部エコーの基本を**表 2-1**,**図 2-3** に示す。

2 ランドマーク
1) ランドマーク1(冠状断):側脳室前角・透明中隔腔・脳梁・尾状核頭部・Monro孔・第3脳室の観察(**図 2-4**)
- 側脳室前角周辺は多くの解剖構造を確認できる重要領域である。
- 側脳室前角では脳室拡大の有無と脳の形態異常の有無を確認する。
- 透明中隔腔があれば,脳梁欠損と全前脳胞症は否定できる。
- 尾状核頭部の脳室周囲には上衣下胚層があり,脳室内出血(IVH)や上衣下囊胞の好発部位の1つである。

memo

- Crクリアランスに基づく正期産の糸球体濾過量(GFR)は文献によって値が一定しないので,複数の文献から参考値を示す(表)。

表 正期産の糸球体濾過量のめやす

生後	GFR (mL/分/1.73 m²)
1日	20
2週	40
4週	50

表 2-1 頭部エコーの基本

基本1	周産期脳障害と脳奇形を診断・評価する
基本2	natural window を利用する（図 2-3）
基本3	2D エコーは検者の頭で 3D 構築が必要 →経験を要する（初心者は系統的観察を行う）
基本4	早産児や成熟児の脳表は 12 MHz のマイクロコンベックスプローブ、もしくは 8 MHz のコンベックスプローブ、成熟児の深部は 5 MHz のセクタープローブを用いる
基本5	長所	児への侵襲が比較的低く、ベッドサイドで検査が可能 経時的な観察が可能 目的をもって CT・MRI 検査が行える
	短所	頭蓋骨の直下は死角 大泉門が小さい児では観察が不十分 脳表の出血（くも膜下出血・硬膜下出血・硬膜外出血）の診断に弱い 皮質異形成の診断に弱い
基本6	見える異常より、見えない異常を大切にする 【例】透明中隔腔が見えない 　　　中脳水道内腔が見えない 　　　第4脳室が見えない 　　　大槽が見えない

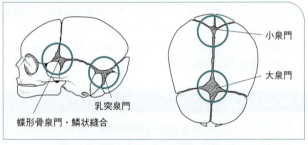

図 2-3　Natural window

2) ランドマーク 2（冠状断）：透明中隔腔の観察（図 2-5）

- 新生児の透明中隔腔は脳室系の交通のない発達腔であるが、脳の発育とともに、透明中隔という 1 つの膜になる。
- 水頭症（とくに二分脊椎）では、新生児期に透明中隔腔の中隔化を認めることが多い。

- 水頭症が進行し，透明中隔腔の膜が破れて左右の側脳室に交通ができた状態を開窓化という。
- 正常・異常パターンを図2-6に示す。

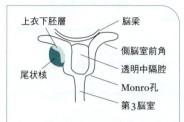

図2-4 【ランドマーク1】側脳室前角
尾状核頭部にある上衣下胚層は，脳室内出血や上衣下嚢胞の好発部位である。

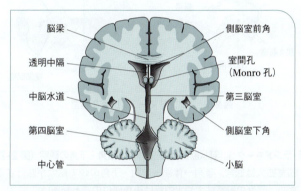

図2-5 【ランドマーク2】透明中隔腔
発達腔（developmental space），別名を第5脳室ともいう（Verga腔は第6脳室）。
透明中隔腔は上衣細胞で裏打ちされない（真の脳室ではない）。

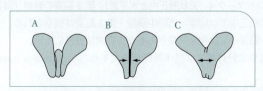

図2-6 透明中隔腔の正常・異常所見
A：正常な透明中隔腔，B：中隔化，水頭症の新生児期によくみられる，C：開窓化中隔欠損，水頭症の進行に伴い，透明中隔腔の膜が破れることで起きる

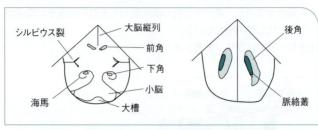

図2-7 【ランドマーク3】側脳室体部・後角・下角

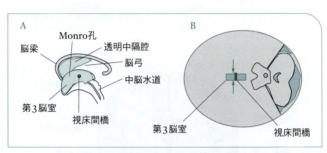

図2-8 【ランドマーク4】第3脳室
A：矢状断正中, B：水平断

3) ランドマーク3（冠状断）：側脳室体部・後角・下角の観察（図2-7）
- 脳室拡大は通常，後角→体部→前角・下角の順で拡大が進行するため，軽度の脳室拡大や水頭症は後角優位のことが多い。
- 後角周囲の白質は脳室周囲白質軟化症（PVL）の好発部位であるため，輝度の異常を観察する。

4) ランドマーク4（矢状断正中と水平断）：第3脳室の観察（図2-8）
- 矢状断正中では脳梁・透明中隔腔・第3脳室が観察される。
- 第3脳室内には視床間橋があるが，通常は見えにくい。
- 脳瘤や二分脊椎では視床間橋が肥大する（large massa intermedia）。
- 水平断での第3脳室の観察は重要である。
- 水頭症の多くは第3脳室拡大を認める。

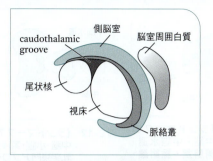

図 2-9 【ランドマーク 5】尾状核・視床・側脳室・脈絡叢・脳室周囲白質

5) ランドマーク 5（傍矢状断）：尾状核・視床・側脳室・脈絡叢・脳室周囲白質の観察（図 2-9）
- 傍矢状断も多くの解剖構造が観察できる重要領域である。
- 尾状核と視床に挟まれた尾状核・視床移行部（caudothalamic groove）は高輝度所見を呈する。
- この部位は IVH と上衣下嚢胞の好発部位である。
- 尾状核や視床に線状の高輝度所見を認める際には，視床線状体動脈の可能性が高く，striatal vasculopathy とよばれる。
- striatal vasculopathy は早産や先天性サイトメガロウイルス（CMV）感染でみられることがある。

6) ランドマーク 6（水平断）：中脳・中脳水道の観察（図 2-10）
- 中脳水道は直径 1 mm 前後の腔として観察される。
- 二分脊椎や中脳水道狭窄では内腔が見えず，線状・点状に虚脱する（図 2-11）。
- 中脳水道の拡大は Luschka 孔・Magendie 孔レベルの髄液循環障害でみられる。

7) ランドマーク 7（乳突泉門アプローチ）：中脳・小脳・第 4 脳室・大槽の観察（図 2-12）
- 乳突泉門アプローチは小脳の奇形・第 4 脳室拡大・大槽の消失や拡大などの観察に有用である。
- 硬膜下出血は小脳テントが好発部位なので，このビューで観察できる。

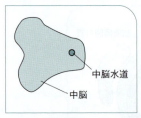

図2-10 【ランドマーク6】中脳・中脳水道・側脳室・脈絡叢・脳室周囲白質

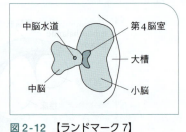

図2-12 【ランドマーク7】中脳・小脳・第4脳室・大槽；乳突泉門アプローチ

硬膜下出血の好発部位である小脳テントの観察に有用である。

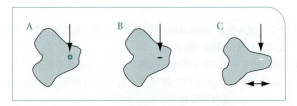

図2-11 中脳水道の正常・異常所見
A：正常な中脳水道，B：中脳水道虚脱，二分脊椎や中脳水道狭窄では，虚脱して内腔が見えなくなる，C：中脳の嘴状変形と中脳水道虚脱

- 正常・異常パターンを図2-13に示す。

3 各種計測方法

- 胎児エコーから作成した脳室系および小脳の測定部位と計測基準値を図2-14，表2-2[1]に示す。
- 図4-16（☞p.255），図4-17（☞p.255），「POINT 頭囲拡大，脳室拡大の評価」（☞p.256）も参照。
- 脳血流の評価
  ① 通常，脳梁周囲動脈（前大脳動脈）と中大脳動脈の血流をパルスドプラ法で測定する。
  ② 血管の走行と入射角をできるだけ0°（30°未満）に近づけるようにプローブの位置を調整する。
  ③ 抵抗係数（RI）と拍動係数（PI）を測定する（図2-15）。
  ④ おもな病態におけるRIの変化を表2-3[2]に示す。
  ⑤ 脳内に囊胞・腫瘤を認めるときは，カラードプラで内部の血流・

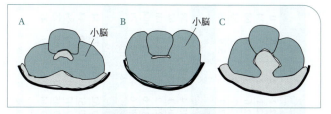

図 2-13　橋・第 4 脳室・小脳・大槽の正常・異常所見
A：正常な橋・第 4 脳室・大槽
B：バナナサインと第 4 脳室・大槽虚脱
C：Dandy-Walker variant の第 4 脳室と大槽拡大

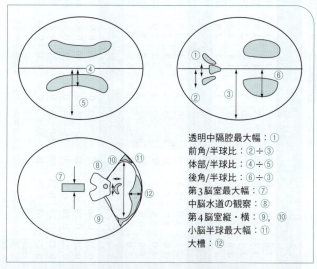

透明中隔腔最大幅：①
前角/半球比：②÷③
体部/半球比：④÷⑤
後角/半球比：⑥÷③
第3脳室最大幅：⑦
中脳水道の観察：⑧
第4脳室縦・横：⑨, ⑩
小脳半球最大幅：⑪
大槽：⑫

図 2-14　胎児中枢神経系エコー測定部位

栄養血管を観察する。

f 頭部 MRI

1 目的

- 脳障害，脳病変，脳奇形の診断。
- 周産期脳障害のリスクがある児に検査を行い，神経症状が出現する前に脳障害の有無を明らかにして外来フォローアップ・リハビ

表 2-2 胎児脳エコー計測基準値

週数	透明中隔腔最大幅			例数	第 3 脳室			例数	第 4 脳室縦			例数
	10%	50%	90%		10%	50%	90%		10%	50%	90%	
15〜20	2.8	3.6	4.9	25	0.9	1.1	1.4	16	2.2	2.4	3.8	11
20〜25	3.3	4.7	5.8	59	0.9	1.4	1.8	37	2.1	2.9	4.5	34
25〜30	4.3	5.8	7.5	122	1.1	1.5	2.2	79	2.6	3.2	4.3	68
30〜35	4.6	6.1	7.9	154	1.3	1.8	2.5	114	2.7	3.6	4.7	83
35〜	4.7	6.0	7.6	79	1.4	2.2	2.9	68	2.9	3.8	5.9	35

週数	第 4 脳室横			例数	大槽			例数	小脳半球最大幅			例数
	10%	50%	90%		10%	50%	90%		10%	50%	90%	
15〜20	2.2	4.0	5.8	−	3.0	4.4	5.9	29	15.4	18.2	20.4	29
20〜25	3.6	4.6	6.1	34	4.3	5.6	7.8	61	19.1	23.4	27.4	62
25〜30	4.0	5.5	6.7	68	4.5	6.2	7.9	125	25.2	30.6	35.4	121
30〜35	5.0	6.6	7.9	83	5.0	6.5	8.7	155	34.6	39.0	44.0	164
35〜	5.9	7.2	9.0	35	5.0	6.6	8.1	80	39.6	45.0	50.2	79

週数	全角/半球比			例数	体部/半球比			例数	後角/半球比			例数
	10%	50%	90%		10%	50%	90%		10%	50%	90%	
15〜20	0.35	0.40	0.58	12	0.45	0.49	0.60	16	0.62	0.69	0.72	14
20〜25	0.25	0.29	0.39	42	0.39	0.46	0.55	40	0.51	0.60	0.66	44
25〜30	0.22	0.28	0.35	70	0.31	0.38	0.53	66	0.47	0.55	0.62	84
30〜35	0.22	0.28	0.33	55	0.31	0.38	0.43	85	0.45	0.52	0.60	75
35〜40	0.23	0.28	0.36	11	0.32	0.37	0.44	41	0.44	0.52	0.9	27

※サイズは (mm)

松井 譲, 他. 胎児中枢神経系エコーによる基準値の作成と各種脳奇形の異常パターンの検討：近直思考から生体計測へ. 産婦人科の実際 2004；53：1503-1510[1]

リテーション・家族支援に役立てる。

- 予後を判定するためだけでなく，医療スタッフや家族が児にできることを見つけることも，MRI 検査の目的である。

2 検査時期

- 極低出生体重児は修正 34 週以降で全身状態が安定していれば施

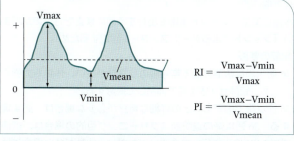

図2-15 ドプラによる抵抗係数（RI），拍動係数（PI）の測定

$$RI = \frac{Vmax - Vmin}{Vmax}$$

$$PI = \frac{Vmax - Vmin}{Vmean}$$

表2-3 新生児期におけるおもな病態および疾患と脳血流速度

病態および疾患		PSV	MFV	EDV	RI	波形	備考
二酸化炭素分圧	上昇	→〜↑	↑	↑↑	↓		
	低下	→〜↓	↓	↓↓	↑		
仮死	軽症	→	→	→	→		時期と程度により異なる
	重症	↑	↑	↑↑	↓		
	後期	↓	↓	↓	↑		
脳室内出血	前	↑	↑	↑↑	↓		fluctuating pattern を認める
	後	→〜↓	→〜↓	→〜↓	↑〜→		
脳死		↓	↓↓	↓↓↓	↑↑		拡張期の逆流
水頭症		↑〜↓	→	↓↓	↑		程度により異なる，シャント後正常化

PSV：収縮期最高血流速度，MFV：平均血流速度，EDV：拡張末期最低血流速度，RI：抵抗係数

注：実際の症例においては必ずしも当てはまらない場合もある。また，波形は代表的な状態を示す。

田角 勝．新生児の超音波ドプラー法．脳血流速度測定．佐藤 潔，他（編），胎児新生児の神経学，メディカ出版，1993[2)]

行可能。
- 水頭症では，シャント手術を施行する前に検査を行うのが望ましい（シャントによるアーチファクトを回避するため）。

3 鎮静の要否
- 36週未満は鎮静による無呼吸のリスクが高い。体動も力強くないため，鎮静せず固定具で抑制して撮影する。
- 36週以降で脳奇形などの詳細な精査が必要な場合は，必ず鎮静する。36週以降の退院前スクリーニング目的の場合は，鎮静せずにMRI検査を行ってもよい。ただし，体動が多い場合には鎮静する必要があるため，原則的にはルートを確保しておくべきである。

4 鎮静方法
- MRI検査室に搬送するときには蘇生セット・SpO_2モニターを持参し，検査中はMRI対応SpO_2モニターとテレビモニターで観察する。
- 酸素も持参し，検査終了まで医師が付き添う。
- MRI室に入室する前にメタルチェックを行う。
- チオペンタール（ラボナール®）2.5 mg/kg 静注→数分観察して入眠しなければ，さらに 2.5 mg/kg 投与，その後は 1 mg/kg ずつ追加。
- トリクロホスシロップ（トリクロリール®）などの他薬剤は併用しない。
- 検査後24時間はSpO_2モニター装着。

5 注意事項
- チオペンタールの副作用は投与量（とくに6 mg/kg 以上の投与）と相関する。
- MRI検査後24時間以内の退院は避ける。
- 脳室－腹腔シャント（V-Pシャント）児で圧可変式バルブ使用例では，検査後に設定圧の変化がないか確認する。CODMAN HAKIM®圧可変式バルブシャントを使用している場合はX線検査で確認が必要。

6 撮影条件〔早産児のスクリーニング，低酸素性虚血性脳症（HIE）の正期産児の場合〕
- T1強調画像：水平断，冠状断。

- T2強調画像：水平断，スピンエコー法，TE（echo time）は新生児に合わせて長くする（1.5テスラで実効TE＝140 msec，3テスラで実効TE＝120 msec）。
- 拡散強調画像：水平断。

g 頭部CT

1 放射線被曝
- CT検査では被曝に留意する必要がある。
- CT撮影により悪性腫瘍，癌の発症リスクが優位に上昇する。発症率は線量反応関係にあり，CT検査1回追加ごとにリスクが上昇するため，CT検査の適応は慎重に判断すべきである[3]。

2 方法
- MRI検査同様，蘇生セット・SpO_2モニター・酸素を持参する。
- 可能な限り，鎮静せずに行う。
- 鎮静が必要な場合は頭部MRI検査と同様の方法を用いる。
- 造影を行う可能性があれば，両親から造影剤使用のインフォームドコンセントを取得する。

h amplitude-integrated electroencephalogram (aEEG)

- 頭部に付けた2つ，または4つの電極を用いて，1チャンネルあるいは2チャンネルで記録された大まかな脳波の動きを捉えるための脳波モニター。
- 脳波信号はフィルターをかけられ，さらに基準線で折り返されて，6 cm/時の速度でモニター表示される。その電位の大きさをμVで表示している。
- アーチファクトを減らすために，＜2 Hzと＞15 Hzの周波数はフィルターをかけられて除外されている。
- 脳波の活動電位の大きさは，縦軸にμVで表示される。この圧縮した脳波トレースによって，脳波活動の変化をおおまかに捉えることができる（図2-16A）。aEEGトレースのもとになった脳波はすべて記録されているため，元のEEG波形を確認することにより，アーチファクトと発作波を鑑別することができる（図2-16B）。
- aEEGでは，脳波の軌跡がさまざまな幅の濃い色の帯として表

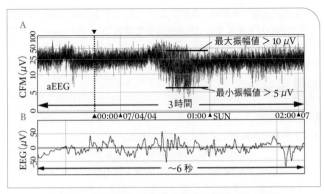

図 2-16 正期産児の正常な脳機能を表す aEEG 所見
A:脳は活動を 6 cm/時のトレースとして圧縮
B:元の脳波波形

される。aEEG で判読するおもな 2 つの所見は,活動性(amplitude)と発作活動(seizure activity)の有無である。

1 脳波活動/電位(amplitude)の評価

- 脳波活動の電位は,最大振幅値(upper margin)と最小振幅値(lower margin)で評価される。
- 色の濃い帯の外側に時々散見される小さなスパイク様の成分は無視する。

2 aEEG 活動性(amplitude)の簡単なクラス分け

1)正常(図 2-17A)

- トレースの最大振幅値は 10 μV 以上で,最小振幅値は 5 μV 前後。
- 正常な正期産児では,トレースの幅は覚醒状態,睡眠周期の状態(state)で変化する。
- 覚醒時にはトレース幅は狭くなり,睡眠時には広くなる。このような state の変化に伴って認められるトレース幅の変化は,sleep/wake cycling や cycling とよばれている。
- 正常な正期産児ではトレース幅は 10〜40 μV で変化する。

2)軽度異常(図 2-17B)

- トレースの最大振幅値は 10 μV 以上で,最小振幅値もほぼ 5 μV 以上(あるいは 5 μV 前後)だが,cycling がみられない。
- discontinuous normal voltage ともよばれる。

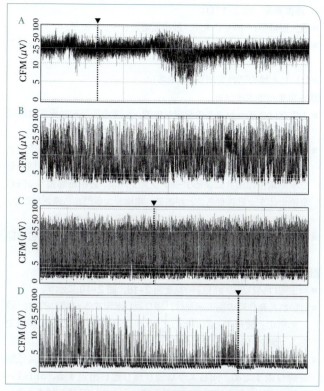

図 2-17　aEEG 活動性の簡単なクラス分け
A：正常。最大振幅値＞10 μV，最小振幅値 5 μV 前後。cycling あり。
B：軽度異常。最大振幅値＞10 μV，最小振幅値 5 μV 前後。cycling 消失。
C：中等度異常。最大振幅値＞10 μV，最小振幅値＜5 μV。cycling 消失。
D：高度異常。最大振幅値＜10 μV，最小振幅値＜5 μV。cycling 消失。

- 軽度の脳波活動の抑制や抗けいれん薬，鎮静薬の投与後にみられる。
- このパターンは 36 週未満の早産児でもみられる。

3) 中等度異常（図 2-17C）

- トレースの最大振幅値は 10 μV 以上だが，最小振幅値が 5 μV 未満。
- このような所見は中等度以上の脳症にみられる。
- cycling はみられない。

4）高度異常（図 2-17D）

- 最大振幅値が 10 μV 未満，最小振幅値も 5 μV 未満。
- 高度異常のトレースは全般的に電位が低下しており，重症脳症でみられる。
- けいれん性の活動を伴うことも多い。

3 注意すべきポイント

- 1 または 2 チャンネルの記録なので，脳波の局所的な異常は認識されない可能性がある。
- aEEG が臨床症状に一致せず違和感があるときには，アーチファクトの有無を確認する。頭の上下運動，心電図混入，その他のモニター電位の混入によるアーチファクトは，最小振幅値や aEEG 電位全体を上昇させることがある。電極を大泉門から遠ざけたり，不要なモニターを外したりすることが有用な場合がある。
- 抗けいれん薬やオピオイドなどの投与により，aEEG の電位は抑制される。

4 けいれん

- 新生児けいれんの aEEG 所見を図 2-18，図 2-19 に示す。
- けいれん発作時の脳波所見は，「繰り返し出現する」「律動的な」「同一形態の」波形で，原則として 10 秒以上持続することが特徴である（図 2-18B，図 2-19B）。
- けいれん時には，多数の神経細胞が集団になって同じ電気活動を繰り返すため，同じような波が繰り返し出現する。aEEG トレースでは，最小振幅値が突然上昇し，上方に飛び上がるように変化する（最小振幅と最大振幅の幅が狭くなる；図 2-18A，図 2-19A）。これは脳波電位の急激な上昇を表している。発作が止まったら aEEG トレースは発作前のパターンに戻る。

i 心エコー

- 新生児にとっては，エコー検査中の体温低下やプローブによる圧迫が侵襲になり得る。短時間で低侵襲な検査をつねに心がける必要がある。
- 基本断面・評価項目（四腔像・左室短軸像・左室長軸像・大動脈弓・動脈管・肺静脈還流）および，診断・病態判定の根拠となった画像を記録に残す。

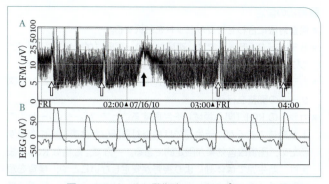

図 2-18 けいれん発作時の aEEG パターン
A:aEEG,B:Aの↑部分の脳波の元波形,↑と⇑がけいれん。
aEEG 波形が突然,上方に飛び上がるように変化するのが,けいれん発作時の aEEG 変化である。Bの元波形をみると,同じ形の波形が繰り返し出現している。このように,同じような波形の律動的な繰り返しが 10 秒以上続く場合はけいれん発作と診断する。

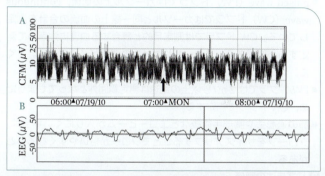

図 2-19 けいれん重積時の aEEG 波形パターン
A:けいれん発作を長時間,連続的に繰り返している(けいれん重積)。aEEG はのこぎりのようにギザギザしたパターン(saw-tooth パターン)を示している。
B:Aの↑部分の脳波の元波形。同じ形の波が繰り返し出現している。正常な脳波ではさまざまなパターンが複雑に混在するが,けいれん発作時は心電図のように同じような波形が繰り返し出現する。

- 入院時は系統的に心エコー検査を行い,先天性心疾患をスクリーニングする。
- 系統的心エコー検査法などの詳細は成書に譲る。クリニカルパールを中心に,以下に記載する。

1 機器の設定

- 検査対象に合わせてプリセットを選択する。
- Bモード/Mモードでは，適切なエコー輝度（ゲイン），深度（デプス），焦点（フォーカス）に設定する。
- カラードプラでは，対象の血流速度に合わせてカラーゲインやスケールの調整を行う。
- カラーのROI（関心領域）を制限することでフレームレートの向上が期待できるが，新生児では検査対象部位が体表近くに存在するため，画質改善効果が限定的である。一方で，厳格なROIの設定は，新生児では体動により視野が安定しないことや，検査を短時間で終えるのに必ずしも必要ではない。また，エコー機器の技術進歩に伴い，厳格にROIを制限しなくても比較的高いフレームレートが維持できるようになってきたため，視野を広く保つことを推奨する。
- pulsed wave（PW）ドプラではカーソル上の血流，continuous wave（CW）ドプラではカーソルと同一線上の血流の合計を測定している。CWドプラでは測定目的と競合する血流に注意して測定する必要があり，スケールやゲインの調整が必須である。とくに，ゲインが低すぎると過小評価になる。
- PWドプラでは2m/秒以上の流速は測定範囲外となってしまうため，CWドプラで測定する。
- 肺の過膨張や胸部手術後などエコービームが入りにくい場合は，プローブをサイズアップすることでフローが拾いやすくなることがある。

2 ドプラ法の評価

- 流出路のフローパターンによって，筋性部狭窄または弁性狭窄など，成因を推定することができる。
- Fallot四徴症の右室流出路で弁性狭窄と筋性部狭窄が描出されており，収縮後期にかけて加速する波形が流出路の筋性部狭窄部の波形である（図2-20）。これが経時的に加速していく場合は，とくに無酸素発作の発症に注意が必要である。
- 三尖弁逆流（TR）から推定右室圧を測定する場合などは，汎収縮期（少なくともピークアウトするまで）の逆流波形をきれいに描出することを心がける。逆流の初期の波形しか拾えていない場合

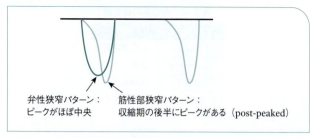

弁性狭窄パターン： ピークがほぼ中央
筋性部狭窄パターン： 収縮期の後半にピークがある（post-peaked）

図 2-20 Fallot 四徴症に典型的な右室流出路のカラードプラ波形

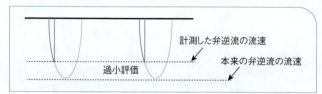

計測した弁逆流の流速
本来の弁逆流の流速
過小評価

図 2-21 三尖弁閉鎖不全の連続ドプラ波形

は，限りなく過小評価している可能性が高い（**図 2-21**）。

3 正常心の心機能評価

- 心機能を，前負荷・心筋収縮・後負荷に分けて検討する。
- 前負荷の過剰・過少は輸液量の参考になる。
- 下大静脈に明らかな呼吸性変動がない場合は，前負荷過剰の可能性，右心不全，または高い胸腔内圧を示す。
- 左房径／大動脈径（LA/Ao）比を参考に，左心系の前負荷を判断する（**表 2-4**）。
- 左房容積係数（LAVI）は前負荷と慢性的な左房負荷を反映する。

> Area-length 法による算出
> LAVI (mL/kg) = $0.85 \times [$ (左房面積)^2 / 左房長径$] \div$ 体重

- 左房容積は心室収縮末期，すなわち，左房がもっとも大きいタイミングで計測する（**図 2-22**）[4]。
- 後負荷は血管拡張薬投与の参考にする。単独の心エコー所見では後負荷の判定は困難だが，収縮時間の延長や wall stress を参考にする。

表 2-4 左心系の前負荷

LA/Ao 比	判断
1.5 以上	前負荷過剰
0.9〜1.4	正常
0.8 以下	前負荷過少

LA/Ao 比：左房径 / 大動脈径比

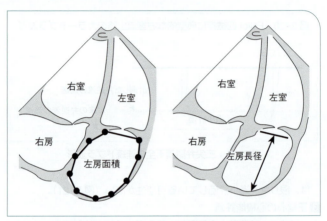

図 2-22 Area-length 法による左房容積の計測ポイント
Toyoshima K, et al. Left atrial volume is superior to the ratio of the left atrium to aorta diameter for assessment of the severity of patent ductus arteriosus in extremely low birth weight infants. Circ J 2014；78：1701–1709[4] をもとに作図

- 弁の形態が正常な場合，弁逆流は心機能判定の参考になる。
- 高度の逆流・複数の弁の逆流は高度の心機能障害を示す。TR はほぼ全例に認められるので，右房の後壁に当たる程度以上の TR の場合には右心機能低下と判断する。
- 僧帽弁逆流（MR）は，軽度であっても左心機能低下と判断してよい。血圧上昇時に増悪しないか注意する。

4 心奇形のない心不全

- 心奇形がないにもかかわらず，心不全がみられる場合は，心筋疾患や代謝疾患，シャント性疾患（脳動静脈奇形，肺分画症，肝血管腫，体内型の仙尾部奇形腫などの高拍出性の病変）がないか観察する。

2 モニタリング

a 動脈血圧モニタリング

- 低血圧と高血圧のめやすを**表2-5**[5)]に示す。

1 観血的血圧測定

- 動脈ラインを確保し，耐圧チューブ・ルアーコネクター・採血用ポートのついたディスポーザブル血圧モニタリングキットを接続する。超低出生体重児ではロック式Tコネクターを付けてもよい。
- ルアーロックなどの接続部の締まりを確認する。
- 必ず大気圧で0点補正を行う。圧基準点は右心房である。トランスデューサーのめやすは前胸壁上面から1/3の高さである。
- センサーの高さにより測定圧が変化するので注意する（右心房より10 cm 低いと，約8 mmHg 高い値を示す）。

2 非観血的血圧測定

- 上腕または下腿にカフを巻いて，オシロメトリック法（振動法）で測定する。
- 使用するカフはメーカー推奨のサイズを用いる（不適切に小さいカフを用いると，血圧は高く測定される）。
- メーカー推奨が不明な際には，カフの横幅（短辺。正確にはカフ

表2-5 低血圧と高血圧のめやす

在胎週数（週）	収縮期血圧 3%tile (mmHg)		収縮期血圧 97%tile (mmHg)	
	生後24時間以内	日齢10	生後24時間以内	日齢10
24	25	35	55	70
28	30	40	60	85
32	30	45	65	95
36	35	50	75	105
40	40	55	80	110

Initiative NN. Systolic blood pressure in babies of less than 32 weeks gestation in the first year of life. Northern Neonatal Nursing Initiative. Arch Dis Child Fetal Neonatal Ed 1999；80：F38-F42[5)]より引用，5 mmHg 刻みに著者改変

の中で空気の入る部分 "bladder")が上腕周囲の1/2〜2/3となるものが適正。
- 拍動検知部位に動脈の拍動部分を合わせる。
- PIカテーテルを挿入した四肢での計測は避ける。
- カフを巻いたままにせず，毎回巻き直して測定する。

b 経皮的酸素分圧（$TcPO_2$）・経皮的二酸化炭素分圧（$TcPCO_2$）モニタリング

- $TcPO_2$ の測定はしていない。
- $TcPCO_2$ 測定時の温度設定は37℃とし，2〜3時間ごとにキャリブレーションを行う。
- 血液ガスの pCO_2 と $TcPCO_2$ の差を確認し，絶対値に差がみられてもトレンド把握に活用する。

3 呼吸器系検査

a 気道陰圧試験（内視鏡・胸部 CT 検査）

- 気管・気管支の脆弱性の評価と治療検討目的に実施する。
- 努力呼吸の際の気管の形態変化を，吸引器を用いて相対的陰圧環境を作りだすことで再現する（図 2-23）[6]。

1 陰圧方法

- 吸引器（メラサキューム，排液バッグは不要）を挿管チューブに接続する（図 2-24）[6]。
- 陰圧中は呼吸サポートを行えないので，厳密にモニター管理を行う。

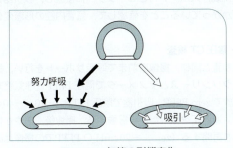

図 2-23 気管の形態変化
長谷川久弥．新生児気道病変の管理．日未熟児新生児会誌 2006；18：29-37[6]をもとに作図

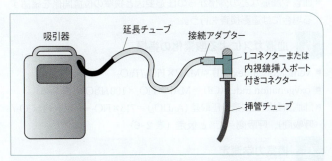

図 2-24 吸引器と挿管チューブの接続方法
長谷川久弥．新生児気道病変の管理．日未熟児新生児会誌 2006；18：29-37[6]をもとに作図

- 全身状態悪化時は速やかに気道陰圧試験を中断して，呼吸管理を再開する。
- 啼泣時の胸腔内圧は 30〜40 cmH$_2$O または，それ以上の可能性もあり，啼泣時の気道を再現するためには，少なくとも−20 cmH$_2$O の陰圧条件で観察する。
- 陰圧条件がうまく作れない場合はリークが問題になっていることが多い。内視鏡挿入口および挿管チューブのリークコントロールが重要である。

2 検査方法

1) 陰圧内視鏡検査

- 呼吸サポートしながら目標観察部位までファイバーを進めておき，観察しながら呼吸器回路を外す。図 2-24 に示す延長チューブ先端を内視鏡挿入ポート付きコネクターに接続し，吸引器に目標の陰圧がかかっていることを確認して，気管内腔の形態変化を観察する。

2) 陽圧・陰圧 CT 検査

- 内視鏡検査と同様，撮像直前まで呼吸サポートを行い，撮像直前にジャクソンリースとマノメータで陽圧 PEEP（呼気終末陽圧），大気開放で zero PEEP，吸引器で陰圧 PEEP（−10〜−40 cmH$_2$O）の目標気道内圧を保ったまま撮像する。撮像後，速やかに呼吸サポートを再開する（zero，−20 cmH$_2$O PEEP での撮像は必須。必要に応じて陽圧 PEEP での撮像も追加する）。
- 原則，自発呼吸が出ないように鎮静・筋弛緩薬を併用する。
- 血管や腫瘤などの外部からの圧迫要因と狭窄の位置関係を確認する場合には造影検査を行う。

b 血液ガスによる酸素化の指標

- ventilatory index (VI) $= MAP \times FiO_2 / PaO_2$
- oxygenation index (OI) $= MAP \times FiO_2 \times 100 / PaO_2$（表 2-6）
- 肺胞気動脈血酸素分圧較差 (AaDO$_2$) $= 713 \times FiO_2 − (PaO_2 + PaCO_2 / 呼吸商)$，呼吸商$=0.8$ と仮定（表 2-6）

c 換気力学測定

- 呼吸機能測定装置（アイビジョン社製）を使用。

表 2-6 oxygenation index (OI) と肺胞気動脈血酸素分圧較差
(AaDO₂) に基づく重症度

		重症度
OI	<5.3	軽症
	≧10	重症
	≧40	ECMO 適応
AaDO₂ (mmHg)	>610	ECMO 適応
	≦400	酸素減量を検討可

ECMO：体外式膜型人工肺

表 2-7 肺機能の測定項目と正常値，ならびに抜管基準

測定項目		正常値	抜管基準
Vte (mL/kg)	1回換気量	5〜7	
MV (mL/kg)	分時換気量	200〜300	
CVC (mL/kg)	啼泣時肺活量	20〜30	>15
受動的 Cst (mL/cmH₂O/kg)	肺の膨らみやすさの指標	1〜2	>0.6
Rrs (cmH₂O・kg/L/秒)	気道の通りにくさの指標	200〜300	
%prolongation (%)	[(Tio−Tic)/Tic]×100 中枢性換気能の指標	成熟児 53±12 未熟児 25±15	>10

Cst：静肺コンプライアンス，Rrs：呼吸抵抗，Tio：気道閉塞時吸気時間，Tic：自発吸気時間
長谷川久弥．新生児の呼吸機能．日未熟児新生児会誌 1993；5：41-58[7]

- 測定項目とその正常値，ならびに抜管基準値を**表 2-7**[7]に示す。
- 新生児呼吸器疾患の肺機能の特徴（**表 2-8**）[7]と，疾患ごとの換気力学データ（**表 2-9**）を示す。

d 気管支ファイバー

- 外径 1.4 mm, 2.0 mm, 2.5 mm, 両方向屈曲気管支ファイバー（町田製作所製），Medical USB カメラ・画像処理ソフトウェア（PENTAX）を使用。
- 気管支ファイバーで行う診断・治療を**表 2-10** に示す。

表2-8 新生児呼吸器疾患の肺機能の特徴

	RDS	TTN	MAS	肺炎	BPD	WMS
Cst	↓	↘	↓	↘	↓	→
CVC	↓	→	↓	↘	↓	→ or ↓
Rrs	↓	↓	↑	↑	↑	→ or ↑

RDS：急性呼吸窮迫症候群，TTN：新生児一過性多呼吸，MAS：胎便吸引症候群，BPD：気管支肺異形成，WMS：Wilson-Mikity症候群，Cst：静肺コンプライアンス，CVC：啼泣時肺活量，Rrs：呼吸抵抗

長谷川久弥．新生児の呼吸機能．日未熟児新生児会誌 1993；5：41-58[7]

表2-9 各疾患の換気力学データ例

	RDS	TTN	肺炎	MAS	正常
Cst（mL/cmH$_2$O/kg）	0.3	0.4	0.5	0.4	1.0
Rrs（cmH$_2$O・kg/L/秒）	200	200	300	400	200
TC（秒）	0.06	0.08	0.15	0.16	0.2

RDS：急性呼吸窮迫症候群，TTN：新生児一過性多呼吸，MAS：胎便吸引症候群，Cst：静肺コンプライアンス，Rrs：呼吸抵抗，TC：時定数

表2-10 気管支ファイバーを用いて行う診断・治療

目的	所見と対応
気道病変の診断	先天性気道病変・気管気管支軟化・気道肉芽，ほか
呼吸管理中の気道管理	粘膜病変の早期発見。チューブトラブル管理
難治性無気肺の治療	処置孔からの気道分泌物の吸引
喉頭浮腫・肉芽の治療	処置孔からの薬物噴霧（アドレナリン・デキサメタゾン）

POINT 換気力学的指標に基づく呼吸器設定の基礎知識

- 人工呼吸器に同調している場合には，最適な呼吸器設定理論値は換気力学的に決定できる。
- 時定数(TC)秒＝静肺コンプライアンス(Cst) L/cmH$_2$O×呼吸抵抗(Rrs) cmH$_2$O/L/秒の約3倍以上の呼気時間が必要である。
- 吸気時間は呼気時間より短く，TCの2～3倍程度が必要なことが多い。
- 最低限の吸・呼気時間を設定して1回換気量(Vte)を抑え，分時換気量を稼ぐ。
- 定常流は吸気時間との組み合わせで，吸気立ち上がり曲線を規定する。
- 定常流3～6L/分/kg以上，多すぎる定常流は呼気抵抗になる(初期設定10L/分)。
- 自然気道におけるPEEP 2～3 cmH$_2$Oより低い設定にはしない。
- PEEP 7 cmH$_2$O以上は肺過膨張，胸腔内圧上昇，静脈還流低下を招く可能性がある。
- PEEPは低コンプライアンス肺では高めに(4～6 cmH$_2$O)，正常コンプライアンス肺では低め(2～3 cmH$_2$O)に設定する。
- 最大吸気圧(PIP)は換気モニターによるVte測定値をもとに最低値を設定する。
- その時々の病態の換気力学的特徴に合わせた換気設定が必要である。

4 生理検査

a 新生児聴覚スクリーニング（自動 ABR 装置）

1 対象
- 修正 34 週以降で，検査中にモニターを外せる児。難聴であれば生後 6 カ月までに支援を開始するため，状態安定後，速やかに検査しておく。

2 手続きと refer 児への対応
- ALGO®5〔自動聴性脳幹反応（自動 ABR）装置〕で施行。鎮静薬は使用しない。哺乳後に行うと検査しやすい。
- 結果は pass（35 dB 通過），refer で表示される。pass は「現時点で言語発達に影響を与える聴覚の問題がないこと」を示す。refer は「再検査の必要がある」ということを意味し，必ずしも聴覚障害を意味するものではない。
- refer 児は入院中に再検する。
- 先天性サイトメガロウイルス（CMV），トキソプラズマ，風疹感染，遺伝性難聴を示唆する家族歴，顔面頭部奇形などは進行性聴覚障害をきたすことがあるため，自動 ABR を pass しても，耳鼻科に精密検査を依頼する。
- 再検の refer 例では，片側・両側を問わず耳鼻科を紹介する。

b 心電図

1 適応
- 不整脈，先天性心疾患，心不全，心筋障害（心筋虚血，心筋症，心筋炎など），電解質異常のある児，および全身麻酔手術前。

2 測定方法
- 体表に胎脂やエコーゼリーなどが付着している場合は，測定の妨げとなるため必要に応じて拭きとる。
- テープ型の電極を小さく切り，電極同士が接触しないように装着する。
- 点滴液の滴下や患児周囲の電気設備，生体モニター類が波形に干渉することがある。

- 制御不能な基線の揺れやノイズの原因は，啼泣・体動を除けばおもに前述のものによる。必要に応じて測定環境を見直す。
- 新生児は生理的に右室負荷所見があるので，できるだけ右側胸部誘導もとる（V_{3R}，V_{4R}，V_7 を合わせた 15 誘導心電図）。

3 判読する際の注意点
- 日齢や未熟性によって正常値が異なる。
- 心負荷所見は心エコーに比べて感度が鈍く，変化が遅い。
- 心電図上で明らかな負荷所見を認めれば，優位かつ高度と判断できる。
- voltage の所見は心電図モニターでは判断できないため，15 誘導心電図をとる。
- 短時間で反復して経時的変化を観察したい場合は，皮膚トラブルに注意してテープ型の電極を貼ったままにしておくことがある。
- 左心低形成症候群や類洞交通を伴う疾患，完全大血管転位の術後は冠虚血を，心室中隔欠損（VSD）術後などは脚ブロックをきたすことがあるため，心電図検査を反復して実施する。

C 肺高血圧（PH）の評価

1 肺高血圧（PH）スコアの適応
- PH を伴う基礎疾患児：早産児の慢性肺疾患（CLD）・先天性横隔膜ヘルニア（CDH）・呼吸障害を伴う閉塞性気道病変（上気道狭窄など）など。
- 在宅酸素療法（HOT）のフォローアップ：退院前に心電図と合わせて PH スコアを評価し，所見があれば 3 カ月をめやすに再検する。

2 目的
- PH を正確に評価し，適切な管理により PH crisis，右心不全を予防する。
- HOT の開始・継続・中止にあたって，酸素化の程度だけでなく PH の観点からも判断する。
- 上気道狭窄の治療適応を，上気道狭窄による PH の程度からも判断する。

3 方法
- 軽症〜中等症の PH は，心電図と心エコーによる複数の指標から総合的に判断する。

1) 心電図
- 右側胸部誘導でR波増高（V_1でR>S, V_1のR>1 mV）。
- 左側胸部誘導で深いS波。
- 右軸偏位。
- 心電図によるPHの所見は，感度は低いが特異度は高い。
- 短期間の変化は反映しない。

2) 心エコー

①三尖弁逆流（TR）の最大流速を用いる方法
- もっとも正確な肺動脈圧推定法。以下の式によって算出された推定肺動脈圧で分類されるPHの程度を表2-11に示す。
- 推定肺動脈圧（mmHg）＝4×(TRの最大流速m/秒)^2＋右房圧（5〜10 mmHg）

②PHスコア（表2-12）
- TRがない場合は，PHを反映する複数の指標を組み合わせて総

表2-11 推定肺動脈圧による肺高血圧（PH）の程度

推定肺動脈圧	PHの程度
30 mmHg未満	PHなし
30〜50 mmHg	軽症PH
51〜75 mmHg	中等症PH
76 mmHg以上	重症PH

表2-12 肺高血圧（PH）スコア

項目	0点 3〜5カ月	0点 6カ月以上	+1点	+2点
RSTI	≦0.30	≦0.27	≦0.35	>0.35
AT/ET	≦0.30	≦0.33	≧0.27	<0.27
LV（S/L）	≦0.70	≦0.75	≧0.60	<0.60
RVaw（d）	≦2.2		≦3.5	>3.5
RVaw（s）	≦4.2		≦6.5	>6.5
T/M	≦1.20		≦1.40	>1.40
P/A	≦1.25		≦1.40	>1.40

RSTI：右室収縮時間，AT：加速時間，ET：駆出時間，LV：左室，RVaw：右室前壁厚，T/M：三尖弁輪径/僧帽弁輪径，P/A：肺動脈弁輪径/大動脈弁輪径

表 2-13 肺高血圧（PH）を反映する指標

指標		
A. rapid PH スコア （合計 6 点） 短期間（数分）の変化を反映	右室収縮時間（RSTI）＝右室前駆出時間 / 右室駆出時間＝PEP/ET AT/ET＝肺動脈加速時間 / 右室収縮時間 LV（S/L）＝左室収縮末期短径 / 左室収縮末期長径	
B. late PH スコア （合計 8 点） 長期間の変化を反映	RVaw（d）＝右室前壁厚（拡張末期） RVaw（s）＝右室前壁厚（収縮末期） T/M＝三尖弁輪径 / 僧帽弁輪径 P/A＝肺動脈弁輪径 / 大動脈弁輪径	
C. total PH スコア ＝rapid PH スコア ＋late PH スコア （合計 14 点）	0〜1 点	PH なし
	2〜4 点	軽症 PH
	5〜8 点	中等症 PH
	9 点以上	重症 PH
D. PH スコア	0〜1 点（酸素化は悪いが PH は合併していない）	1 年以内に酸素吸入からの離脱可能
	2〜4 点（酸素化不良に軽症 PH を合併）	1〜2 年で酸素吸入からの離脱可能
	5〜8 点（酸素化不良に中等症 PH を合併）	離脱までの期間は予測不能であり，少なくとも 2 年以上はかかる
PH crisis の予測 （total PH スコア）	4 点以下	PH crisis は起きない
	5 点以上	感染症罹患時に total PH スコアが悪化する症例は PH crisis を起こす可能性あり

RV：右室，AT（加速時間；acceleration time）：駆出開始から最大流速に達するまでの時間，LV：左室，PEP（pre-ejection period）：肺動脈弁の M モードで心電図の Q 波から肺動脈弁開放までの時間，ET（駆出時間；ejection time）：肺動脈弁開放から閉鎖までの時間，LV（S/L）：収縮末期の心室中隔に平行な左室内径（L）と心室中隔に直行する内径（S）の比，RVaw（d）：M モードで拡張期の右室前壁の厚さ，RVaw（s）：M モードで収縮期の右室前壁の厚さ

合的に判断する（表 2-13）。

d　24 時間多チャンネルインピーダンス pH（MII-pH）モニター検査

- 異常な胃食道逆流（GER）の客観的診断法の 1 つ。pH モニターおよびインピーダンスの解析によって，胃酸逆流に加え，非酸逆流や空気嚥下なども評価可能。他の所見から明確な異常 GER の存

- 在が証明されている場合は必須ではない。実施は外科に依頼する。
- 制酸薬〔ヒスタミン H_2 受容体拮抗薬，プロトンポンプ阻害薬（PPI）など〕，および蠕動薬（六君子湯，ガスモチン®など）は少なくとも3日間の休薬が必要。経管栄養児はチューブを留置したままで検査する。
- 検査器機（スレウス ZepHr®）と適切なセンサーカテーテルを準備し，患者データ登録およびキャリブレーションを事前に行っておく。
- センサーカテーテル挿入は透視下に行う。上部消化管造影を行い，食道裂孔ヘルニアや食道狭窄，胃排泄障害，十二指腸狭窄などの器質的異常の有無を検査する。
- 経鼻または経口でセンサーカテーテル（2つのpHセンサーと6つのインピーダンスセンサーからなる）を挿入する。pHセンサーのうち先端から1つ目を胃内に，先端から2つ目を横隔膜より2椎体，頭側になるように留置して固定する。裂孔ヘルニアがある場合は，センサーが食道内に位置するように留置する。カテーテルが長いため，先端が胃壁に当たり負担にならないよう留意する。
- 検査中，センサーカテーテルが抜けたりしないようにしっかり固定する。哺乳・食事，あるいは経管栄養は普段どおり継続する。
- 検査機器のイベントボタンを押すことにより，検査施行中の悪心，咳嗽などのイベントを記録する。無呼吸など他のイベントも適宜，ボタンに割り当てられる。イベント発生のタイミング（イベントボタンが押されたタイミング）と逆流発生のタイミングの関係性は重要なため，可能な限り正確に記録する必要がある。
- 解析は専用ソフトで行い，マニュアルでの補正を行う。解析結果を**表2-14**に示す。

e 十二指腸液検査（Meltzer-Lyon法）

- 外科医に依頼して施行する。
- 十二指腸液に含まれる胆汁の性状を検査することにより，胆汁排泄機能（胆道閉塞の有無）を評価するもので，胆道閉鎖症をはじめとする新生児～乳児期の胆汁うっ滞性肝障害の鑑別診断の一助となる。

表 2-14 解析結果

検査項目	解析結果
pH モニター	・pH 4.0 未満の変化をすべて逆流と判断し，逆流時間率をもって pH index とする。 ・4.0% 以下が正常。 ・インピーダンスとともに，24 時間の推移をグラフで検証する。
インピーダンス	・ソフト解析では偽陽性が多くなるため，マニュアル補正が必須。 ・1 歳未満では GER 回数が 100 回以上，1 歳以上では 70 回以上で異常 GER ありと診断する。 ・Symptom Index（50% 以上）などのパラメータも参照する。

- 十二指腸ゾンデ挿入 3 時間前から禁乳とする。
- 十二指腸液の採取のため，十二指腸ゾンデを挿入留置する（5Fr ジェイフィード®栄養カテーテルなどを X 線透視下に挿入留置する）。18 本の試験管を用意し，遮光しておく。
- カテーテルは開放して，サイフォンの原理で，以下の手順で十二指腸液を試験管内に採取する。
  ① 30 分間開放，前液採取。1 回。
  ② 体温に温めた 25% 硫酸マグネシウム液 10 mL を十二指腸ゾンデから注入し，10 分間閉鎖。1 回。
  ③ 1 時間開放，液採取。以上 12 回繰り返し。
  ④ 5% ブドウ糖液 50 mL 経口，十二指腸ゾンデを 1 時間閉鎖ののち 2 時間開放。液採取。以上 4 回繰り返し。
  ⑤ 十二指腸ゾンデ先端の位置再確認（単純 X 線は省略可）。
- 24 時間で試験管 17 本の検体を採取する。そのうち色調の濃いもの 5〜6 本を選択し，pH，イクトテスト®および Meulengracht 法による黄疸指数を測定。前者が陽性，後者が黄疸指数 5 以上で，十二指腸液中の Bil 陽性と診断する。前者が陰性で，後者が黄疸指数 1 以下のときは胆道閉塞と診断する。最近は定量して，十二指腸液中総胆汁酸濃度（dTBA）16.8 μmol/L 以下，あるいは dTBA/血清総胆汁酸濃度（sTBA）比 0.088 以下，dTBA/sγ-GTP 0.076 mmol/U 以下を胆道閉塞と診断する[8]。

5 胎盤検索

a 適応

- NICU入院児の胎盤は，全例検索する価値がある。
- 母児双方の臨床情報を把握している新生児科医が肉眼的観察をすることで，リアルタイムに胎盤所見を臨床にフィードバックできる。

b 肉眼的観察の方法[9, 10]

- 肉眼的観察は全分娩で施行する。
- 分娩後冷蔵し，その日のうちに観察する。
- 子宮内での形を再現し，破膜部を観察する。
- 臍帯の長さ，直径，付着部位，断面を観察する。
- 胎児面を観察する（感染，メコニウム，羊膜結節など）。
- 母体面を観察する（出血，梗塞，フィブリンなど）。
- 臍帯卵膜を取り除き，胎盤の真重量を測定する（**表2-15**）。
- 母体面を上にして1～2 cmの割を入れ，割面を観察する。
- 低出生体重児では，胎児面の混濁がなければ呼吸窮迫症候群（RDS）または新生児一過性多呼吸（TTN）を，混濁が強ければ絨毛膜羊膜炎を疑い，先天肺炎・児の感染症・慢性肺疾患（CLD）3型のリスクを想定して治療を開始する。一方，胎児面が茶褐色または緑色の場合は（辺縁出血，絨毛膜下血腫，血性羊水を伴い

表2-15 在胎週別の胎盤重量の標準値

在胎週数	胎盤重量（Mean±SD）
～16	68±41 g
17～20	106±60 g
21～24	205±103 g
25～28	280±104 g
29～32	361±140 g
33～36	452±202 g
37～40	464±144 g
41～44	472±105 g

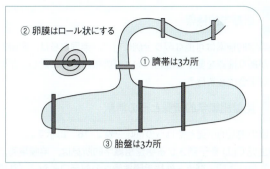

図 2-25 胎盤切り出し

やすい），びまん性絨毛膜羊膜ヘモジデローシスを疑い，CLD 4 型を想定して注意深い呼吸管理を行う。
- 臍帯にカンジダ結節を認めた場合は先天性カンジダ感染症を疑い，呼吸障害などの症状があれば抗真菌薬の投与を開始する。なお，カンジダ結節がなくてもカンジダ感染は否定できない。
- 双胎胎盤は娩出後できるだけ早期に観察する。ポイントは，①中隔の有無（なければ1絨毛1羊膜），②中隔の厚さ（薄ければ1絨毛の可能性あり→ミクロで絨毛組織がないことを必ず確認），③血管吻合の有無（血管内に 27 G の針と 50 mL のディスポシリンジで空気を注入して確認する。動脈は静脈より表面を走行している。動静脈は走行する位置から区別をつける），④臍帯付着，⑤血管分布領域，⑥母体面の色調差，である。

C 切り出し

- 切り出しはルーチンに，①臍帯3カ所，②卵膜ロール，③胎盤の胎児面から母体面までを含めた実質3カ所，および所見のある部位を行う（図 2-25）。
- 固定は10％ホルマリンで行う。固定することで，混濁，カンジダ結節，臍帯潰瘍などが明らかになる。
- 双胎で癒合胎盤の場合は，中隔を含む T-zone の切り出しを忘れない。

d 組織学的検索

- 組織学的検索は可能な限り全例に行う。無理ならば，肉眼的に所見があり確認を要する場合，および肉眼的所見に乏しいが児が重症な場合は必ず行う。

e 胎盤組織学的所見とその解釈

- 胎盤の肉眼的所見とそれらの意味を表 2-16[10]に示す。
- 新生児 CLD を予測させる胎盤組織学的所見は，羊膜壊死，胎盤の亜急性炎症，びまん性絨毛膜羊膜ヘモジデローシス（鉄染色陽性）である。

表 2-16 胎盤の肉眼的所見

評価項目		状態	所見	考えられる病態, リスク	追加コメント
胎盤大きさ		正常	長径約 20 cm, 厚み 2〜2.5 cm, 重さ約 420 g		表 2-14 参照
		薄い	厚み 2 cm 未満	FGR による胎盤機能不全, 膜様胎盤, 前置胎盤	
		厚い	厚み 4 cm 以上	母体糖尿病, 胎児水腫, 子宮内感染	
		多葉 (二葉, 副葉)		胎盤遺残, 外科的娩出, 産褥出血	
		膜様	胎盤が異常に薄く, 子宮壁を広範に覆う	出血と児の予後不良	
形態異常		癒着		外科的娩出, 産褥感染, 出血	
		circumvallation	厚い卵膜の縁取り	早産, 出血, 早期剝離, 破水, 羊水過少, NRFS, 静脈性早期剝離	
		circummargination	内側の縁が circumvallation より薄い	一般的には臨床的意味なしといわれているが, circumvallation に準じるリスクありか	
臍帯異常	付着	辺縁付着	臍帯付着が胎盤の辺縁から 2 cm 未満	通常は問題ない	
		卵膜付着異常	臍帯付着が卵膜	Wharton's jelly で覆われない血管からの出血, 圧迫, 血栓	辺縁からの距離測定
		フォーク状付着	付着前に正常に分かれている	出血, NRFS のリスク	該当部の血管血栓の有無
	長さ	正常	正期産児で正常は 50 cm, 児の身長相当		

2-5 臍帯臓器

評価項目		状態	所見	考えられる病態・リスク	追加コメント
臍帯異常	長さ	短い	正期産児で 32 cm 未満	・活動の少ない胎児（21トリソミー，神経筋疾患，発達遅滞，胎児奇形） ・臍帯断裂，出血，狭窄，骨盤位や他の体位の異常，2期遷延 ・早期剝離，子宮脱	胎児についていった部分も合わせて総長を調べないと診断は困難
		長い	正期産児で 100 cm 以上	臍帯のもつれ，捻転，結節，血栓	臍帯の血管血栓の有無を確認
	ピッチ		過捻転	児の予後不良リスクの可能性	血栓や絞扼の有無を確認
			過少弛転	児の予後不良リスクの可能性	
	太さ	正常	直径 1～2.5 cm		
		細い	臍帯に細い部分 (Wharton's jelly 減少)	過期産，羊水過少，もつれ，胎児死	絞扼部追加切片作製：血栓の有無
			限局性狭窄		絞扼部追加切片作製：血栓の有無
	浮腫		びまん性	溶血性疾患，帝王切開，子癇・子癇前症，母体糖尿病，RDS，一過性多呼吸	
			限局性（胎児側）	Beckwith-Wiedermann 症候群，臍帯ヘルニア，尿膜管遺残，18トリソミー	
	真結節			結節がきついと圧迫による血流遮断	
	偽結節			血管がループ形成，とくに臨床的意味なし	
	巻絡			胎児仮死，とくに分娩時	

評価項目	状態		所見	考えられる病態、リスク	追加コメント
臍帯異常	血管数の異常		2本	単一臍帯動脈（SUA）：単胎の0.5〜1%、多胎の9%にみられ、そのうち30〜45%で胎児異常あり。圧迫を受けやすい	胎児面から5cm以上離れたら断面でも確認
	血栓		過剰	まれ、静脈の遺残	別の割面でも確認
			血管内血栓	支流血管の血栓形成、avascular villi, hemorrhagic endovasculitis	追加切片、クランプ部、結節部でないことを確認
	嚢胞			胎芽の遺残	
	結節		カンジダ感染	黄白色の結節散在、カンジダ感染の肉眼診断となる	他の部位の検索を行う、児への感染リスクあり
	出血		出血、血腫、血管腫	臍帯クランプ部でないことを確認	
	潰瘍		血管にそって線状潰瘍形成	潰瘍からの胎児失血、NRFS、胎児死亡、新生児早期貧血	胎児上部消化管閉鎖に合併
	付着部のひだ			胎児仮死	
			白	正常	
	色		ピンク、赤、赤茶色	溶血（IUFD、保存後時間が経った）	
			茶色、赤茶色、茶黄色	ヘモジデリン	
			緑、黄緑	メコニウム	
			黄色	胆汁	
	白亜色の常		明瞭に限局性	石灰化：壊死性臍帯炎、梅毒その他急性・亜急性感染	

評価項目		状態	所見	考えられる病態, リスク	追加コメント
胎児面(胎盤膜)卵膜	色		緑色, 黄緑, 茶緑色	メコニウム:臍帯の変色を確認する	NRFS の存在
			混濁, 白色, 黄色	感染:臭いも確認する	児の感染症を検索する
			茶色, 赤茶色, 茶黄色	ヘモジデリン:古い出血を示唆し, 辺縁出血や胎盤後血腫を確認する	急性循環不全, CLD リスクあり
			赤茶色, 赤ピンク	溶血:ほとんどが胎児死亡, 凍結による変化	
	臭い		悪臭	・感染疑い ・糞臭:fusobacterium, bacteroides ・甘み臭:clostridium, listeria	
	限局性出血		卵膜出血		
	限局性壊死		黄色類円形	紙様児	生存児の奇形リスクあり
	索, 状物, バンド		通常, 臍帯付着部に引っ張られる	羊膜索, 絨毛膜板は羊膜上皮を欠く, 四肢切断, 絞扼輪, 胎児奇形	羊膜索症候群
胎児面(結節・斑)	扁平上皮化生		多数の小さい水晶様斑, とくに臍帯付着部に集簇, こすってもはがれない	正常	
	羊膜結節		白・黄色の結節, 容易にはがせる	羊水過少, 胎児腎無形成, 肺低形成	
	卵黄嚢遺残		0.5 cm, 卵型, 白亜色斑, 羊膜と胎盤膜の間にある円形の数ミリ大の黄色結節	正常	
	絨毛膜下フィブリン		固く白い胎盤下結節・斑	正常	

評価項目		状態	所見	考えられる病態, リスク	追加コメント
胎児面（結節・斑）	嚢胞	絨毛膜下嚢胞		通常問題なし	
		羊膜嚢胞		通常問題なし	
	出血	絨毛膜下血腫		大きければ, NRFS または IUFD と関連. DCH を確認する	（大きさ, 古さを記載）
		羊膜血腫		通常, 医原性. 胎児面の血管破綻を確認する	
		胎児血管血栓	血管に沿って白色の筋	臍帯トラブルチェック	追加切片作製
		胎児血管蛇行	拡張蛇行血管	mesenchymal dysplasia	絨毛の嚢胞性病変を調べる
全体性胎盤の完		intact, complete	すべての小葉がある	・胎盤遺残なし ・膜走行の血管がない, 血管は末梢で細くなっている	
		incomplete	小葉の欠損	胎盤遺残（癒着胎盤の場合）	遺残組織からの出血や感染
			卵膜走行の血管がある	胎盤遺残（副葉の場合）	
		石灰化	白色サンゴ様病変. 固くて, 引っかかりがある	正期産児では正常	
母体面と割面		脱落膜壊死	限局性のざらざらした表面, 壊死組織	脱落膜壊死	広範ならば記載
	ま出たた（は辺表縁面）	胎盤後血腫	はがれない血腫で小葉の中心部にある. 時に実質の圧排像	極新鮮な場合は実質の部分的なうっ血のみ. 時間の経過とともに固くなり実質圧排	大きければ記載
		辺縁出血	はがれない血腫で胎盤の辺縁部にある	早産の原因, 血性羊水を伴うと児の急性循環不全	
		血餅	容易にはがせる	臨床的意味なし	

2
5

胎盤臓器

評価項目		状態	所見	考えられる病態、リスク	追加コメント
母体面と割面		梗塞	固く蒼白または黄白色ならび古い、暗赤色なら新しい	絨毛間血流低下による絨毛の壊死：多発性の場合、母体血流低下あり	辺縁部のみに小さくある場合、病的意義は低い。妊娠初・中期では異常
		フィブリノイド	固くない黄白色	母体凝固亢進、血流低下。程度が著しい場合、母体 thrombophilia、凝固異常、妊娠高血圧症候群	組織学的には生理的死。胎盤膜下、絨毛間、脱落膜下に存在。肉眼で明らかならば病的
			脱落膜面	先天感染、免疫学的拒絶、EVT 増殖	
			割面	intervillous または perivillous fibrin	
			胎盤膜下	結節状。程度が強い場合、胎児奇形を伴うことあり	
		血栓	層状の光沢のある限局性病変。新鮮なら赤色、時間とともに黄白色	病的意義は低い。まれに胎児母体間輸血に関連	
		血管腫	弾性、肉様または暗赤色	小さければ臨床的意味なし、血流豊富ならば高拍出性心不全	
		絨毛癌	新鮮な梗塞に似る	まれ、時に胎児母体間輸血	
		間様性過誤腫	米粒大、麺様のJJ囊胞散在。時に胎盤膜胎児血管の血栓を伴う。時に胎児面血管の怒張	FGR、Beckwith-Wiedermann 症候群、または正常	AFP 高値、血小板減少リスク

FGR：胎児発育不全、NRFS：胎児機能不全、IUFD：子宮内胎児死亡、CLD：慢性肺疾患、DCH：びまん性絨毛膜羊膜ヘモジデローシス、EVT：絨毛外栄養膜細胞、RDS：呼吸窮迫症候群、AFP：α-フェトプロテイン

Langston C, et al：Practice guideline for examination of the placenta: developed by the Placental Pathology Practice Guidelines Development Task Force of the College of American Pathologists. Arch Pathol Lab Med 1997；121：449-476[10] をもとに作成

📖 文献

1) 松井 潔, 他. 胎児中枢神経系エコーによる基準値の作成と各種脳奇形の異常パターンの検討：近道思考から生体計測へ. 産婦の実際 2004；53：1503-1510
2) 田角 勝. 新生児の超音波ドプラー法, 脳血流速度測定. 佐藤 潔, 他（編）, 胎児新生児の神経学, メディカ出版, 1993
3) Mathews JD, et al. Cancer risk in 680,000 people exposed to computed tomography scans in childhood or adolescence: data linkage study of 11 million Australians. BMJ 2013；346：f2360
4) Toyoshima K, et al. Left atrial volume is superior to the ratio of the left atrium to aorta diameter for assessment of the severity of patent ductus arteriosus in extremely low birth weight infants. Circ J 2014；78：1701-1709
5) Initiative NN. Systolic blood pressure in babies of less than 32 weeks gestation in the first year of life. Northern Neonatal Nursing Initiative. Arch Dis Child Fetal Neonatal Ed 1999；80：F38-F42
6) 長谷川久弥. 新生児気道病変の管理. 日未熟児新生児会誌 2006；18：29-37
7) 長谷川久弥. 新生児の呼吸機能. 日未熟児新生児会誌 1993；5：41-58
8) Fukuoka T, et al. Total bile acid concentration in duodenal fluid is a useful preoperative screening marker to rule out biliary atresia. J Pediatr Gastroenterol Nutr 2018；67：383-387
9) Benirschke K. The placenta in the litigation process. Am J Obstet Gynecol 1990；162：1445-1448；discussion 1448-1450
10) Langston C, et al. Practice guideline for examination of the placenta：developed by the Placental Pathology Practice Guidelines Development Task Force of the College of American Pathologists. Arch Pathol Lab Med 1997；121：449-476

📖 参考文献

・甘利昭一郎, 他. 新生児科医による心エコー静止画上の計測の検者間信頼性. 日新生児成育医会誌 2017；29：373-382
・長谷川久弥, 他. 気管・気管支軟化症の診断と治療. 日小呼吸器学会誌 2020；31：159-171
・Guignard JP. Postnatal Development of Glomerular Filtration Rate in Neonates. Polin RA, et al（eds）, Fetal and Neonatal Physiology, 5th ed, 993-1002, 2017
・日本腎臓学会, 他（編）. 腎機能患者におけるヨード造影剤使用に関するガイドライン 2018. 日腎会誌 2019；61：933-1081
・Gubhaju L, et al. Assessment of renal functional maturation and injury in preterm neonates during the first month of life. Am J Physiol Renal Physiol 2014；307：F149-F158
・American College of Radiology Committee on Drugs and Contrast Media. ACR Manual On Contrast Media. 2022　https://www.acr.org/-/media/ACR/files/clinical-resources/contrast_media.pdf（2022.8.19 アクセス）

第3章

処 置

1 血管カニュレーション

a 末梢動脈カニュレーション

1 適応
- 持続的に動脈圧測定や動脈血採血を必要とする場合。
- 交換輸血を行う場合。

2 部位
- 橈骨動脈，尺骨動脈，後脛骨動脈，足背動脈など。
- 前腕の虚血・切断のリスクがあるため，上腕動脈は可能な限り避ける。
- post-ductal の情報（血圧と酸素分圧）を知りたいとき〔左心低形成，大動脈縮窄，新生児遷延性肺高血圧症（PPHN）〕は下肢に動脈ラインをとる。

3 準備物品
- 10%マルトース（超早産児の場合），または生理食塩液 100 mL にヘパリン 0.2 mL を加え，2 U/mL にしたもの。
- 24 G ジェルコ針，シーネ，透光ライト，固定用テープ。
- 動脈圧測定用 A ラインキット。

4 方法
- 動脈を圧迫し，末梢に循環不全が起こらないことを確認（Allen's test）。
- 関節を軽く伸展し，動脈の拍動・走行を透光下または触診で確認。
- 穿刺後，血液の逆流がみられるところで内筒を抜去し，外筒を挿入する。
- 深く挿入しても血液の逆流がない場合は内筒を抜去し，外筒をゆっくり引き抜いて，血液の逆流をみたところで再挿入する。
- ワーデル®テープで固定し，連結部に緩みがないことを確認する。

5 管理
- 超早産児では，挿入直後に動脈波形が出なくても，数時間待つと出てくることがある。
- 血液の逆流が不良な場合には無理に引き抜くと血管が傷む。採血前に輸液を少量注入すると，血液が逆流しやすくなることがある。

返血は少量間歇的に挿入と抜去を繰り返したほうが，ラインの凝血塊は少ない。
- 接続部が外れたり，予定外抜去したりすると大量に出血するので注意する。出血防止のため，接続部とカテーテル穿刺部の固定を確実に行う。
- 動脈波形がなまる（オーバーダンピング）ときはキット内のエアを確認する。
- 留置期間は7日以内が原則。不要となれば，できるだけ早く抜去する。

b 臍動静脈カニュレーション

1 適応
- 臍動脈と臍静脈カニュレーションのそれぞれの適応を表3-1に示す。
- 臍帯が乾燥すると動静脈とも挿入困難であるため，生後早期に限られる。

2 準備物品
- カテーテル
  ①臍静脈：ダブルルーメン（アローダブルルーメンカテーテルセット；外径1.4 mm, 長さ13 cm），メディカット18 G（ウロキナーゼ使用抗血栓性中心静脈カテーテル；外形1.1 mm, 長さ20 cm, おもに超早産児で使用），トリプルルーメン（アロートリプルルーメンカテーテルセット5.5 Fr；外径1.8 mm, 長さ30 cm, おもに正期産児で使用）。
  ②臍動脈：アンビリカルベッセルカテーテル（2.5 Fr, 3.5 Fr, 5 Fr）。2.5 Fr では血圧が測定しにくいので，可能なら3.5 Fr 以

表3-1 臍動静脈カニュレーションの適応

	適応
臍動脈	末梢動脈が確保困難な場合
臍静脈	①超低出生体重児で皮膚の未熟性が強い場合 ②重症仮死などで点滴確保困難が予想される場合 ③胎児水腫・出血傾向が強い場合 ④緊急で中心静脈確保が必要な場合

- 上を選択する。
- 小切開セット（有鉤摂子2本，無鉤摂子2本，クーパー），1-0絹糸，ロック式三方活栓，ロック式10 mLシリンジ（臍静脈・動脈用水通し用），動脈圧測定用Aラインキット。超早産児では採血用にTコネクター。
- 10%マルトース（超早産児の場合），または生理食塩液100 mLにヘパリン0.2 mLを加え，2 U/mLにしたもの。
- 帽子，マスク，術衣（無菌的操作で行う）。
- 消毒液（0.5%ヘキザック®アルコール，または皮膚の脆弱な超早産児の場合はマスキン®水），長摂子。
- 清潔覆布，無影灯。

3 方法

- 挿入するカテーテルの長さを決定するため，体重・身長・肩から臍輪までの距離を測定する。
- 臍帯クリップごと長摂子で保持し，臍周辺および臍帯を消毒し，滅菌布で覆う。
- 臍帯の腹壁に近い部位で1-0絹糸を一重に緩くかけ，臍帯切断時に出血しない程度に軽く締めておく。
- 皮膚から約1.0～1.5 cmのところで臍帯をクーパーまたはメスで水平に切断する（斜めに切らない）。切断後，切断面より出血しやすいので，臍帯にかけていた絹糸を再度軽く締め直す。この際，締めすぎるとカテーテルの挿入が困難となるので注意する。
- 細く壁の厚い臍動脈2本と太い臍静脈1本を確認する。
- 助手は2本の眼科有鉤摂子の先端を利用して目標血管内腔を十分に広げながら，血管壁を保持する。
- 眼科無鉤摂子の先端を利用して摂子を血管内に挿入し，十分に内腔を広げることがポイント。
- 術者はカテーテルを摂子で保持しながら挿入する。清潔操作のため，体内に挿入するカテーテルには直接手袋で触れない。
- 動脈では5 cm程度，静脈では2～3 cmを抵抗なく挿入できたら，血液の逆流を確認する。
- 予定の長さまでカテーテルを挿入する（図3-1，図3-2，図3-3）。
- 臍帯の根部を絹糸で結紮し，その断端でカテーテルを固定する。
- 絹糸でカテーテルを強く固定すると狭窄させる可能性があるので，

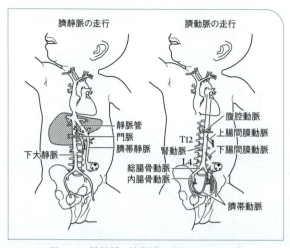

図 3-1 臍静脈・臍動脈の走行（シェーマ）

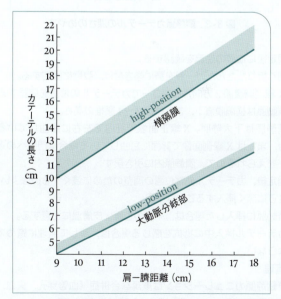

図 3-2 臍動脈カテーテルの深さのめやす

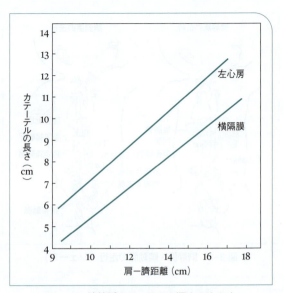

図 3-3 臍静脈カテーテルの深さのめやす

固定後に血液の逆流を確認する。
- 細く折りたたんだガーゼを臍に巻き付け,腹壁に固定する。
- X 線(胸腹部 2 方向)とエコーでカテーテルの位置を確認する。
- 臍動脈は横隔膜直下,または第 3〜4 腰椎の高さ。
- 臍静脈は下大静脈。X 線正面像で肝内で左右に屈曲している場合,または X 線側面像で背面に屈曲している場合は門脈への迷入が考えられるので,臍静脈内に引き戻す。
- 固定後,カテーテル先端位置の調整のために浅くするのはよいが,さらに深く挿入することは不可。
- 臍動脈に挿入した場合は,下肢の色調・皮膚温に注意する。
- カテーテル挿入中に抵抗を感じる場合は,決して無理に進めてはならない。

4 管理

- 臍動静脈カニュレーションは重篤な合併症〔血管穿孔,失血,血栓,壊死性腸炎(NEC),感染症〕のリスクがある。
- 挿入期間は必要最低限にとどめる。臍動脈は 5 日以内,臍静脈は

2 週間以内とし，それ以上の留置はできるだけ避ける。

5 カテーテル抜去

- 臍が乾燥しているため，抜去する前に生理食塩液に浸したガーゼで数時間湿らせる。
- 出血に備えて，あらかじめ臍の根部に 1-0 絹糸を一重に巻いておく。
- 抵抗がある場合は無理せず，時間をかけてゆっくりと引き抜く。
- 臍動脈の場合は，カテーテルの最後の 5 cm は 1 分ごとに 1 cm ずつ引き抜く。失血を防ぐため，カテーテル抜去と同時に臍結紮する。臍帯が硬い場合，絹糸による結紮では止血困難なこともあるため，アルコール綿とコッヘルを準備しておく。
- 抜去後 1～2 時間は仰臥位にして止血を確認する。

POINT 臍動静脈カニュレーション挿入の要点

1. カテーテルが臍輪を越えない場合の工夫
- 臍帯をしばっている絹糸を緩める。
- 臍帯が捻転している場合，臍帯を回転させてねじれをとってみる。
- 動脈の場合は臍帯を児の頭側へ，静脈の場合は児の尾側へ牽引しながら挿入する。

2. 臍輪を越えてからカテーテルが進まない場合の工夫
- 動脈ではカテーテルを頭側へ，静脈では尾側に寝かせて，30～60 秒程度，軽く力を加えながら進めてみる。
- 臍動脈の場合，児を側臥位（挿入している側の臍帯動脈が下になる側臥位）にしたり，股関節を屈曲させたりして体位の工夫をする。

3. 臍静脈が静脈管を越えて挿入できない場合の工夫
- ヘパリン加生理食塩液などをフラッシュしながらカテーテルを挿入する。
- 細いカテーテルに変えて挿入を試みる。
- 挿入不可能な場合，静脈管の手前に留置する。

4. カテーテルがスムーズに挿入できるのに血液が逆流しない場合の工夫
- 動脈の場合はカテーテルによる血管の穿孔を考え，ただちに抜去し注意深く経過観察する。

C 末梢挿入中心静脈カテーテル（PI カテーテル）

1 適応
- 高い糖濃度，中心静脈栄養，血管作動薬を輸液する場合。
- 将来的に末梢静脈路確保が困難なことが予想される場合や，輸液ルートを多く必要とする場合には，ダブルルーメンの PI カテーテルを挿入する。

2 準備物品
- 24G ジェルコ®針，PI カテーテル（シングルまたはダブル），無鉤摂子もしくは PI 摂子。
- ヘパリン入り維持液，消毒液（0.5%ヘキザック®アルコール，または超早産児ではマスキン®水）。
- 綿棒，コクテルン®テープ，カテリープラス™，ハイドロサイトプラス®。
- 清潔覆布。

3 方法
- 開放型保育器では帽子・マスク・ガウン着衣。
- 刺入部を中心に，広い範囲を 0.5%ヘキザック®アルコール液で消毒する。
- 上肢からの挿入の場合，顔を刺入側へ向けておく（頭側への迷入防止）。
- ジェルコ®針を末梢静脈に穿刺し，血液の逆流があるところで内筒を抜去する。
- 摂子でカテーテルを保持しながら，ジェルコ®針外筒のガイド下に挿入する。
- カテーテルを進めて抵抗があれば少し引き戻し，肢位を変更したのち，少し引き抜き，再度，ゆっくり挿入する。無理に押し込んだり，突くように挿入したりすると血管内皮を痛め，輸液漏れしやすい。
- 十分長く挿入できたら，スタイレットを緩徐に引き抜き，ヘパリン維持液でフラッシュする。
- ジェルコ®針外筒を皮膚から抜去し，刺入部をしばらく圧迫止血する。
- 刺入部にカテリープラス™を貼付し，点滴ルート，ジェルコ®針

外筒，カテーテル接続部をコクテルン®テープで固定する。
- X線または心エコーで走行・先端位置を確認する。

4 管理

- カテーテル先端の位置はX線でつねにチェックする。
- 右心房内では心嚢液貯留や不整脈などの合併症が多いので，上大静脈か鎖骨下静脈まで引き抜く。
- 上肢からの挿入のほうが血管外への漏出が多いので，可能であれば下肢に入れる。
- 血管外への漏出リスクを減らすため，輸液の糖濃度は原則15％未満にする。
- 下肢からの挿入で通常の腰椎右縁より外側を走行する場合は，上行腰静脈への迷入に注意する。上行腰静脈から脊柱管へ迷入することもある。
- 挿入後，カテーテルが抜けることもあるので，固定されているかを毎日確認する。カテーテル位置が変わると閉塞や合併症の原因となるため，確実に固定する。

5 合併症

- 代表的な合併症：カテーテル関連血液感染症，心嚢液貯留・心タンポナーデ，胸腹水，迷入，抜去困難など。
- カテーテル関連血液感染症が疑わしい場合は，早期に抜去することが推奨される。
- 抜去困難時は無理に引き抜こうとせず，以下を施行する。無理矢理，抜去を試みると，カテーテルが伸展・断裂してしまう。

POINT PIカテーテル挿入の要点

- 先端位置は体位によって変動する。とくに上肢から挿入した場合は，肩の外転・内転，肘の屈曲・伸展で0.5〜1.5 cmの範囲で変動し得る。X線撮影時の体位などを考慮にいれて，先端位置の適正を判断する。
- 尺側からの挿入では，肩の内転，肘の屈曲で深くなる。
- 橈側からの挿入では，肩の内転で浅くなり，肘の屈曲で深くなる。
- 上大静脈に留置する際，カテーテル先端が静脈壁と垂直にならないような位置への挿入を心がける。

①走行部位を温める。
②走行部位から先端部位にかけてマッサージする。
③ガイドワイヤーを挿入して再度抜去を試みる（1度カテーテルが伸展してしまうと内腔が狭小し，ガイドワイヤーの挿入が困難となる）。
④以上を行っても抜去できない場合は，外科的処置を考慮する。
- 断裂してしまった場合は，速やかに外科か心臓血管外科に外科的摘除を依頼する。

2 呼吸管理

a 酸素療法

1 適応
- 軽症の新生児一過性多呼吸（TTN）や人工呼吸器離脱後。

2 目標
- 目標とする PaO_2 は，低出生体重児で 50〜70 mmHg，成熟児で 60〜80 mmHg。
- 目標とする SpO_2 を表 3-2 に示す。

3 投与方法（上から順に安定した投与酸素濃度が得られる）
- 保育器：酸素濃度 60％以上は困難（これ以上の酸素濃度が必要な症例は呼吸管理）。
- 経鼻カニューレ：アトム酸素鼻孔カニューラ（体格に合わせて，未熟用 2000/S または OX-20 を使用する。OX-20 は後面と突起を切り取る；図 3-4）。酸素流量 0.25〜1.0 L/分で加湿酸素を投与する。

表 3-2 経皮的酸素飽和度（SpO_2）目標値

対象		SpO_2 目標値
早産児	急性期	90〜95％
	1 週以降	88〜93％
	修正 36 週以降	＞95％
心疾患以外の正期産児		＞95％

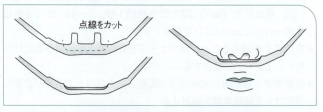

図 3-4 酸素鼻孔カニューラ（OX-20）

4 濃度調節

- 経鼻カニューレは，微量流量計で酸素投与量を調節する（**表a**, ⇒ p. 187）。

b nasal high flow

1 適応

- 酸素療法では不十分な呼吸障害。
- 重症慢性肺疾患（重症 CLD）や胸郭低形成で日齢が進み，経鼻持続気道陽圧（経鼻 CPAP）では安静が得られない。

2 方法

- 高流量（8 L/分）で開始し，徐々に流量（4 L/分）を下げる。
- 目標 SpO_2 を維持するのに必要な FiO_2 を設定。
- Optiflow™（Fisher & Paykel 社）よりもプレシジョンフロー®（Vapotherm 社）のほうが効果的である。

c 経鼻持続陽圧

1 インファントフローシステム（DPAP または SiPAP）

1) 適応

- 自発呼吸は安定し，換気が保たれている呼吸障害。

2) 方法

- インファントフローは呼気終末陽圧（PEEP）調節を流量で制御し，流量 6〜10 L/分，PEEP 3〜8 cmH_2O の範囲で使用する。装着デバイスの形状工夫によって呼気ジェット流の方向を変化させることで，呼気抵抗を軽減している（コアンダ効果）。
- より強力な呼吸サポートを行う場合には，SiPAP（sigh positive airway pressure）の BiPhasic（間歇的強制換気法）モード〔CPAP 8〜10 L/分（PEEP 5〜7 cmH_2O），圧持続時間（T-high）1秒，換気回数（rate）20 で吸気時間1秒，2〜4 L/分（吸気圧サポート約 2 cmH_2O）〕で換気する。
- 空気嚥下が増えるため，胃チューブを経口挿入し，できるだけ開放として定期的に吸引する。
- 酸素濃度は基本的に 40% 以下で管理し，それ以上の濃度が必要な場合は人工呼吸管理を検討する。
- 鼻プロングの圧迫による鼻孔損傷（とくに鼻中隔）や，鼻マスク

による顔面皮膚圧迫に注意する。

2 NIV NAVA（noninvasive neurally adjusted ventilatory assist）

- 使用している機器：SERVO-n® (Maquet Critical Care Ab 社, Sweden)

1）適応
- 人工呼吸器管理から離脱後の呼吸サポート。
- NAVA 管理後に抜管した修正 33 週未満の児。
- 重症 CLD で抜管後に高い圧が必要。
- 自発呼吸が不安定でバックアップ換気が必要。

2）方法
- 横隔膜活動電位（Edi）を利用した非挿管換気サポート。
- Edi カテーテルを使用していない場合は新たに挿入。挿入方法は *p.110* 参照。
- NAVA 管理後で Edi カテーテルが経鼻的に挿入されている場合は，鼻孔の大きさによってはプロングが入りにくいことがある。その場合は経口挿入へ変更する。

3）開始設定項目
- NAVA レベル 1.0～1.5，無呼吸時間 5 秒。最大吸気圧（PIP）は 35 cmH$_2$O 程度で高めに設定する。Edi トリガーは 0.5。
- バックアップ設定として，above PEEP は児の呼吸状態に合わせて決定。回数 20～30，吸気時間 0.5 秒で設定する。
- 加湿器温度は 39±0°C。
- 無呼吸アラーム，リークアラームはオフにする。

4）管理
- 無呼吸，SpO$_2$ 低下の頻度が高い場合は無呼吸時間を短縮する。バックアップに切り替わってからも無呼吸，SpO$_2$ 低下を認める場合はバックアップ設定を上げる。
- Edi peak は 10 μV 以下をめやすに，NAVA レベルを下げていく。
- NAVA レベル 1.0 cmH$_2$O/μV 以下，無呼吸時間 5 秒で呼吸状態が安定している場合，デバイスがフィットせず十分に圧がかからない場合，児が装着を嫌がり落ち着かない場合は，nasal high flow への変更を検討する。

d 気管挿管

1 準備

- Portex®気管チューブ：サイズと深さを表 3-3 に示す。
- 重症呼吸障害では呼吸抵抗増加とリークによる換気量低下のため，1サイズ太いチューブのほうがよいこともある（基本的には上気道保護のため，わずかにリークがある程度が望ましい）。
- 経鼻挿管は鼻中隔変形をきたすため初期は選択しない。
- 咽頭鏡ブレードは No.0 を使用。超早産児ではブレード No.00 を使用。
- 鼻口腔吸引カテーテルは 8〜10 Fr。
- 固定用テープ（ワーデル®など）は，あらかじめ患児に合わせて切っておく。

2 手順と方法

- 心拍モニター・SpO_2 モニターを装着し，心拍音をモニターする。
- 緊急でなければ，まず胃カテーテルより胃内吸引を行う。
- 口腔内，次に鼻腔内を十分に吸引する。
- バッグ・マスクで十分に加圧し，酸素化を図る。
- 児の頭の下にタオルを敷いて少し高くし，sniffing position をとる（肩枕は新生児では喉頭を観察しづらくする）。
- 介助者は肩を浮かさないようにしっかり固定し，頭部を正中に保持する。
- 左手の母指と示・中指で喉頭鏡の根元を持ち，環指と小指で下顎を保持する（図 3-5）。
- 右口角よりブレードを根元まで挿入し，舌を左によけながら中央に戻して，ハンドルを 45°に引き起こす（その際，必要に応じて右手指で口腔内操作をするとよい）。
- 食道が見えたら，ハンドルを 45°手前方向に引き上げながら少しずつブレードを引き抜く。

表 3-3 気管チューブのサイズと深さ

出生体重（kg）	0.5	1	2	3	4
サイズ（cm）	2.0	2.5	3.0	3.5	4.0
深さ（cm）	6	7	8	9	10

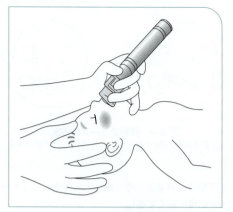

図3-5 気管挿管

- 声帯が見えたら，視野を妨げないようにブレードの外側・右口角から気管チューブを挿入する。
- 声帯が見えにくい場合は，左手小指または介助者に指示して輪状軟骨部を軽く圧迫する。
- 2〜3回試みて入らなければ20秒以内を目途に中断し，バッグで加圧し酸素化を確保したうえで再度，試みる。
- 声帯が閉じているときは，チューブをそっと押し当てて待つ。
- 挿管チューブは声門下1.5〜2.5 cm（気管チューブ先端の黒い印が隠れる程度）まで挿入する。
- バッグ加圧して聴診し，呼吸音に左右差なく，胸郭が上がることを確認する。
- 胸部聴診のみで確実な気管挿管の自信が得られない場合は，Pedi-Cap™を使用する。なお，Pedi-Cap™は重症肺低形成や超早産児の重症急性呼吸窮迫症候群（RDS）では変色しにくいことがある。
- 右片肺挿管では左上肺野の呼吸音が減弱するので，気管チューブを注意深く引き抜く。
- 気管チューブ位置確認のためX線撮影を行う。

3 固定

1) 口角法（図3-6）

- 2.5 cm幅のワーデル®テープを4〜7 cmに切り，さらに縦半分

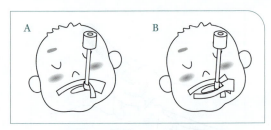

図 3-6 挿管チューブの固定
A：初めに上口唇から固定する，B：次に下口唇を固定する

に 3/4 まで切り込みを入れる（極低出生体重児ではテープの幅を 1.5〜2 cm 前後に細くする）。
- 切れ込みの位置を口角に合わせ，太い部分を頬部に，切れ込みの一方を上口唇に貼り，他方をチューブに巻きつけて端を頬部に貼る（図3-6A）。
- もう1本の切れ込みの一方は下口唇に貼り，他方をチューブに巻きつけて，やはり端を頬部に貼る（図3-6B）。
- 極低出生体重児では，左口角固定のほうが首の向きによるチューブ先端の気道への当たりの問題が少ないことが多い。

2）正中法
- 患児の大きさに合うネオバーを選択し，両頬部に貼る。
- 気管チューブをネオバーの固定部にテープで貼り付けて固定する。

e 挿管中の管理

1 定期的チェック
- 換気条件：酸素濃度・流量・換気回数・PIP/PEEP・吸気時間・アラーム設定。
- 回路：接続のゆるみ・回路内結露・結露水の貯留・チューブの屈曲・加湿器の水位と温度。
- 気管チューブ先端位置確認のため，通常管理と同様の体位で胸部X線撮影。

2 加湿
- 加湿器温度設定は，口元 39〜40℃，チャンバー出口 37℃〔Fisher & Paykel 社製の加湿加温器 MR850：挿管モード Auto（口元

39〜40℃，チャンバー出口35.5〜42℃)]。
- 高頻度振動人工換気（HFO）では加湿の様子をみながら，口元40℃，チャンバー出口40〜42℃〔MR850：39℃±0℃からスタート（マニュアル2.0)]。
- 全身低体温療法中は，口元・チャンバー出口とも36℃に設定する。復温時に設定温度を戻すのを忘れない。
- CPAPおよびnasal high flowの場合，加湿器温度は基本的には挿管時と同様に口元39〜40℃，チャンバー出口37℃で管理する。回路内結露が多い場合はチャンバー出口温度を34℃程度まで下げてもよいが，低体温，加湿不足に注意する（Fisher & Paykel社製の加湿加温器MR850では，口元かチャンバー温度の低いほうが表示される。MR730では口元温度が表示される)。
- 保育器内温度が32℃以上では，患児側温度センサーが保育器内で加温されると加湿不足になる恐れがあるため保育器外に置く。保育器内温度が32℃未満の場合は非加熱チューブを外す。
- Yピースの吸気側回路内壁が曇っている程度が最適。加湿槽の水の減り方に注意する。
- 体重1,000g未満の児では，抜管後にマスクモードで加湿すると低体温になることがある。

3 胸部理学療法
- 全身状態がよければ，適宜，体位交換を行い無気肺を予防する。
- 用手的な胸部理学療法は，基本的にはリハビリテーション科の処方をもとに理学療法士（PT）が行う。
- リハビリテーション科へは呼吸管理が1週間を超えた時点で依頼する。実際の胸部理学療法は，低出生体重児に対してはおもに揺すり法（変法）を採用。
- 詳細は「NICUにおける呼吸理学療法ガイドライン」[1]を参照する。

4 気管吸引
- 閉鎖式気管吸引（アバノス・メディカル社製トラックケアー）を使用する（図3-7）。
- Portex®気管内チューブをカットせずに使用するのであれば，吸引長は窓に出てくる色で確認する。2.5mm径の場合は赤2本線，3.0mm径の場合は黄色2本線，3.5mm径の場合は緑2本線。
- 患児の状態評価（モニター，呼吸状態，診察所見など）をもとに，

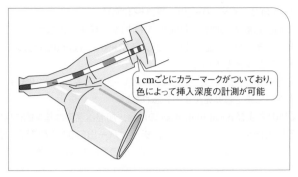

1 cmごとにカラーマークがついており，色によって挿入深度の計測が可能

図3-7 トラックケアー

気管吸引の必要の有無を判断して行う。

- 1度に過度の吸引を行うのは避け，バイタルサインの変動を減らすよう努める。とくに生後3日以内の超低出生体重児では，脳室内出血（IVH）のリスクがある。
- 吸引に伴う低換気・肺胞虚脱の可能性のある児では，吸引前にPIPを2～3 cmH_2O上昇させておく。
- カテーテル挿入時は陰圧をかけないで，決められた深さまで挿入し，吸引圧15～20 kPaをかけてゆっくり引き抜いてくる。

5 気管内洗浄

- 粘稠な分泌物で気道閉塞した際には，5倍希釈サーファクテン®を使用する。

f 間歇的強制換気（IMV）

1 適応

- 呼吸障害があり，$pCO_2 \geq 60$ mmHg，pH<7.25。
- 目標のSpO_2を達成するために nasal high flow または CPAP で$FiO_2 > 0.4$を要するとき。

2 条件設定

- 筋弛緩しない限り，同調性間歇的陽圧換気（SIMV）モードを用いる。
- 条件変更は，酸素濃度，換気圧，呼吸回数など1パラメータずつ行う。

- おもに，PO_2 は FiO_2 と平均気道内圧（MAP）で，pCO_2 は換気回数と PIP で調節する。
- 換気力学的には，呼気時間は時定数（＝静肺コンプライアンス×気道抵抗）の 2〜3 倍程度が必要（☞ p. 71）。
- 必要な吸気時間は換気圧の立ち上がり時間（定常流量に依存）によるが，時定数の 2〜3 倍程度。
- どのような場合でも，吸気時間＜呼気時間。
- 吸気時間が長いと肺損傷を起こしやすいため，基本的には 0.6 秒以下に設定する。必要により長めの吸気時間を設定するときはファイティングに注意して，場合によっては鎮静薬の投与を考慮する。
- CLD の管理では吸気時間を短くし，虚脱肺・気道軟化合併の場合には高めの PEEP（6〜7 cmH_2O）を維持する。
- 自発呼吸が不十分，または鎮静下においては SIMV モードで換気し，改善傾向がみられ自発呼吸が出始めたら，最低限必要な換気回数まで weaning する。自発呼吸が十分に出てきたら PIP を中心に換気条件を下げ〔状況に応じて assist control モードまたは pressure control ventilation（PSV）モードを用いることも可〕，PIP 12〜14 cmH_2O まで下げることができたら呼吸器離脱を考える（☞ p. 117）。
- HummingVue の Sync＋モードでは，PIP は PEEP＋プレッシャーサポート（PS）に変わる。PS の設定を 0 cmH_2O にしていると換気されないので，PS を設定してからモード変更する。
- 呼吸器に同調している場合は，深い鎮静をしない限り過換気を考え pCO_2 を評価する。
- おもな呼吸器の設定例を**表 3-4** に示す。

g 高頻度振動人工換気（HFO）

- 当施設で使用している機種：HummingVue, Dräger Babylog® VN 500。

1 特徴

- 10〜15 Hz（600〜900/分）の高頻度で拡散により換気し，1 回換気量（Vte）は死腔量より少ないため，肺胞レベルでの圧変動が少なく伸展収縮が起こらない。

表3-4 おもな呼吸器の設定例

呼吸器	初期設定例	慢性期設定例（初期との違い）	備考
Dräger Babylog® VN500	SIMV PIP 15～20/PEEP 4～5 cmH₂O, Ti 0.4～0.6秒, RR 30～50回/分, 立上がり 0.08秒	SIMV PEEP 5～7 cmH₂O	
	HFO MAP 12～13 cmH₂O, 振幅圧 12～20 cmH₂O, I：E比1：1, 12 Hz	HFO MAP 12～14 cmH₂O (MAPは 15 cmH₂O まで)	超早産児の急性期はSIMVでPIP 20 cmH₂O, PEEP 4 cmH₂O, RR 50回/分でも換気不十分なときにHFOにする。正期産児ではHFOは使用していない
ファビアン Evolution	SIMV Dräger Babylog® VN500 と同様。フロー 10L/分		Dräger Babylog® VN500 からファビアンに変更時, PIPは+2～3 cmH₂O 必要
Humming Vue	HFO MAP 12～15 cmH₂O, SV 15 mL, 15 Hz, Sigh圧 MAP+5 cmH₂O, 1秒1回/分		SV<50 mLで使用（テストランケト, Humming VueではカリオペVαよりも15%増しのSVを要する）。おもにHFOを使用
SERVO-n®	NAVAレベル2.0 cmH₂O/μV, PEEP 6～7 cmH₂O, Ediトリガ 0.5 μV, 無呼吸時間2秒, バックアップ換気PC (above PEEP) 10～15 cmH₂O, RR 40回/分, Ti 0.40	NAVAレベル1.0～1.5, 無呼吸時間2～5秒, バックアップ換気PC (above PEEP) 5～8 cmH₂O, RR 30回/分	NAVAレベルはEdi peak 5～10 μVになるよう調節。呼吸が安定したらバックアップ設定を下げる

SIMV：同調性間欠的陽圧換気, PIP：最大吸気圧, PEEP：呼気終末陽圧, Ti：吸気時間, HFO：高頻度振動人工換気, MAP：平均気道内圧, I：E比：呼気比, SV：1回拍出量, NAVA：neurally adjusted ventilatory assist, Edi：横隔膜電気的活動, PC：pressure control, RR：呼吸数

- 波形パターンで陰圧部分があるため，理論的にはエアトラッピングになりにくい。
- 長所：換気が得られる。気管分泌物の排泄が良好。
- 短所：細すぎる気管チューブの使用や，分泌物吸引が不十分だと換気が不良となる。

2 適応

- 基本的には低肺コンプライアンス症例。
- 従来型人工換気法で効果が得られない呼吸障害。
- CLD の予防（早産児，横隔膜ヘルニア）。
- 基本的に気道閉塞性疾患の場合は無効だが，胎便吸引症候群（MAS）でも気道分泌物排出効果により一定時間後，有効になることもある。
- 正期産児では HummingVue のみ使用している。

3 条件設定

- 振動周波数は HummingVue では 15 Hz，Dräger Babylog® VN500 では 12 Hz で使用している。
- おもな呼吸器の設定例を表 3-4 に示す。

【初期設定】

- HummingVue：MAP 12〜15 cmH$_2$O，stroke volume（SV）15 mL。
- Dräger Babylog® VN500：MAP 12〜13 cmH$_2$O，振幅圧 12〜20 cmH$_2$O。
- sustained inflation 圧は MAP+5 cmH$_2$O を 1 秒 1 回/分（または吸引後）。
- PO$_2$ は FiO$_2$ と MAP で，PCO$_2$ は HummingVue では SV で，Dräger Babylog® VN500 では振幅圧で調整する。
- high frequency tidal volume（VT$_{hf}$）1.5〜2 mL/kg をめやすに管理する。

4 使用上の注意点

- 胸部 X 線で肺過膨張を確認し，過膨張なら MAP を下げる。
- 高い MAP により静脈還流障害をきたし IVH を起こす可能性があるので，頭部挙上位を保つ。
- 胸腔内圧上昇による血圧低下の可能性がある。
- 細い気管チューブ（内径 2.0 mm）では有効な振動が伝わらない

こともある。
- バイブレーション効果により気道分泌物が多くなるので，十分な気管吸引をしないと振動が伝わらない。
- HFO では加湿不足になる場合もあり得るので注意する。Y ピース吸気側の曇り，および加温加湿器チャンバーの水滴がみられない場合，加湿器の設定を 40℃±0 で開始し，調節する。

h NAVA（neurally adjusted ventilatory assist）

- 当施設で使用している機器：SERVO-n®。

1 特徴
- Edi を利用した換気補助を行うモード。
- 電極がついている Edi カテーテルを経口または経鼻的に挿入し，横隔膜付近で Edi を直接感知する。
- 横隔膜の電位変化を吸気の開始としてトリガーするため，従来のフロートリガーや圧トリガー（SIMV，PSV）に比較して吸気開始のタイミングのずれが軽減される。さらに吸気の終了は患児自身が決定し，患児の呼吸努力に比例した圧サポートを行うため，自発呼吸との同期性が得られる。
- Edi のモニタリングは呼吸努力の強さや横隔膜の収縮力の評価にも利用できる。

2 適応
- 長期挿管を要する児。とくに CLD への移行が予測される早産児。
- 重症 CLD で呼吸器との非同調性を認める児の呼吸努力の軽減。

3 開始方法
- 呼吸器設定変更前に Edi カテーテルを挿入し，自発呼吸の評価を行う。早産児では 6 Fr，49 cm の Edi カテーテルを用いる。
- 挿入前にカテーテルを蒸留水に 1 分程度浸す。
- カテーテルの挿入長は，SERVO-n® に NEX（nose-ear- xiphoid process；鼻－耳－剣状突起）長を入力すると自動計算できる。胃管より 0.5～1.0 cm 深めがめやす。経鼻挿入のほうがズレが少なく，Edi 値が安定する。
- 挿入する際に SERVO-n® にカテーテルを接続していると，「Edi カテーテル位置」画面で心電図波形が描出され，カテーテルが食道から胃内に適正に挿入されるのが確認できる。

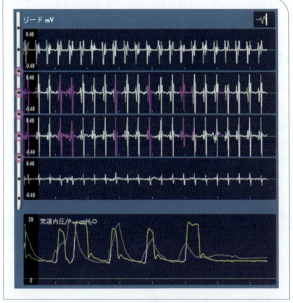

図3-8 Ediカテーテル位置

- 適切な挿入位置は4列の心電図波形のうち，中央の2列がピンクでハイライトされている位置がよい。また最下段の心電図波形のQRS波がもっとも小さく，P波が消失するのもめやすになる（図3-8）。

4 設定項目

- おもな呼吸器の設定例を表3-4に示す。

1）NAVAレベル

- サポート圧を設定する比例定数。2.0をめやすに開始。
- 供給圧力(cmH_2O) = NAVAレベル$(cmH_2O/\mu V)$ × [Edi peak (μV) − Edi min (μV)] + PEEP(cmH_2O)。
- 設定変更前に「プレビュー画面」で，現在の呼吸器設定と同様のPIPになるようなNAVAレベルをめやすにしてもよい。

2）Edi peak

- 呼吸努力の指標。安静時5〜10μVが適正。

- Edi peak>10 μV は必要な換気量に対する呼吸サポートが少ない状態であり,NAVA レベルを上げる。つねに PIP の上限に達している場合は上限を上げる。
- Edi peak<5 μV で呼吸サポートが高く自発呼吸を抑えている場合は,NAVA レベルを下げる。pCO_2 の貯留がある場合は自発呼吸が不十分と判断し,NAVA レベルを上げる。

3) **Edi minimum(Edi min)**
- 機能的残気量を維持するための自発緊張電位。Edi min<1 μV が適正。≧1 μV が続く場合,PEEP を上げる。

4) **Edi トリガー**
- 0.5 μV で開始。基本的に変更しないが,トリガしにくい場合は Edi トリガを 0.1 ずつ下げる。

5) **無呼吸時間**
- 2 秒で開始。無呼吸や SpO_2 の変動を認めるならば,さらに短縮する。

6) **加湿器設定**
- 39±0℃。流量が少なく痰が固くなりやすいので,加湿設定は高めで開始し,児に合わせて調整。

5 使用上のポイント
- Edi カテーテルは MRI 撮影時には抜去する。
- PIP の上限は上限アラームの−5 cmH_2O となっている(例:アラームが 40 cmH_2O ならば,PIP は 35 cmH_2O を超えない)。深呼吸による肺のリクルートメントを妨げないよう,上限アラームは 35〜40 cmH_2O 程度と高めに設定する。
- バックアップ換気の設定が高いと,呼吸器に同調して自発呼吸が出現しにくくなる。切り替え時は直前の SIMV をめやすに設定するが,安定したらバックアップ換気回数は低めに設定する。above PEEP は高めに残し,無呼吸時の肺リクルートメントを促す。
- Edi をトリガーしやすいように,圧トリガー−1〜−2 cmH_2O と高めに設定する。
- 自発呼吸が乏しく(さざなみ Edi),十分な圧がかからず,徐脈や SpO_2 の過度のふらつきがあり,バックアップ設定や NAVA レベルを上げても pCO_2>60 mmHg 以上の貯留を認める場合,呼吸器設定の変更を考慮する。

6 抜管のめやす

- Edi peak が低下してきたら，NAVA レベルを 0.1〜0.3 cmH$_2$O/μV ずつ下げる。
- 自発呼吸が安定していたら，無呼吸時間を 1 秒ずつ伸ばす。
- NAVA レベル 0.8〜1.0 cmH$_2$O/μV，無呼吸時間 5 秒で，SpO$_2$ 低下を認めず Edi peak が適正であれば，抜管可能。

i 換気グラフィックモニター

- 患児の呼吸状態の把握と，呼吸管理が適切に行われているかどうかを判断するための情報が得られる。正常の換気グラフィックモニターを図3-9に示す。

POINT 極低出生体重児の呼吸管理方針

超急性期は鎮静し，SIMV で開始する。生後 72 時間をめやすにレスピア®を開始し，自発呼吸を促進する。急性期から慢性期にかけて HFO もしくは NAVA を用いる。経管栄養が進んできたら NAVA へ。NAVA への変更のめやすは，修正週数 25 週以上，体重 500 g 以上を満たす児とする。経管栄養が進む前に PIP 18 cmH$_2$O 以上必要なら，HFO へ変更する。HFO を開始した場合，経管栄養が進み，振幅圧 16 以下で管理可能（CO$_2$＜55 mmHg）ならば NAVA への変更を検討（図a）。ただし，HFO で高い振幅圧や酸素濃度が必要でも，NAVA では低い設定で管理可能な症例もいるため，HFO で管理が長くなったときには NAVA への変更も試している。

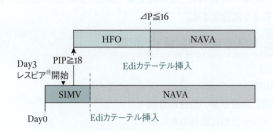

図a　極低出生体重児の呼吸管理方針
HFO：高頻度振動人工換気，NAVA：neurally adjusted ventilatory assist，SIMV：同調性間歇的陽圧換気，PIP：最大吸気圧，⊿P：振幅圧

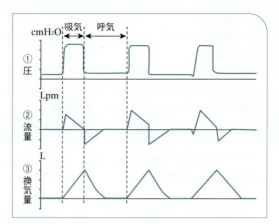

図3-9 正常の人工呼吸器グラフィックモニター

1 基本的な観察事項

- 圧と流量波形モニター画面が基本画面。
- 圧と流量の変化が吸気呼気で同期していることが重要で，非同期の場合は回路などに問題（リーク・閉塞・過剰結露など）がある（図3-10）。
- 呼気流量が見えない場合は，計画外抜管の可能性を考える（図3-11）。

2 換気設定法

- Vteが4〜8 mL/kg，分時換気量（MV）が0.20〜0.30 L/kgになるように設定する。

j 呼吸管理中の鎮静・筋弛緩

1 鎮静

1）適応

- 侵襲的治療が多い急性期管理中。
- エアリークの可能性のある場合。
- 筋弛緩施行時。

2）作用・投与方法・副作用

①塩酸モルヒネ

- 鎮痛作用が強い。

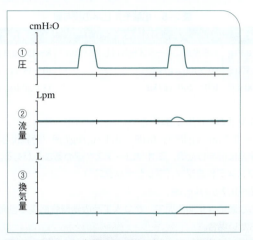

図3-10 チューブ閉塞時の換気グラフィックモニター
圧曲線は出ているが，流量，換気量とも表示されない。

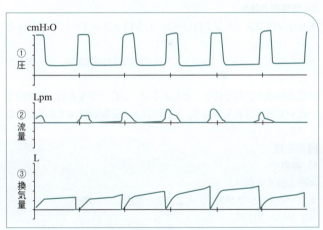

図3-11 計画外抜管時の換気グラフィックモニター
流量：呼気の波形がみられない，換気量：呼気波形はないまま基線に戻る。

- 投与量を**表3-5**に示す。
- 副作用：血圧低下，腸管蠕動低下，尿閉，長期使用の際の効力低下や離脱症候群。

表3-5 塩酸モルヒネの投与量

体重	初回投与量	維持量
<1,000 g	超早産児にボーラス投与はしていない	8〜12 μg/kg/時
<1,500 g	50〜100 μg/kg	10〜15 μg/kg/時
1,500 g<	100〜200 μg/kg	15〜30 μg/kg/時

②ミダゾラム,ドルミカム
- 0.1〜0.3 mg/kg 静注,0.05〜0.1 mg/kg/時(持続投与)。
- 早産児に投与した際,ミオクローヌスを認めることがある。

③デクスメデトミジン(プレセデックス®)
- 0.2〜0.7 μg/kg/時。
- おもな適応は正期産児で,かつ人工呼吸器離脱前後で自発呼吸を保ちたい場合。
- 早産児には使用していない(添付文書では,「修正45週以上」と「24時間を超える使用経験は少ない」と記載がある)。

3) 慢性期の鎮静
- トリクロホス(トリクロリール®)シロップ 0.3〜0.5 mL/kg を 3〜4回/日。
- 抑肝散 0.3 g/kg 分2〜3回。明らかな鎮静作用はないが,機嫌がよくなる。
- 前述の静注製剤を使うこともあるが,シロップを含め,薬剤耐性化や離脱不全を考慮して,2週間以上の長期鎮静はできるだけ避ける。

2 筋弛緩

1) 適応
- 呼吸機能検査時。
- ファイティングが強く,人工換気と同調しない場合。
- エアリーク症例。
- PPHN など安定した血液ガスを得る必要のある場合。
- おもに気管・気管支軟化症に伴う重症気道病変に対する気道粘膜安静管理。
- 先天性心疾患で,肺血流コントロールのために高二酸化炭素血症傾向の調節呼吸を行う場合。

2）投与方法

- ベクロニウムを，初回投与量 0.1 mg/kg，維持量 0.05〜0.1 mg/kg/時。
- ロクロニウムを，初回投与量 0.6 mg/kg，維持量 0.2〜0.5 mg/kg/時。
- いずれも効果持続は 1 時間以内。

3）注意点

- 短時間作動性で心血管系への影響が少ないが，頻脈・低血圧には注意する。
- 鎮静薬だけでは管理できない場合に，筋弛緩薬を併用する。
- 腎障害を合併している場合は投与量を半減する。
- 筋弛緩薬投与を開始すると低換気と無気肺になりやすいため，吸気時間と PIP を上げる。
- けいれんの可能性がある場合は，臨床判断が困難なため脳波測定を行う必要がある。
- 長期筋弛緩の場合は全身浮腫に注意する。聴力障害・発達障害をきたす可能性があるため，2 週間以上の筋弛緩鎮静はできるだけ避ける。

k 抜管

1 適応

- $FiO_2<30\%$，$PIP\leq15\ cmH_2O$，$PEEP\leq6\ cmH_2O$ で，早産では $SpO_2>88\%$，正期産では $SpO_2>95\%$ を維持可能な自発呼吸の確立している児。
- 呼吸機能検査は必須ではないが，施行した際には，啼泣時肺活

> *memo*
>
> 超早産児へのカフェイン投与が，生後 18〜21 カ月で脳性麻痺を減らした研究をふまえて，全身状態が安定した生後 1 週以内にカフェイン投与を開始している。しかし，5 歳の追跡結果ではカフェイン投与群と非投与群で運動障害に差はない結果であった[a]。
>
> **文献**
> a) Schmidt B, et al. Survival without disability to age 5 years after neonatal caffeine therapy for apnea of prematurity. JAMA 2012；307：275-282

量（CVC）>15 mL/kg，静肺コンプライアンス（Cst）>0.6 mL/cmH$_2$O/kg，%prolongation>10%を参考にしている。

2 前処置

- 長期挿管などで声門下浮腫が予想される場合は，前投薬として抜管前 12 時間からデキサメタゾン 0.20～0.25 mg/kg を 12 時間ごとに 2～3 回静注する（早産児では原則行わない）。

3 抜管後の管理

- 抜管後，FiO$_2$ は呼吸管理中より 5～10%高めになることがある。加湿を十分に行い，必要に応じて体位交換や吸引を実施する。ただし啼泣により状態が悪化する場合，処置は必要最低限にとどめる。
- 抜管後，胸部 X 線撮影は必須ではないが，胃管の位置確認や肺の虚脱を疑った際には撮影する。
- 抜管後の呼吸刺激薬（⇨p.190）：超早産児では，全身状態が安定した生後 1 週以内にすでにカフェインを投与している。極低出生体重児では，無呼吸の際にカフェイン（10 mg/kg）を 1 時間かけて点滴する。ローディングはしない[※1]。
- 喉頭浮腫により呼吸障害が出現した場合は，症状消失まで，①アドレナリン（ボスミン®）吸入（生理食塩液 2 mL＋0.1%ボスミン® 0.1～0.2 mL），②デキサメタゾン静注（0.20～0.25 mg/kg を 12 時間ごとに 2～3 回）を併用する。
- 喉頭浮腫は抜管後数時間から発症し，6～24 時間にもっとも症状が著明になることが多い。24 時間以降も上気道狭窄症状が続く場合には，喉頭浮腫以外の原因も考える。

I 下咽頭挿管

1 適応

- 舌根沈下をはじめとした，喉頭より上部の気道狭窄症状を認める場合。

2 方法

- 頸部 X 線側面像で挿入の長さを参考にする。
- コーケン経鼻エアウェイ（サイズ：3.5 mm，外径 5.0 mm）を一

[※1] "1 時間投与"と"ローディングなし"はエラーを防ぐためで，医学的なエビデンスはない。

方の鼻孔から挿入して嘔吐反射が出ない程度の深さまで挿入し，呼吸症状がもっとも改善する位置で固定する。
- 可能なら内視鏡で先端を確認する。

3 注意点
- 鼻孔損傷を防ぐため，定期的に左右の鼻孔を入れ替えて観察する。
- 分泌物が増えて呼吸状態が悪化するようなら中止する。
- 意識清明な児では有効ではないことが多い。

m 気管切開

1 適応
- 声門下より上部の気道狭窄症状を認め，短期的改善が望めない場合。
- 早産児の長期挿管に伴う声門下狭窄が疑われる場合には，3回以上の計画抜管に失敗し，生後3カ月以上経って体重2kg以上ある場合（早産児の重症CLDだけでは適応にしていない）。
- 人工呼吸管理が3カ月以上に及ぶ場合，とくに在宅人工呼吸を考慮する場合。

2 管理
- 毎日の気管切開孔観察と孔周囲の清浄に努める。
- カニューレの固定はカニューレ計画外抜去に注意するとともに，固定ベルトによる頸部皮膚損傷に注意する。
- 予備カニューレと自己膨張式バッグ，および1サイズ下の気管チューブも常備する。

3 輸血

a 適応

- 赤血球輸血,血小板輸血,新鮮凍結血漿(FFP)輸血投与の適応を**表3-6**,**表3-7**,**表3-8**に示す。

b 準備

- 輸血前検査(血液型を別検体で2回確認する。交差検体)。
- 母体の感染症および不規則抗体を確認する。
- 輸血承諾書を確認する。
- 血液製剤の種類と適応を**表3-9**に示す。
- 出生時の緊急輸血では,未交差O型Rh(-)血を投与する。
- 出生直後の超早産児や大量の輸血を要する児の場合,高カリウム

表3-6 赤血球輸血の適応

Hb (g/dL)	Ht (%)	児の状態
≦13	≦40	先天性心疾患を合併し,チアノーゼや心不全を呈するとき
≦12	≦35	出生直後の急性出血,失血 気管挿管し呼吸器管理中
≦10	≦30	先天性慢性貧血 大手術時 CPAPや酸素投与中
≦7	≦20	未熟児貧血で酸素化不良・哺乳力低下・頻脈など症状が明らかなときのみ

*静脈(動脈)血で評価
CPAP:持続気道陽圧呼吸

表3-7 血小板輸血の適応

適応	血小板数
出血・凝固異常を伴う	<10万/μL
手術	<5万/μL
無症状	<2万/μL

表3-8 新鮮凍結血漿(FFP)輸血の適応

・凝固因子欠乏による出血時
・手術時
・ビタミンK補充後も出血が続くとき
・循環血液量の1/2を超える赤血球液輸血時

表 3-9 NICU で用いるおもな輸血用血液

品名	有効期限	貯蔵法	成分	適応	注意点
赤血球液 -LR	採血後 21 日間	2〜6℃	140 mL/ 単位 Na 約 100 mEq/L, Ht 約 60%		照射後 24 時間を過ぎると、本剤の K 濃度が上昇する。採血後 1 週で K 40 mEq/L, 3 週では約 K 60 mEq/L まで上昇
濃厚血小板 -LR	採血後 72 時間	室温で振盪	20 mL/ 単位 (5)・10 単位でオーダー Na 約 160 mEq/L, K 約 4 mEq/L		
新鮮凍結血漿 -LR	採血後 1 年間	−20℃以下	120 mL/ 単位 Na 約 160 mEq/L, K 4 mEq/L, pH 7.4, Alb 4 g/dL, ブドウ糖 3.6%	凝固因子補充	カルチコール®と混濁。大量輸血で低カルシウム血症をきたす
照射人全血液 -LR	採血後 21 日間	2〜6℃	200 mL/ 単位 凝固因子活性はほとんどない	交換輸血	採血後 5 日以上経過して用いる場合、高カリウム血症、アシドーシス、低カルシウム血症のリスクが高くなる
合成血液 -LR	製造後 24 時間	2〜6℃	150 mL/ 単位 O 型赤血球液 + AB 型血漿	ABO 不適合の交換輸血	時間的余裕があれば血液センターに依頼

＊電解質は採血からの日数で変化する。

血症予防のため K 除去フィルターを通す。
- ABO 式血液型のウラ試験（児の血清に標準赤血球を加え凝集を判定）で，オモテ試験（児の赤血球と抗 A・B 抗体を加え凝集を判定）と血液型が一致せず，母由来 IgG 型抗 A または抗 B 抗体がみられる場合は，ABO 同型輸血ではなく O 型赤血球輸血を選択する。
- 極低出生体重児の輸血は，サイトメガロウイルス（CMV）抗体陰性血を予約することが望ましい。

c 輸血量

- 急性出血には Ht 40%を目標に，赤血球液を 10〜20 mL/kg/時で輸血。
- 慢性貧血には赤血球液 15〜20 mL/kg（10 mL/kg で Hb 2 g/dL 上昇）を輸血する。20 mL/kg 以上の輸血が必要な場合は，水分負荷が問題ないか検討して輸血する。
- 原則的に，血小板濃厚液 10〜20 mL/kg の輸血で血小板数が 10 万/μL 上昇する。
- FFP は凝固因子補充目的に 1 回 15 mL/kg 投与する。

d 輸血時間

- 赤血球液：10〜20 mL/kg を 6〜12 時間かけて輸血。
- ただし，脳室内出血（IVH）を危惧する生後早期の超早産児では，10〜15 mL/kg を 12〜24 時間かけて輸血することもある。長時間かけての輸血は細菌増殖のリスクが高まるため，循環状態の安定した慢性期では，輸血にむやみに時間をかける必要はない。
- 1 パックを 6 時間以内に使用する。6 時間を超える場合は，あらかじめ無菌的に分割しておく。
- 血小板濃厚液は 2 時間で輸血する。循環状態を考慮する場合でも，4 時間以内に輸血を終える。
- FFP を凝固因子補充の目的で輸血する場合には，3 時間以内で投与する。循環維持目的に使用する場合には，6 時間ごとにシリンジを交換する。

e 輸血ルート

- 末梢ラインで投与し，できるだけ他の輸液との混合は避ける。とくに FFP や血小板はカルチコール®と混合すると凝固する。
- ブドウ糖液は赤血球凝集を高めるため，溶血が誘発される。
- PI カテーテル（ダブルルーメン 27 G の紫）からの輸血は可能とされているが，溶血に注意する。

f 病棟での血液保存

- 血小板濃厚液：輸血バッグに入れたまま（シリンジに移さない）室温で振盪。採血後 4 日間使用可能。
- FFP：37℃で解凍後，冷蔵庫内で 24 時間保存可能。
- 照射後の赤血球液：24 時間以上の保存により K が増加するため，注意する。

g フィルター

- 輸血フィルター：マクロ凝集塊除去目的。通常の赤血球液・血小板濃厚液・FFP 輸血時に使用する。
- 白血球除去フィルター：赤血球液，人全血液はあらかじめ血液センターで白血球除去が済んでいるので，白血球除去は不要。
- K 除去フィルター（K 吸着除去用血液フィルター）：極低出生体重児への大量輸血や交換輸血時，とくに照射後 24 時間以上経過した赤血球液の場合に使用する。

h 輸血後チェック事項

- 赤血球液の大量輸血では高カリウム血症，アシドーシスに注意する。
- 人全血液，FFP の急速大量輸血では低血糖，低カルシウム血症に注意する。

i 超緊急輸血

1 血液型が不明な場合

- 準備可能なら O 型 Rh（−）血を使用する。
- 赤血球液は O 型 Rh（−），FFP は AB 型 Rh（−）または AB 型 Rh(+) を使用する。

表 3-10 血液型と優先するべき輸血用血液

患児血液型	赤血球液	FFP	血小板濃厚液
A	A>O	A>AB>B	A>AB>B
B	B>O	B>AB>A	B>AB>A
AB	AB>A=B>O	AB>A=B	AB>A=B
O	Oのみ	全型適合	全型適合
不明	Oのみ	AB型がもっとも安全	AB型がもっとも安全

*「A>O」は「A型がO型製剤よりも優先される」という意味

- O型Rh（−）人全血液が間に合わない場合は，O型Rh（＋）赤血球液とAB型Rh（＋）FFPを使用する。
- 輸血前に必ず血液型判定用の検体を採取する。
- 危機的出血で時間的余裕がない場合は，交差適合試験未実施の血液製剤・異型適合血の輸血を許容するが，救命後にその事由および予想される合併症について家族にわかりやすく説明し，同意書の作成に努め，その経緯を診療録に記載しておく。
- O型Rh（＋）赤血球液輸血と交差適合試験を省略した場合，患児（日本人）がRh（−）である可能性が0.5%，不規則抗体保有の可能性が0.5%以下であることから，遅発性溶血のリスクは約1%である。
- FFPは不規則抗体が陰性であるため，AB型Rh（＋）と（−）のどちらでもよい。

2 O型赤血球液緊急輸血後の対応

- 緊急輸血後に，輸血前に採取した検体によって判明した患児血液型と同型の輸血に変更する場合は，新たに採取した最新の患児血液と交差適合試験を行い，主試験が適合する血液を用いる。

3 血液型が判明しているが，異型適合輸血をする場合

- 血液型が判明しているが，同型血がすぐに用意できない場合に，**表 3-10** を参考に異型適合輸血の製剤を選択する。

4 交換輸血

a 適応

- 全交換輸血：新生児溶血性貧血・重症黄疸〔重症敗血症・重症播種性血管内凝固（DIC）については議論がある〕。
- 部分交換輸血：多血に対する瀉血や高度貧血時の輸血。

b 注意点

- 一般に，交換輸血に関連する死亡率は 0.3%，重大な合併症〔門脈塞栓，壊死性腸炎（NEC）など〕率は 1% であることを事前に保護者に説明する[2]。

c 使用血液

- 採血後 5 日以内の血液が望ましい（1 週間後の赤血球液の K 含有量は約 35 mEq/L）。
- 早産児では，製剤中の K 濃度を考慮し，採血から時間の経過した輸血製剤を使用する。生後早期に交換輸血が必要な場合は，高カリウム血症予防のため K 吸着除去用血液フィルターを使用する。
- ABO 不適合による溶血性疾患では，O 型人全血液または合成血（O 型赤血球液＋AB 型 FFP）を用いる。
- Rh 不適合による溶血性疾患で準備が可能なら ABO 同型 Rh（−）人全血液を，また緊急で準備する場合は O 型 Rh（−）赤血球液＋AB 型 FFP を母体血とクロスマッチしておく。
- 特殊血液型不適合の胎児診断で出生前に準備する場合は，O 型 Rh（−）人全血液で特殊血液型合致血を，母体血とクロスマッチしておく。
- 多血症には生理食塩液で，高度慢性貧血には赤血球液で部分交換輸血を行う。
- 時間的余裕があれば，血液センターに合成血作製を依頼する。
- 混合血の推定 Hb 値を**表 3-11** に示す。

表 3-11 混合血の推定ヘモグロビン (Hb) 値

赤血球液	新鮮凍結血漿 (FFP)	ヘモグロビン (Hb) 値
3 単位 (420 mL)	2 単位 (240 mL)	約 12 g/dL (計 660 mL)
2 単位 (280 mL)	2 単位 (240 mL)	約 10 g/dL (計 520 mL)
2 単位 (280 mL)	1 単位 (120 mL)	約 13 g/dL (計 400 mL)

赤血球液の Hb は約 19 g/dL で計算

表 3-12 循環血液量のめやす

	循環血液量
正期産児	80 mL/kg
早産児	90 mL/kg
SGA	100 mL/kg

SGA：small for gestational age

d 交換血液量

1 全交換輸血
- 全交換輸血量 (mL) ＝体重 (kg) ×2×循環血液量 (mL/kg)
- 循環血液量のめやすを表 3-12 に示す。

2 部分交換輸血
- 瀉血の計算値を以下に示す。

> ①多血症
> [(現在の Ht －目標の Ht) ×体重 (kg) ×循環血液量 (mL/kg)] ÷現在の Ht
> 目標の Ht＝55％
> [注] 瀉血分は生理食塩液を輸液する。
>
> ②高度貧血
> [(目標の Hb －現在の Hb) ×体重 (kg) ×循環血液量 (mL/kg)]
> ÷ (赤血球液の Hb －現在の Hb)
> (赤血球液の Hb は約 19 g/dL で計算)
> [注] 瀉血分は赤血球液を瀉血する。凝固機能を瀉血の経過で確認し，必要なら FFP を輸血する。

- 輸血による容量負荷で循環維持が困難な場合にのみ実施する。
- 高度貧血だけでは，必ずしも交換輸血は行わない。

e ルート

- 末梢動静脈法:末梢動脈からの瀉血と,末梢静脈からの輸血を同時に行う。利点としては,①isovolemicで血圧変動が少ない,②繰り返し施行することが可能,③交換率がよい。
- 臍静脈法:臍静脈カテーテルより瀉血・排血・輸血を反復。門脈内での交換輸血は危険なため,カテーテルの位置はX線で必ず確認する。静脈管を越えない場合は,血液が吸引できるなるべく浅い位置で施行。感染・血栓・NECなどの合併症にも注意する。
- 末梢動脈瀉血と中心静脈輸血の組み合わせは,心負荷が強いので避ける。
- 赤血球液とFFPを混合し,輸血(または輸液)バッグへ入れる。
- 輸血は輸液ポンプを利用する。
- 血液加温(八光血液加温器またはアニメック輸血・輸液加温器を使用)は37℃に設定。施行中は時折,血液バッグを混和する。
- 動脈ラインキットに三方活栓を組み込み,脱血する。

f 交換速度

- 末梢動静脈法では約100 mL/kg/時を1〜2時間かけて交換。
  【例】体重3 kg,1分5 mLで交換。交換量440 mLで,計約90分。
- 臍静脈法では,正期産児で1回15〜20 mLの瀉血に3分,輸血に3分が標準。
- 全身状態不良児では5 mL/kg/3分を超えない。
- 交換速度が速すぎると,循環系への負担が大きい。

g 交換輸血中の管理

- 交換輸血中も光線療法を継続する(高ビリルビン血症に対する交換輸血時)。
- 交換輸血用以外のルート(末梢またはPIカテーテル)で維持輸液を行う。
- 呼吸・心拍・血圧・SpO_2・体温をモニターする。
- 交換輸血中は,血液ガス(電解質,血糖を含む)とBilを約15〜20分ごとに確認する。
- 5分ごとに瀉血と輸血の量を確認する。同時に動脈ラインの血圧

をみて，閉塞予防にフラッシュする。
- 開始前・交換輸血中・終了時に，Bil（UB を含む）・電解質・血糖・血算・血液ガス・血液凝固・生化学一般を検査する。
- イオン化 Ca が低下（<0.80 mmol/L）した場合は，カルチコール®1mL をゆっくり静注する。
- バイタルサインや血液データに問題がある場合は交換輸血をいったん中止し，安定したのちに再開する。

h 終了後の管理

- 血液ガス（電解質，血糖を含む）と Bil は少なくとも 1・4・12・24・36 時間後に確認する。
- 経腸栄養の再開は 8 時間以上待ち，腸管運動に注意しながら再開を決定する。
- 抗菌薬や抗けいれん薬は再投与が必要。

5 穿刺

a 胸腔穿刺

1 適応
- 呼吸循環状態に影響を及ぼすような緊張性気胸と胸水貯留。

2 準備物品
- Argyle™ トロッカーアスピレーションキット（6 Fr），Argyle™ トロッカーカテーテル（8 Fr），Argyle™ アスピレーションセルジンガーキット（8 Fr）。
- 静脈切開セット，5～20 mL 注射器，三方活栓，接続チューブ，持続吸引器，タイガン（チューブ連結の固定用）。
- 0.5～1%リドカイン塩酸塩（キシロカイン®）。
- 滅菌手袋，消毒用器具，滅菌スピッツ。

3 方法
- 部位は，前～中腋窩線第 4～6 肋間（図 3-12），脱気目的で，かつ緊急時には鎖骨中線第 2～3 肋間でも可（図 3-13）。
- 乳頭と中腋窩線の交点が第 4 肋間のめやす。
- 緊張性気胸で緊急の場合は静脈留置針で穿刺し，三方活栓に接続した注射器で排気しながら準備が整うのを待つ。

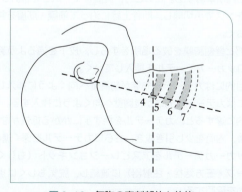

図 3-12 気胸の穿刺部位と体位
前～中腋窩線第 4～6 肋間を穿刺する。

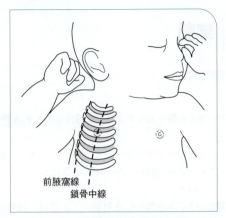

図 3-13　気胸で緊急時の穿刺部位
鎖骨中線第 2～3 肋間を穿刺する。

- 気胸では，患側を上にした decubitus view が穿刺深度のめやすを知るのに役立つ。
- 気胸の穿刺では，背部にタオルを入れて患側を上にした約 45～60°の仰臥位にする（チューブ挿入部がもっとも高い位置にする）。
- 穿刺部周辺を広い範囲で消毒する。
- 手技に干渉しないならば，1%リドカインで皮膚・皮下・壁側胸膜までを局所麻酔する。このとき，胸膜までの深さを検討しておく。
- 皮膚をメスで小切開し，肋骨上縁に沿って筋膜・筋層を鈍的に開いておく。
- 皮切部と壁側胸膜を破る場所をずらし，皮下を通るよう努めながらトロッカーカテーテルを挿入していく。
- 脱気目的にはカテーテル先端が前胸壁へ向くように挿入し，排液目的にはカテーテル先端が後胸壁へ向くように挿入する。
- 胸腔内に達すると，カテーテルを押す手にかかる抵抗がなくなる。この後，内筒を少し引き抜き，さらにカテーテルを深く進める。
- トロッカーカテーテルをアスピレーションキット（もしくは接続チューブ・三方活栓・注射器）に連結し，脱気もしくは排液ができるかを確認する。
- 急激な排液は血圧低下をきたすので，ゆっくり排液をする。

- X 線正側 2 方向で撮影し,カテーテル位置を確認する。
- 連結部が外れないよう,タイガンで固定する。

4 胸腔内持続吸引
- 持続吸引器に接続し,5〜10 cmH$_2$O の圧で持続的に吸引する。
- 持続吸引中,チューブ内の水滴が呼吸性に移動しない場合はチューブ閉塞を疑い,ミルキングする。
- 吸引開始後は,血圧低下に注意する。
- 排気を定量評価したい場合は,Thopaz® 吸引器を使用する。

5 抜去
- 24 時間にわたり排気(排液)がなく,X 線所見で改善があった場合にはトロッカーカテーテル抜去を考慮する。持続吸引を中止し,クランプしたまま 6 時間,バイタルサインの変化を観察し,X 線所見に変化がなければ抜去する。
- 抜去時に挿入部からの空気流入を防ぐため,圧迫しながら抜去し,フィルムドレッシングを貼付する。
- 抜去数時間後に X 線所見を確認する。

b 腰椎穿刺

1 準備物品
- スピッツ(3 本)。
- エクステンションチューブ,23 G スパイナル針または 23 G 注射針。
- 滅菌ドレープ,ガーゼ,滅菌メジャー。

2 方法
- 授乳前に行う。
- 左側臥位(頭が検者の左側)。
- 介助者は肩と大腿部をもって体幹を屈曲させ,棘突起間を開く。
- 心肺モニター・SpO$_2$ モニターを装着する。呼吸器装着中の児は酸素濃度・呼吸器条件を上げておく。その他の児は緊急時の酸素を準備しておく。
- 保育器収容児は保育器内で行う。体温低下と屈曲姿勢によるチアノーゼに注意する。
- 左右の腸骨稜を結ぶ Jacoby 線上に第 4 腰椎棘突起がある。穿刺は L3〜4,あるいは L4〜5 で行う。脊髄円錐は Th 12〜L2 に位置し,年齢差はない。

表 3-13 新生児の髄液所見

	早産児中央値 (四分位範囲)	正期産児中央値 (四分位範囲)
髄液細胞数（cells/mm^3）	3 (1〜7)	3 (1〜6)
蛋白（mg/dL）≦7日	116 (93〜138)	78 (60〜100)
蛋白（mg/dL）＞7日	93 (69〜122)	57 (42〜77)
糖	49 (42〜62)	51 (44〜56)

Srinivasan L, et al. Cerebrospinal fluid reference ranges in term and preterm infants in the neonatal intensive care unit. J Pediatr 2012；161：729-734[3]

- 局所麻酔は行わない。

3 評価

- 初圧 10 cmH$_2$O 以下。
- 髄液細胞数，蛋白量，糖の正常値を**表 3-13**[3]に示す。
- 髄膜炎を疑う場合は，グラム染色を必ず行う。
- 髄膜糖の低下（hypoglycorrhachia）は，髄膜炎ならびに出血後水頭症で認める。
- 髄膜糖の低下とは，髄液検査 1 時間前の血糖の 60％未満，または 40 mg/dL 未満をさす。腰椎穿刺後の糖値はストレスにより上昇しているため，評価には適していない。

6 栄養輸液

a 適応

- 1週間以上，経腸栄養で十分なエネルギー摂取ができないと予測される児。

b 輸液ルート

- まずは PI カテーテルで行う。

c 輸液内容

1 水分量
- 栄養輸液開始時点の輸液量から開始し，徐々に増やす。
- 児の状態に合せて 150〜180 mL/kg/日まで増量。

2 エネルギー量
- 総エネルギー 80〜120 kcal/kg/日〔非蛋白エネルギー（NPC）60〜90 kcal/kg/日〕が目標。

3 糖質（ブドウ糖 4 kcal/g）
- ブドウ糖投与速度（GIR）5〜6 mg/kg/分から開始し，血糖を確認しながら漸増して，10 mg/kg/分程度まで増量する。
- 血糖は 150 mg/dL を超えないようにする。
- PI カテーテルから投与する輸液中のブドウ糖濃度は原則，15% を上限とする。

4 アミノ酸（4 kcal/g）
- プレアミン®-P〔アミノ酸濃度 7.6%，総窒素 11.8 mg/mL，分岐鎖アミノ酸含有率 39%，必須アミノ酸/非必須アミノ酸（E/N）比 1.26，浸透圧比 2.3〜2.8〕を使用。
- 投与量は 0.5 g/kg/日から開始して，数日かけて 0.5 g ずつ増量し，3 g/kg/日を限度とする。
- 使用後 2 週間くらいから D-Bil の上昇，肝機能障害を伴うことがある。
- NPC/窒素（N）比を 300〜400 に保つ。
- アシドーシス，高尿素窒素血症，高アンモニア血症に注意する。

5 脂肪（9kcal/g）

- 20％イントラリポス®（2 kcal/mL，浸透圧比1，pH 7）を使用する。
- 投与量は0.5 g/kg/日で開始し，0.5 g/kg/日ずつ増量し，2 g/kg/日をめやすにする。必須脂肪酸投与が目的ならば，0.5 g/kg/日で維持する。
- 24時間均等投与を原則として，0.15 g（0.75 mL）/kg/時を超えないよう注意する。
- できれば単独で投与する。希釈が必要な場合には5％ブドウ糖液を用いる（生理食塩液との混合は脂肪粒子の粗大化が報告されている）。
- フィルターは不可。24時間ごとにシリンジ交換する。
- 中心静脈栄養（TPN）が2週間以上続く場合は，脂質代謝に必要なエルカルチン®FF（レボカルニチン，1 mL＝200 mg）5〜10 mg/kg/日を経静脈投与する[※2]。
- 黄疸のある間は，脂肪乳剤の投与は0.5〜1.0 g/kg/日を超えないようにする。

6 ビタミン

- ビタジェクト®A液（おもに脂溶性ビタミン），B液（水溶性ビタミン）をおのおの1 mL/kg/日，点滴内に混注する。ボトルシリンジは遮光。
- 経静脈栄養の電解質・微量元素・ビタミン投与量を**表3-14**[4)]に示す。

7 微量元素

- TPNが2週間以上続く場合は，エレメンミック®注0.3 mL/kgを週1回点滴中に混注する（エレメンミック®にセレンは含有していない）。
- TPNに依存している場合には，定期的に微量元素を計測する。基準のめやすを**表3-15**[5)]に示す。

d 合併症

- 代謝合併症：高血糖，低血糖，脂質異常症，肝細胞障害，胆汁うっ滞，アシドーシス，アルカローシス，電解質異常，高アンモニア血症，必須脂肪酸欠乏症，くる病，微量元素欠乏症。

[※2] カルニチン欠乏とは，血中遊離カルニチン（C0）が20 μmol/L以下。

表 3-14 経静脈栄養の電解質・微量元素・ビタミン投与量

			/kg/日	単位変換式
電解質	Na	mEq	3～5	23 mg=1 mM=1 mEq
	K	mEq	2～3	39 mg=1 mM=1 mEq
	Ca	mEq	1.5～2.5	40 mg=1 mM=2 mEq
	P	mM	1.5～2.5	31 mg=1 mM=2 mEq
	Mg	mEq	0.3	24 mg=1 mM=2 mEq
微量元素	Fe	μg	0～250	1 μM=56 μg
	Zn	μg	400	1 μM=65 μg
	Cu	μg	20	1 μM=64 μg
	Cr	μg	0～0.3	1 μM=52 μg
	Se	μg	1.5～4.5	1 μM=55 μg
	I	μg	1	1 μM=127 μg
脂溶性ビタミン	ビタミン A	IU	700～1,500	1 μg retinol=3.3 IU
	ビタミン E	IU	2～3	1 mg α-tocopherol=1 IU
	ビタミン D	IU	40～160	1 μg=40 IU
	ビタミン K	μg	10	
水溶性ビタミン	ビタミン B_1	mg	0.2～0.35	
	ビタミン B_2	mg	0.15～0.2	
	ビタミン B_6	mg	0.15～0.2	
	ビタミン B_{12}	μg	0.3	
	ビタミン C	mg	15～25	
	ナイアシン[ビタミン B_3]	mg	4～7	
	パントテン酸[ビタミン B_5]	mg	1～2	
	ビオチン[ビタミン B_7]	μg	5～8	
	葉酸[ビタミン B_9]	μg	56	

American Academy of Pediatrics Committee on Nutrition. Pediatric Nutrition. 7th ed, Kleinman RE, et al(eds), American Academy of Pediatrics, 2013[4]

- マンガン過剰では基底核に沈着し，錐体外路症状・過敏性がみられる。

表 3-15　微量元素のめやす

微量元素	基準値（μg/dL）
血清銅	30〜40
血清亜鉛	70〜150
血清セレン	6〜9

Finch CW. Review of trace mineral requirements for preterm infants: what are the current recommendations for clinical Practice? Nutr Clin Pract 2015; 30: 44-58[5]

e 周期的中心静脈栄養（cyclic TPN）

1 目的
- 静脈栄養関連性肝障害の予防。高カロリー輸液の休止時間を設けることで、肝臓内に蓄積した栄養の利用を促す。

2 適応
- 長期の TPN が必要で、肝障害のリスクが高い児。

3 注意
- 低血糖の出現に注意する[※3]。

4 方法
- TPN の場合、1日のうち6時間は、以下のような cyclic 用の輸液を使用。
  ① メイン：TPN のメインを止めて、側管からアミノ酸フリー、糖濃度を下げた輸液をつなぐ。
  ② サブ：脂肪製剤もしくは維持輸液。

[※3] 低血糖やライン交換に伴うインシデントの発生が多く、omegaven®（魚油由来オメガ3系静注用脂肪酸製剤、自費）を使用するようになってからは、cyclic TPN は施行していない。

7 十二指腸栄養

a 適応

- 繰り返す肺炎や，超低出生体重児の呼吸の急性増悪で胃食道逆流（GER）による誤嚥が疑われる場合。

b 方法

- 5 Fr 十二指腸チューブ（JMS E・D・チューブ，または kangaroo™ ニューエンテラル フィーディングチューブ）を使用。
- ベッドサイドで挿入する場合は，消化管穿孔予防のためにスタイレットは使用しない。
- 十二指腸チューブ先端は十二指腸球部を目標にする。X線透視下では，下行脚から水平脚まで挿入する。深く挿入するほうが胃内への逆流は少ないが，穿孔のリスクがやや高く，脂肪などの消化不良が起こりやすいので注意が必要。
- 右側臥位で，挿入されている胃管よりも 3～5 cm 深く，十二指腸チューブをゆっくり挿入する。胃管から空気を入れると進みやすくなることもある。消化管粘膜への障害を考慮し，吸引しない。
- 挿入時にエコーで確認できることもあるが，（スタイレットを使用しないので）見えにくい。位置確認のためにチューブを小刻みに動かすと，消化管をつついてしまうので気をつける。最終的にX線で先端位置を確認する。1度で留置できない場合は，自然に幽門を越えるのを待つ。
- 挿入不能な場合は，外科医に透視下挿入を依頼する。
- チューブに印を付け，厳重に固定する。

c 注意

- 十二指腸チューブ挿入や位置移動に伴う壊死性腸炎（NEC）のリスクがある。

d 管理

- 原則，ダンピング症候群の予防に 24 時間持続注入し，閉塞予防

として3〜8時間ごとに白湯1〜2 mLを人肌程度（または30℃くらい）に冷ましたものでフラッシュする。
- 胃内チューブも挿入し，胃内へ逆流した胆汁は十二指腸チューブから戻す。
- 原則として，十二指腸チューブからは薬剤を入れない。ただし，10%塩化Naは母乳と混合して注入する。
- 脂肪と脂溶性ビタミンの吸収不全に注意する。とくに超早産児では，糞石形成によるイレウスのリスクがある。
- 人工換気中止後は不要となることも多いので，漫然と続けない。
- 閉塞時にはゆっくり抜去する。スタイレットを挿入し，再開通を試みない（消化管穿孔のリスクがあるため）。
- 気管チューブに固定すると位置が変動しやすい。

> *memo*
> - 人工呼吸器管理中の早産児に対して，酸素需要増加時に十二指腸栄養を行うと，酸素化の悪化を食い止める効果が認められた[a]。ただし，呼吸障害のある児に一律に行うべきではなく，適用の見極めが大切と思われる。
> - NAVAモードの人工呼吸管理を行うようになり，十二指腸栄養の使用頻度は激減した。
>
> **文献**
> a) Shimokaze T, et al. Acute respiratory effect of transpyloric feeding for respiratory exacerbation in preterm infants. J Perinat Med 2020；49：383-387

8 血液浄化療法

- 血液浄化療法とは血液中から不要なものを取り除くための方法であり，convection（対流），diffusion（拡散），adsorption（吸着）などの原理を用いて，取り除きたいものを分離する。
- 生体内に存在する半透膜である腹膜を利用する腹膜透析（PD）と，体外循環を利用するシステム〔いわゆる血液透析（HD）や持続的血液濾過透析（CHDF）など〕に大別される（表3-16）。
- 血液浄化療法の適応を表3-17に示す。

表3-16 腹膜透析（PD）と血液透析（HD）の比較

	PD	HD	
プライミング時の輸血	不要	必要	通常，体重10 kg以下ではRCCプライミング
開始時の血圧低下	なし	あり	低体重児のHDでは開始時に血圧低下をきたす
バスキュラーアクセス	不要	必要	低体重児ではアクセス確保が困難
アクセス確保に伴う手術	必要	不要	PDではカテーテル挿入術が必要
開腹術の影響	あり	なし	PDでは癒着があると注排液不良，胃瘻・人工肛門があると液漏れをきたす
抗凝固薬の必要性	不要	必要	メシル酸ナファモスタットであれば，HDでも出血傾向に対応可
溶質除去効率（低分子）	低い	高い	NH_3，K，BUNなどの除去はHDが優れる

RCC：赤血球濃厚液

表3-17 血液浄化療法の適応

①急性腎不全
・無尿〜乏尿（0.5 mL/kg/時以下）が6時間以上（利尿薬投与下）
・内科的治療抵抗性の高カリウム血症
・矯正不能な高または低ナトリウム血症
・内科的治療抵抗性の代謝性アシドーシス〔塩基過剰（BE）<−10 mEq/L〕
・BUN，Crの急速な上昇（BUN：30 mg/dL/日以上，Cr：前日の2倍以上）
・循環血液量過剰による心不全，肺うっ血，高血圧など
・脳症を伴う尿毒症
②代謝性疾患による高アンモニア血症，高乳酸血症
③薬物中毒など

9 脳室-腹腔シャントおよび脳脊髄液リザーバー管理

a 頭皮下髄液リザーバー（Ommaya リザーバー）の穿刺・排液

1 適応
- 低体重のためシャント手術を行えない水頭症に対する一時的治療。
- 出血後水頭症の急性期では，脳室内の血液除去のため，シャント手術前に Ommaya リザーバー造設が行われる。
- Ommaya リザーバーは脳室管とドーム部が一体構造となっており，脳室管長は 25 mm，30 mm，40 mm の 3 種類がある（CSF リザーバー；富士システムズ社）。先端部造影が施されているため，X 線で確認可能。

2 禁忌
- 循環血液量が不足している場合。
- リザーバーを設置する場所に蜂窩織炎や皮膚損傷がある場合。
- 大泉門が陥凹し，骨縫合が重積している場合。
- 重症な凝固障害を呈する場合。

3 準備物品
- マスク，キャップ，滅菌手袋，ガウン。
- ポビドンヨードやヘキザック®AL 液 1%などの消毒薬。
- 滅菌ドレープや滅菌ガーゼ。
- 翼状針（25 または 27 G）。
- ディスポシリンジ。

4 手技
① 穿刺・排液の前に，頭囲測定を連日行う。骨縫合の離開，重積についても連日，記録する。
② 体位を水平にし，安静を保つように工夫する。処置による痛みの緩和や安静の保持のため，ショ糖を用いてもよい。
③ 皮下にあるバルブの位置を確かめ，穿刺する部位の皮膚を消毒する。その際に，手術創を擦ったりして刺激しないように注意する。
④ 滅菌ドレープや滅菌ガーゼでリザーバー周囲を覆う。

⑤翼状針（25または27 G）にシリンジをつなげて，頭皮下のリザーバーを穿刺する。
⑥シリンジを吸引し，髄液をゆっくり排液する（1〜2 mL/分を超えないようにゆっくり）。
⑦翼状針を抜き，穿刺した部位を消毒する。穿刺した穴から髄液が漏れてくる場合には，清潔なガーゼなどで止まるまで押さえる。

5 穿刺・排液後のケア

- 穿刺した部位を清潔ガーゼで覆う。
- 心拍数，呼吸数，SpO_2をモニターする。血圧測定を行う。
- 排液した髄液の量，色調，日光微塵などを記録する。髄液が濁っている場合や髄液が少し赤い場合には，感染や出血の可能性を考える。
- 穿刺した部位から髄液が漏れてこないか観察する。
- 髄液検査で細胞数，髄液蛋白，髄液糖をチェックする（週に3回以上）。髄液培養も適宜，提出する。

6 排液量の決定

- 大泉門緊満が改善される程度とし，頭囲増大・脳室拡大をきたさないことを目標にする。
- 排液の終了時には大泉門の緊満感が解除され，離開している骨縫合が近づく。排液の24時間後に大泉門が再度，膨隆するかもしれないが，骨縫合の離開が進まない程度に排液すべきである。大泉門の緊張が低い状態が続けば，排液量や排液回数を減らしてもよい。
- エコー検査（側脳室体部の最大径，第3脳室径）を継続的に行い，脳室拡大が進行しないように髄液を排液する。
- 1回に排液する量は10〜15 mL/kgを超えないようにする。水頭症の悪化が著しい場合は，1日に2〜3回排液することもある。

7 合併症

- 低ナトリウム血症：血中Na，尿中Naを検査し，必要時にNaを補充する。
- 低蛋白血症：血清Albを定期的に検査する。
- 感染：髄液リザーバーが感染した場合，抗菌薬投与のみで改善することはまれであるため，通常はリザーバー抜去が必要である。
- リザーバー周囲の皮下の髄液貯留：頭蓋内圧を下げるため，排液

量を増やす。
- 脳室内への出血：血性髄液がみられたら，排液をいったん中止または減量を検討する。
- 徐脈，皮膚色の不良，低血圧：排液中にこれらの症状がみられた場合は排液を中断し，容量負荷を行うことを検討する。次回からは排液量を減らす。
- 皮膚の損傷，創部の離開：消毒の際に皮膚を過剰に擦らないようにする。リザーバーを下にして圧迫しないようにする。水頭症が高度で頭が重い場合には，頭の皮膚の褥瘡を予防するため，体位変換を頻回に行う。

b 脳室-腹腔シャント（V-P シャント）

1 シャントの基本
- 実際に髄液を流す圧
  ＝髄液を流そうとする力−髄液の流れを止めようとする力
  ＝（脳室内圧＋水圧差）−（バルブ圧＋腹圧）
  の関係を理解する。すなわち，シャントの流れはバルブ圧だけでなく腹圧と頭の高さが関係する。ただし，体位の影響が少ないバルブ（CODMAN CERTAS Plus 圧可変式バルブ インラインタイプ サイフォンガード付など）も開発されている。
- 定圧バルブと圧可変式バルブがある。圧可変式には CODMAN HAKIM®圧可変式バルブ L-P，CODMAN CERTAS Plus 圧可変式バルブなどがある。圧設定変更時には，X 線で確認が必要である。
- シャント術は体重 2.5 kg 以上をめやすに行っている。
- 術前までの脳圧亢進や脳室拡大の進行に対しては，アセタゾラミド（ダイアモックス®），グリセリン（グリセオール®），フロセミド（ラシックス®）の使用も検討する。ただし，出血後水頭症に対するアセタゾラミドと利尿薬の併用療法は，神経学的予後を悪化させることがメタ解析で報告されている。

2 シャントに関するトラブル
- シャント閉塞：活気不良，哺乳不良，嘔吐，シャントバルブの髄液貯留など。
- 細隙脳室（slit ventricle）：シャントの流れすぎが原因で脳室内の脳脊髄液が減少し，脳室内の圧力が低下することで起こる。硬膜

下血腫・硬膜下水腫を呈することがある。
- 陰嚢水腫，陰嚢へのシャントの迷入：髄液が腹腔内に流れるため，男児では生じやすい。シャントチューブが陰嚢内に迷入することもある。
- MRI 検査による圧設定の変化：圧可変式バルブの場合，MRI 検査後に圧設定が変化していることがあるので，確認が必要である。
- 感染：発熱を認める場合はシャント感染と尿路感染の鑑別のため，血算，CRP，尿沈渣，血液・尿培養を採取する。Ommaya リザーバーを設置している場合には，髄液の採取も行う。

C 脳室-心房シャント（V-A シャント）

1 適応
- 壊死性腸炎（NEC）や胎便性腹膜炎などによる消化管の癒着を合併する場合。

2 特徴
- V-P シャントに比べてシャントトラブル（slit ventricle，感染，閉塞）をきたしやすい。
- シャント腎炎の報告があるため，腎機能の長期フォローアップが必要である。
- V-P シャントに比べて，成長に伴うシャントチューブの交換が頻回である。

10 窒素吸入療法（低酸素換気療法）

a 目的

- 肺血流増加型の先天性心疾患は，新生児期にしばしば重篤な心不全，壊死性腸炎（NEC），腎不全をきたし得る。動脈管紮術や心内修復術，肺動脈絞扼術などの外科治療が有効であるが，術前管理や外科治療が施行困難な状況での循環管理（早産児や手術適応に満たない低体重児など）に対して，肺血流量の制御を目的に窒素吸入療法を施行することがある。

b 対象疾患

- 左心低形成症候群，肺動脈狭窄のない両大血管右室起始症，総動脈幹症，大動脈肺動脈窓，右肺動脈上行大動脈起始症，大動脈縮窄複合，大動脈弓離断，房室中隔欠損症など。

c 適応

- 生理的な肺血管抵抗の減弱に伴い，肺血流増加症状（多呼吸，努力性呼吸など）や体血流減少症状（乏尿，消化管機能低下，代謝性アシドーシスの増悪，乳酸値の増加）が顕在化し，かつ肺血流量を制御するための緊急手術が困難な場合。
- 単心室症や総動脈幹症などの動静脈血が完全に混合する血行動態では，SpO_2 90％以上，PaO_2 50 mmHg 以上は高肺血流を示唆する。とくに，左心低形成症候群，総動脈幹症ではショック発症のリスクが高いことから，SpO_2 や PaO_2 の上昇を指標に，早期に導入する。その他の疾患においても，個々の症例のリスクを評価し，導入を検討する。生後 24 時間以降で，末梢冷感，呼吸数増加，尿量減少，乳酸値上昇は肺血流量増加・体血流量減少を示唆する所見であるため，SpO_2 や PaO_2 とともに総合的に判断する。
- 早産児に対する窒素吸入療法の安全性は確立されていない。
- 肺の状態がよいことが前提である。新生児慢性肺疾患（CLD）など呼吸障害を伴う場合には，過度の低酸素状態を誘発する可能性があるため，原則行わない。

d 方法

- 必要な機器は,窒素・空気の供給源〔窒素・空気精密ブレンダー(NA 2000 vi)〕と酸素濃度計(NAM 2000)。
- 非挿管時はヘッドボックス内に窒素ガスを流し,ヘッドボックス内の吸入酸素濃度を測定するか,経鼻カニューレに空気と窒素の混合ガスを流す方法を用いている。いずれも酸素吸入加温加湿装置用水(アクアパック®)を使用する。
- 挿管時は,呼吸器の酸素濃度設定が21%になっていることを確認する。
- FiO_2 低値以外にも,pCO_2 を高め(45〜55 mmHg)に保つことも,高肺血流制御に重要である(代償困難なアシドーシスに注意する)。
- 必要に応じて,挿管時は鎮静・筋弛緩薬を用い,調節呼吸管理を行う。

e 目標 SpO_2

- SpO_2 を参考に,FiO_2 を適宜調節し,過度の低酸素血症にならないようにする。原則として,FiO_2 は 0.16 以上で管理する。
- 初期の治療目標の FiO_2 は,動静脈血が完全に混合する血行動態では,SpO_2 80%,PaO_2 40 mmHg 台とする。ただし,良好な循環動態が得られれば,この基準より高めや低めの SpO_2 を目標にすることもある。
- 上記以外の血行動態では症例ごとに目標 SpO_2 値は異なる(2 心室は疾患によって動静脈混合の程度が異なるため,目標は一概に定められない)。

f 注意点

- 窒素自体に副作用は報告されていないが,重度の低酸素血症をきたす可能性があるため,持続的に SpO_2 ・心拍数をモニタリングし,定期的に血圧,尿量,血液ガス,心臓・頭部・腹部エコー・胸部 X 線などを確認する(単に SpO_2 を下げるのが目標ではなく,肺血流制御と体血流維持がなされているかを確認する)。
- 可能な限り,脳の近赤外分光法による組織酸素飽和度(rSO_2)

と，動脈ラインによる持続血圧モニタリングを行う。低酸素換気療法を施行しても，脳 rSO_2 を維持するようにする。

文 献

1) 新生児呼吸療法・モニタリングフォーラム，新生児医療連絡会，NICU における呼吸理学療法ガイドライン検討委員会．NICU における呼吸理学療法ガイドライン（第2報）．2010　http://plaza.umin.ac.jp/~jspn/nicuguidline.pdf（2022.8.19 アクセス）
2) Hovi L, et al. Exchange transfusion with fresh heparinized blood is a safe procedure. Experiences from 1069 newborns. Acta Paediatr Scand 1985；74：360-365
3) Srinivasan L, et al. Cerebrospinal fluid reference ranges in term and preterm infants in the neonatal intensive care unit. J Pediatr 2012；161：729-734
4) American Academy of Pediatrics Committee on Nutrition. Pediatric Nutrition. 7th ed, Kleinman RE, et al (eds), American Academy of Pediatrics, 2013
5) Finch CW. Review of trace mineral requirements for preterm infants: what are the current recommendations for clinical practice? Nutr Clin Pract 2015；30：44-58

参考文献

・Tellier B, et al. Prematurity. Sonneville K, et al (eds), Manual of Pediatric Nutrition, 5th ed, People's Medical Publishing House, 2013
・Koletzko B, et al (eds). Nutritional Care of Preterm Infants：Scientific Basis and Practical Guidelines. Karger, 2014

第4章

異常と対策

1 ハイリスク児

a 超早産児全般

1 出生前

1）家族への説明

- 超早産児の院内出生が予測される場合は，出産前に少しでも時間をとって，両親に妊娠週数，推定体重別の予後について，合併症・後障害を含め，自施設のデータをもとに産科医とともに新生児科医からも説明する。
- 表 4-1[1,2)]に神奈川こども医療センターの予後データを示す。
- NICU のイメージをもってもらうために，神奈川こども NICU の「早産児の育児応援サイト」も紹介している。
- 在胎 23 週以降で推定体重 450 g 以上の児は集中治療をすすめる。22 週，または 450 g 未満が予測される場合，合併症・予後のデータから両親と話し合い，意向に応じて集中治療を開始するかどうかを決める。

2）母体・胎児情報の確認

- 産科医と母体・胎児情報を共有し，分娩時期・方法について検討する。
- 推定体重，胎位，羊水量，胎児心拍陣痛図（CTG）所見，母体感染徴候（CRP，白血球数，腟培養の結果），母体合併症，母体治療〔ステロイド，抗菌薬，リトドリン（ウテメリン®），硫酸 Mg（マグセント®）〕の内容と期間を確認する。リトドリン投与による心筋収縮力低下，硫酸 Mg 投与による心ポンプ不全や動脈管閉鎖遅延のリスクがあるため，注意する。

3）NICU の入室準備

- 呼吸器は，基本的には同調性間歇的陽圧換気（SIMV）。長期破水などで換気状態が悪いときには高頻度振動人工換気（HFO）管理を行う。SIMV と HFO 両方の条件で設定して作動確認し，その後，加湿器の条件や状態を確認・調整する（表 4-2）。
- 保育器を準備。加湿を 90％以上とする。看護スタッフと協力し，ポジショニングの準備もする。

表4-1 神奈川こども医療センターの短期・長期予後データ

予後	各項目	神奈川こども医療センター	NRNJ
短期予後（在胎23～25週；2017～2018年出生，生後24時間未満で入院した児，38名）	死亡	5%	約5～25%
	脳室内出血	8%	約25～35%
	在宅酸素	36%	約20～40%
長期予後（在胎23～25週；2002～2007年出生，生後24時間未満で入院した児の9歳時点，フォローアップ率90%，51名）	重症脳室内出血	8%	
	脳性麻痺	8%	
	弱視	8%	
	難聴	8%	
	9歳（WISC™-Ⅲ or Ⅳ） 　DQ>85 　DQ70～84 　DQ<70	41% 28% 31%	
	小学3年生時 　普通級 　支援級と普通級混合 　特別支援学校	49% 49% 2%	

NRNJ：新生児臨床研究ネットワーク，WISC：Wechsler Intelligence Scale for Children，DQ：発達指数

新生児臨床研究ネットワーク．周産期母子医療センターネットワークデータベース解析報告，2018年　在胎期間別　http://plaza.umin.ac.jp/nrndata/syukei.html[1] / 野口聡子，他．在胎23-25週の児の発達予後と就学状況．日周産期・新生児会誌 2019；55：907-912[2]

表4-2 入院時の保育器内温度・湿度の初期設定

週数	23～24週	25～26週	27～29週
保育器内温度	37℃	36℃	35℃
保育器内湿度	95%	90%	80～85%

- 在胎23および24週前半は皮膚が脆弱なため，臍帯カテーテルの準備をする（☞p.91）。
- シリンジに小分けしたエコー用ゼリーを保育器内で加温する（体温低下・感染予防のため）。

4) 蘇生室の準備
- 蘇生室の室温を30℃に上げる。
- 準備物品を表4-3に示す。

表 4-3 蘇生室の準備物品

- 流量膨張式バッグ
- 気管内・鼻口腔吸引チューブ
- 挿管チューブ（基本は内径 2.5 mm）
- 喉頭鏡（ミラー No.0 か 00）
- 臍帯血採取用注射器
- 胃液採取用シリンジ
- ペディキャップ™
- 肺サーファクタント（サーファクテン®）
- 心電図
- SpO_2 モニター，など

- 酸素濃度（初期設定 60％），吸引圧（20 kPa）を確認し，流量膨張式バッグや吸引器の作動も確認する。

2 出生時（蘇生から NICU 入室）の管理

- 皮膚が脆弱なので，羊水は軽く拭く程度にする。
- 可能な限り臍帯ミルキングを行う（臍帯断裂による出血に注意。臍帯を持ち上げながら，捻れをしっかりとって行う）。肉眼的に重度な臍帯炎の場合には，塞栓のリスクがあるので控える。
- 心電図モニター，SpO_2 モニター装着（SpO_2 プローブ粘着部にコメガーゼを貼る）。
- 啼泣なく，筋緊張低下，自発呼吸がない，心拍数 100/分未満が続く場合は，すぐに気管挿管する。それ以外でも，急性期の呼吸循環の安定のために，マスク持続気道陽圧（CPAP）で酸素化の改善を図ってから，全例で挿管する。
- 気管挿管ができているかを聴診器，ペディキャップ™ で確認する。
- 気管挿管の初期の深さは [5.5〜6.0＋体重（kg）] cm，左口角固定。
- バッグ加圧時の肺の硬さを観察する。通常，挿管・バッグ加圧で Apgar スコアの改善を認めることが多い。
- SpO_2 が 95％以上なら酸素は減量する。
- 胃管を留置し，胃液吸引のうえマイクロバブルテスト（**付録 3-c**, p.362）を行う。
- 子宮内感染が疑われる場合は胃液培養を行う。
- 肺サーファクタント（サーファクテン®）投与の前に必ず，気管吸引を行う。
- 蘇生室での肺サーファクタント投与は，呼吸窮迫症候群（RDS）予防目的に，超早産児ではほぼ全例に行う。介助者と協力し，体位を変えながら 3 回に分けて，推定体重を参考に 1 vial/kg（1 vial を生理食塩液 3 mL に溶解）を投与する。

- 片肺注入しないために,気管チューブを少し引き気味にして,挿管チューブの先端を越えない位置で注入する。
- SpO_2 が安定したら,NICU への移動準備を開始する。手順を以下に示す。

　①移動用保育器の酸素ボンベに流量膨張式バッグをつなぎ替えて,作動確認を行う。

　②モニターを移動用保育器に移す。

　③抜管に注意しながら,移動用保育器に児を移動。

　④原則として,父母に面会してから NICU に移動する(主蘇生者はあらかじめ滅菌ガウン着用)。

　⑤移動中の抜管やチューブの屈曲などに注意する。皮膚色を観察しながら,手でチューブと口元を押さえつつ移動する。

3 NICU 入室から生後 6 時間までの管理

- SpO_2 90〜95%,pCO_2 40〜50 mmHg,pH>7.25 を目標にする。
- 人工呼吸器は SIMV で開始する,初期設定は,最大吸気圧(PIP)15〜18 cmH_2O,呼気終末陽圧(PEEP)4 cmH_2O,吸気時間(Ti)0.4〜0.5 秒,回数 40〜50 回/分,FiO_2 0.40。
- 視診は重要で,①皮膚色,②血管の怒張や網状チアノーゼの有無,③浮腫,④手足の動き,⑤胸の上がりや陥没呼吸,⑥心尖拍動の有無,⑦腹部の張り,⑧輸液ライン,⑨挿管チューブの屈曲の有無,などを観察し,全身状態を把握する。
- 児の呼吸状態,SpO_2 モニター,$TcPCO_2$ モニターなどをみながら,呼吸器条件の設定・調整を行う。自発呼吸がみられない場合は pCO_2 の低下を考える。
- 処置により体温が低下しないように,保育器温度の調節を行う(目標は,体温 36.5〜37.0℃,心拍数 140〜160/分)。
- 臍帯血の確認〔血液ガス,乳酸,血糖,ヒト脳性 Na 利尿ペプチド前駆体 N 端フラグメント(NT-proBNP),シスタチン C〕。
- 血液・咽頭・臍帯・便の培養検査(真菌含む)。
- 生後 2 時間以降は浮腫が増強して処置が困難になることがあるので,その前に点滴処置は済ませる。
- 末梢ライン確保(10%ブドウ糖液)。PI カテーテルや臍静脈カテーテル留置後は,末梢ラインの血管障害を予防するため,ブドウ糖濃度は 10%から 5%に変更し,輸液量も減量する(ただし,

最低でも 0.3 mL/時以上を維持する)。
- 動脈ライン確保（10%マルトース液, 0.3 mL/時）。以後の採血がミニマルハンドリングになるとともに，血圧の変動をリアルタイムに把握することができる。血行障害の出現に注意する。留置末端の爪が白い場合は血行障害が起きている可能性があり，持続するようなら抜去する。一方，爪が暗赤色の場合は固定による静脈うっ滞の可能性があり，再固定を検討する。
- PIカテーテル挿入（10～13%ブドウ糖液，グルコン酸Ca（カルチコール®）8～10 mL/kg/日，塩酸モルヒネ 8～10 μg/kg/時，ビタミン）。鼠径部または腋窩を越えた太い静脈まで挿入する。ライン確保困難，皮膚びらんが予測される場合は，はじめから臍動静脈カテーテルを留置する。
- 初期輸液の内容を表4-4, 表4-5に示す。
- 日齢 0～1 のグルコン酸 Ca は，母体硫酸 Mg の影響を考慮して多めに投与する。ただし連日，同量を継続投与すると，高カルシウム血症をきたす。
- 末梢ラインが確保されたら，メナテトレノン（ケイツー®N）とあわせてヒドロコルチゾン（ソル・コーテフ®）の 1 回目 1 mg を投与する。
- 経時的な尿量把握，モルヒネによる尿閉予防目的に尿道カテーテル（3～4 Fr の栄養カテーテル）留置を行う。膀胱穿孔を避けるため，挿入時にエコーで深さを確認する。固定テープによる皮膚損傷が予測される場合は入れない。固定テープは会陰部に貼らない（図4-1）。
- 皮膚の保護として，25 週未満ではテープを不必要に貼らない。輸液ルートなどによる皮膚の圧迫損傷に注意する。腋窩や鼠径部，頸部などの間擦部には，ソフトシリコン・ポリウレタンフォーム（メピレックス®）を予防的に貼付する。
- 呼吸障害がある場合，原因を考察する。RDS か，RDS 以外の呼吸障害（dry lung，先天肺炎，leaky lung，肺低形成）かを鑑別する。
- 胎盤の肉眼的所見（表2-16, ☞p.81）やマイクロバブルテスト，X 線所見，weaning が進まないなどから RDS が疑われる場合は，肺サーファクタントの再投与を検討する。生後早期に肺サーファクタントの再投与が必要な場合は，なるべく早めに投与する。た

表 4-4　超低出生体重児（ELBW）初期輸液組成例

投与ルート	内容	量	流量
末梢ライン	10% 500 mL ブドウ糖注射液	50 mL	0.3 mL/時
PI カテーテル紫	10% 500 mL ブドウ糖注射液	15 mL	
	20% 20 mL ブドウ糖注射液	20 mL	
	グルコン酸 Ca（カルチコール®）	12 mL	
	10 倍希釈モルヒネ（1 mg/mL）	0.3 mL	
	ビタジェクト®	0.3 本	
	ヘパリン 5,000 単位/5 mL	0.05 mL	[　] mL/時*
PI カテーテル緑	10% 500 mL ブドウ糖液	50 mL	
	ヘパリン 5,000 単位/5 mL	0.05 mL	0.3 mL/時
動脈ライン	10% マルトース	250 mL	
	ヘパリン 5,000 単位/5 mL	0.5 mL	0.3 mL/時

*[　] は体重に応じた流量とする。

表 4-5　出生体重に応じた輸液組成例

輸液組成/出生体重	500 g	750 g	1,000 g
PI カテーテル紫（mL/時）	0.8	1.2	1.5
輸液合計（mL/時）	1.7	2.1	2.4
総水分量（mL/kg/日）	82	67	58
GIR（mg/kg/分）	4.9	4.2	3.7
グルコン酸 Ca（カルチコール®）(mL/kg/日)	9.2	9.2	8.6
モルヒネ（μg/kg/時）	9.5	9.5	8.9

GIR：ブドウ糖投与速度

だし，脳室内出血（IVH）のリスクがある時期（生後 24～72 時間）の再投与は避ける。
- 動脈採血もしくは毛細血管採血（足底血）で，児の血液ガス，血糖を確認する。CO_2 濃度が 40 mmHg 台になるように呼吸器の設定を調整し，塩基過剰（BE）が−10 mEq/L 未満ならば，炭酸水素 Na（メイロン®）による補正を検討する。
- 入院時血液検査として，血液型，血算・生化学，血液ガス検査を行う（☞p11）。
- 生化学の検査項目：TP, Alb, BUN, UA, Cr, シスタチン C,

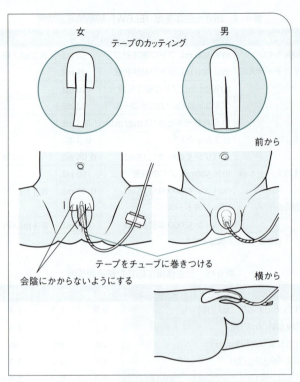

図 4-1 尿道カテーテル固定法

AST, ALT, LDH, ALP, CK, Na, K, Cl, Ca, P, Mg, CRP, T-Bil, D-Bil, CHE。

- 平均血圧は［在胎週数］mmHg をめやすにする。しかし，それ以下でも，amplitude-integrated electroencephalogram (aEEG) で活動性の低下がなく，尿量が維持され，乳酸上昇，アシドーシスの進行などがなければ，容量負荷やカテコラミン製剤の投与は行わない。
- 低血圧，乏尿，代謝性アシドーシス増悪，乳酸値上昇，Ht の自然上昇，左房径/大動脈径（LA/Ao）比低下，左室拡張終末期径（LVDd）低下，上大静脈（SVC）flow 低下，下大静脈（IVC）虚脱，LA ボリューム低下，心胸郭比（CTR）低下などの循環血

液量減少（hypovolemia）が認められれば，前負荷過少に伴う心ポンプ不全と考え，生理食塩液・新鮮凍結血漿（FFP）などを 10 mL/kg，1〜3 時間静注する[※1]。
- Hb<12 g/dL ならば，赤血球濃厚液 10〜15 mL/kg，4〜24 時間で輸血する。
- 心臓のサイズの縮小がなく，左室駆出率（EF）が低下，低血圧，乏尿，乳酸上昇，アシドーシスの増悪が認められる場合には，ドパミン（1〜3 µg/kg/分）とドブタミン（1〜3 µg/kg/分）の投与を少量から始める[※2]。
- 房室弁逆流に注意する。三尖弁逆流（TR）は肺血管抵抗が低下すれば軽減することが多いので，呼吸障害の治療を優先する。僧帽弁逆流（MR）は血圧が上昇すると増悪する可能性があり，経時的観察が必要（MR が増悪する場合，モルヒネ増量，フロセミド（ラシックス®）投与などを検討する）。

4 生後 6〜24 時間までの管理

- 胸腹部 X 線は連日施行し，挿管チューブや胃カテーテルの位置，肺野，肺血管陰影，CTR，肺過膨張の有無，消化管ガス像を確認する。
- 呼吸器設定条件の weaning を目指す。
- 血圧低下，浮腫，代謝性アシドーシス，乳酸値上昇，電解質異常に注意する。
- 心筋収縮能低下：生後 1〜2 時間の心エコーで心筋収縮が良好でも，その後に循環不全をきたすことがあるので，経時的観察が重要。
- 浮腫や多尿のため，生後 6〜18 時間で心臓のサイズ縮小，血圧低下，アシドーシスが進行する循環不全をきたすことがある。
- Ht が急速に上昇する場合は，血管外に循環血液量がシフトしている可能性がある。
- 生後 12 時間にヒドロコルチゾンの 2 回目 1 mg を投与する。生後早期と違って容量負荷も考慮する。
- 評価時に不整脈はなくとも，高カリウム血症は心ポンプ機能の低下につながる可能性があるので，積極的に予防する。

[※1] 実際には，生理食塩液，FFP 負荷の施行は数％程度である。
[※2] 実際にはドパミン，ドブタミンの投与施行例はほぼない。

- 血清Kが6.0 mEq/Lを超えないように,グルコース-インスリン(GI)療法を開始する(☞p.157のmemo参照)。GI療法時にはブドウ糖投与速度(GIR)を上げる(+1〜2 mg/kg/分)。高カリウム血症(☞p.173)も参照のこと。
- 低カルシウム血症となり,心ポンプ機能の低下や心拍数の減少をきたすことがある。Caの補充や増量を考慮する。
- 乳酸アシドーシスが進行する場合は,カテコラミン製剤の適応を再検討する。
- 過剰な輸液量,炭酸水素Naやカテコラミン製剤の投与は生後24時間以降の血圧上昇後の後負荷不整合をきたすことがあるほか,未熟児動脈管開存症(未熟児PDA)の原因になるので,必要最低量を目指す。

5 生後24〜72時間までの管理

- 生後24時間より超早期授乳を開始し,経腸栄養の早期確立を目指す。
- 日齢1よりアミノ酸(0.5 g/kg/日)投与を開始。日齢3にかけて2 g/kg/日前後まで増量する。
- 水分投与量はルーチンで増量しない。皮下浮腫,体重の変化,血清Na(目標値135〜145 mEq/L),BE,乳酸値,心エコーによる心サイズの指標,PDAの有無などを総合的に検討し,水分投与量を決定する。
- PDA(☞p.195):心エコー・腎血流パターン(拡張期途絶や逆流)をもとに,閉鎖傾向のない動脈管ではイブプロフェン投与を考慮する。
- 血圧上昇後(収縮期血圧50 mmHg以上)に後負荷不整合をきたすことがある。後負荷と心筋収縮力の評価に,Stress-Velocity関係は有効な指標となり得る(☞p.160)。

> *memo*
>
> 超早産児では一律に,ヒドロコルチゾン1 mg/回を出生時と生後12時間前後の計2回投与している。これは,体重が小さいほど必要量が多いと仮定した投与量であるが,当センターでは現在,体重あたりの投与量(1 mg/kg/回)にするべきか検討中である。

- 乳酸値や Ht が自然低下する時期は血管外から血管内に水分量がシフトし,循環血液量が増加している可能性がある。心拡大,心筋収縮力低下をきたす可能性があるため,心エコーで確認する。
- 心拡大は肺出血,IVH のリスクである。左室拡大の指標は,LVDd 12 mm 以上,左房拡大の指標は LA/Ao 1.3 以上,左房容積 1 mL/kg 以上である。
- 後負荷過剰〔収縮末期左室壁応力(ESWS)50 g/cm^2 以上〕は数値だけでなく,経時的に増悪傾向を認める場合にも減負荷療法の適応である。
- 減負荷療法の方法を以下に示す。
  ① モルヒネの増量,フロセミド 0.5〜1 mg/kg の静注,ニトログリセリン(ミリスロール®)0.3〜0.5 μg/kg/分の持続静注を開始。
  ② 利尿があっても心拡大が進む状況は相対的な尿量不足と考え,利尿薬を投与する。
  ③ PDA や,収縮期血圧で 55 mmHg 以上,内大脳静脈(ICV)の fluctuation(揺らぎ)は IVH のリスクである。気管吸引などの処置時に徐脈をきたさないように注意する。体動が激しくても腹臥位にしない。体動・血圧変動がある場合には,鎮静を強化する。体動が強い場合,不快要素(点滴の漏れ,CO_2 上昇,痰の貯留など)を探し,IVH が生じていないかを確認する。
- 鎮静薬として,ベースにモルヒネ 10 μg/kg/時を持続投与している[※3]。追加はチオペンタール(ラボナール®)1〜2 mg/kg(ブド

memo

ステロイドを出生時ならびに 8〜12 時間でルーチンに使用していることもあり,GI 療法で低血糖になることは少ない。ただし,GI 療法で使用するインスリン(1 単位/kg/日)は糖尿病性ケトアシドーシス治療に準じる投与量のため,低血糖に注意する。
【溶解方法】10%ブドウ糖液 18 mL+100 倍希釈ヒューマリン®R 0.8 mL
体重 500 g で 0.4 mL/時=インスリン 0.8 単位/kg/日
(ヒューマリン®:100 単位/mL。100 倍希釈ヒューマリン®R は生理食塩液 100 mL+ヒューマリン®R 1 mL)

ウ糖濃度の高い輸液では析出するので注意）を投与する。aEEG で覚醒度を評価する。
- 急性期の気管吸引は原則として，医師・看護スタッフが協力し，複数の人員で徐脈血圧変動に備えながら行う。徐脈予防として，吸引時は換気圧を上げる（+2cmH$_2$O）。上げた吸気圧を戻し忘れないように注意する。吸引圧は 15 kPa。
- 気管吸引を減らすためにも，適切な加湿は重要である。挿管チューブ内に小さな水滴が確認できる程度の加湿を目指す（加湿の初期設定：口元 40℃，加温器 37℃）。
- 当院の肺出血の平均発症時間は生後 33 時間，また IVH の平均発症時間は生後 44 時間である。
- 急な SpO$_2$ の低下や PCO$_2$ の上昇は肺出血の結果の可能性があるため，気管吸引で確認する。
- 過敏性，体動の増加，けいれん，大泉門の緊張，Ht の急速な低下は IVH の結果の可能性があり，頭部エコーで確認する。IVH をきたした場合は，出血の拡大を予防するためにチオペンタールを静注すると安静を保てることが多い。

6 生後 72 時間から 1 週間までの管理

- 消化管穿孔や壊死性腸炎（NEC）が疑われなければ，25%グリセリン（通常の 1/2 濃度）1～2 mL/kg/回の浣腸を，生後 72 時間以降で循環動態の安定したときに考慮する。
- 動脈管が閉鎖し，心拡大が軽減し，心機能が良好ならば，モルヒネや循環作動薬を減量，中止する[※4]。
- 鎮静薬を終了するタイミングで無水カフェイン（レスピア®）の投与を開始する。
- 循環管理の必要性がなくなり皮膚が成熟したら，臍静脈カテーテルから PI カテーテルに変更する。
- 心エコーの必要性が減ったら，腹臥位にして児の安静と消化管機能の改善を図る。
- 経管栄養が進まない場合は，20%イントラリポス®（脂肪乳剤）

[※3] 以前はフェノバルビタール（ノーベルバール®）1～5mg/kg/回の静注も使用していたが，調節性が悪く，最近は使用していない。
[※4] 実際には，鎮静はおよそ日齢 5 に終了している。

- 0.5〜2.0 g/kg/日を持続投与する。
- 消化管穿孔や NEC は経管栄養増量後に発症する。臨床症状（腹壁色，腹部膨満・腸蛇行の有無，胃吸引の有無と性状，便の性状）と，腹部 X 線による観察（骨盤を含む胸腹部撮影）に注意を払う。
- 腹部膨満の増強を認める場合は，エコー（拡張腸管，蠕動の有無，腹水・門脈内ガスの有無）か，X 線〔仰臥位側面像（cross table lateral）を含む〕を検討する。
- GI 療法中止後 1 日経過し，高カリウム血症が改善していれば，低リン血症（<4.0 mg/dL）による消化管運動低下予防のために，P を含有しているフィジオ®35 による輸液を開始する。
- 消化管穿孔や NEC が疑われれば，経管栄養と浣腸は中止する。
- 高カリウム血症が改善するまで，湿度は 90％以上，その後 70％まで下げる。湿度の下げすぎによる不感蒸泄の増加に注意する。
- 高ナトリウム血症は，不感蒸泄の増加・低張性利尿・水分投与量の不足による。Na は 135〜145 mEq/L 以内を目指す。高ナトリウム血症の場合でも，維持量の Na 投与を行うほうが安全である。
- 高血糖による多尿に注意する。血糖値は 80〜150 mg/mL の範囲にとどめる。高血糖時は感染症の鑑別を行う（感染症の鑑別にあたっては，CRP 上昇よりも高血糖のほうが早く出現する）。
- 経管栄養の進み具合にかかわらず，日齢 5 に新生児マススクリーニング（初回）を施行する。

7 生後 1 カ月までの管理

- 身長・体重・頭囲を胎児発育曲線にプロットし，発育の評価を行う。
- Bil は 10 mg/dL 以下になるまで連日測定する。
- 慢性肺疾患（CLD）予防のため，ベクロメタゾン（キュバール™）吸入を開始する。
- 目標 SpO_2 は 88〜93％で，吸入酸素濃度は 30％未満。
- 生後 1 週間以降で PIP 18 cmH_2O 以上ならば，HFO にする。
- HFO で，振幅圧 16 cmH_2O 未満で換気状態に問題がなければ（pCO_2 55 mmHg 未満），NAVA（neurally adjusted ventilatory assist）への変更を考慮する（修正 25 週以降で体重 500 g 以上，経腸栄養の確立が NAVA のめやす，詳細は p.110）。
- 呼吸器の種類にかかわらず，吸入酸素濃度が 30％を超える場合にはステロイド静注（ヒドロコルチゾン 4 mg/kg/日を 3 日間）を考

慮する（表4-14, ☞p.187）。
- 呼吸理学療法を開始する。
- 経腸栄養の増量とともに胃食道逆流（GER）を疑う場合は，十二指腸チューブの留置を検討する。ただし，呼吸状態の悪い児にルーチンに留置しても呼吸改善効果はわずかで，悪化を食い止める程度である。チューブ挿入に伴うNECのリスクやミルクカード（糞石）のリスクも考慮する（☞p.137）。
- 抜管のめやすは体重700g以上，修正28～30週以降としている[※5]。
- 在胎26週未満では修正30週，その他は生後3週をめどに眼底検査を開始する。

8 生後2カ月までの管理
- 抜管し全身状態が安定していたら，理学療法・発達評価を開始する。

9 早産児そのほかの一般管理
- 血中Naを140mEq/L前後に維持できるように，Naを輸液もしくは内服で補充する。1日の最低Na総投与量は3mEq/kgである。
- 血圧が低下して乏尿になる場合は，症候性PDA，重症感染症，消化管穿孔を除外したうえで晩期循環不全を疑い，ヒドロコルチゾン2mg/kgを投与する（☞p.329）。
- 慢性期の採血と尿検査は1～3週ごとに行う。
- 1カ月の時点で新生児マススクリーニング（2回目）を提出する。院内でも甲状腺機能の確認をする〔甲状腺刺激ホルモン（TSH），遊離トリヨードサイロニン（FT$_3$），遊離サイロキシン（FT$_4$）〕。

10 Stress-Velocity関係を用いた早産児循環管理[3,4]（図4-2）
- 早産児は心筋の未熟性のため，胎盤分離や生後の血圧上昇に伴う後負荷過剰（excessive afterload）に適応できず，一時的な心ポンプ不全に陥る可能性がある。
- 血圧上昇（後負荷過剰）に対して心収縮力低下や静脈圧上昇をきたす状態（後負荷不整合；afterload-mismatch）は，肺出血やIVHの原因の一部となっている可能性がある。
- ESWSは左室後負荷の指標，心拍補正左室平均円周短縮速度（mVcfc）は左心室ポンプ機能の指標。

[※5] 2018年以降，NAVAを導入してから無呼吸の観察がしやすくなり，抜管時期が遅くなった。抜管時期は修正31～32週が多い。

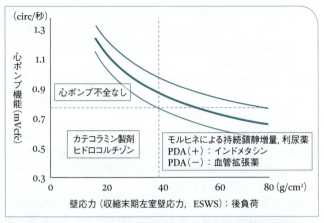

図 4-2 Stress-Velocity 関係を用いた早産児循環管理指針

$$\text{ESWS}(g/cm^2) = 1.35 \times \text{LVDs} \times \text{Pes} / \{4 \times \text{Hes} \times (1+\text{Hes}/\text{LVDs})\}$$
$$\text{mVcfc}(circ/秒) = \{(\text{LVDd}-\text{LVDs}) \times \text{RR } 1/2\} / \text{LVDd} \times \text{ET}$$

LVDd：左室拡張終期径，LVDs：左室収縮末期径，Pes：収縮末期血圧，
Hes：左室収縮期後壁厚，ET：左室駆出時間，RR：RR 間隔

- ESWS と mVcfc を用いた Stress-Velocity 関係は、後負荷と短縮速度の関係から心筋収縮性（contractility）を評価する指標である。以下に、当科で施行している Stress-Velocity 関係をもとにした早産児の循環管理を述べる。

①人工呼吸管理中の極低出生体重児は動脈ラインを留置し、持続的に血圧をモニタリングする。

②超低出生体重児においては、塩酸モルヒネ（8〜10 μg/kg/時）による持続鎮静を施行する。

③入院時にヒドロコルチゾン 1〜2 mg/kg の静注をしたうえで、その後は経時的に ESWS と mVcfc を測定し、Stress-Velocity 関係の標準値（**図 4-2**）をもとにして後負荷に配慮した循環管理を行っている[3]。

④ESWS 60 g/cm² 以上で mVcfc が 0.75 circ/秒未満は、肺出血や IVH のハイリスクと考える。ESWS が 50 g/cm² 以上、mVcfc が 0.8 circ/秒未満にならないように循環管理する。

⑤血圧の目標は平均血圧値≧在胎週数 mmHg とし,乏尿,代謝性アシドーシスの進行,乳酸値の上昇,aEEG における脳波活動の低下がなければ,容量負荷やカテコラミン製剤による昇圧治療は施行しない。

⑥EF 50％未満や mVcfc 0.8 circ/秒未満を心ポンプ不全と考える。

⑦心ポンプ不全で,低カルシウム血症(生後 12～24 時間に Ca 値は低下しやすい)があれば補正する。

⑧ESWS が 40 g/cm² 未満の心ポンプ不全(生後 12 時間以内に多い)は,カテコラミン製剤(ドパミン 2～3 μg/kg/分やドブタミン 2～5 μg/kg/分),もしくはヒドロコルチゾン 1～2 mg/kg の追加静注を検討する。

⑨ESWS 45 g/cm² 以上や,45 g/cm² 未満であっても血圧や ESWS の経時的上昇に伴う心ポンプ機能低下例(生後 18 時間以降に多い)は減負荷療法の適応である。減負荷療法としては,塩酸モルヒネの持続静注の増量,フロセミド 0.5～1 mg/kg 静注,インドメタシン(インダシン®)やイブプロフェン(イブリーフ®;PDA が症候化しつつある場合)の投与に加えて,血管拡張薬(動脈管のシャントが少ない場合)などの投与を考慮する。

⑩血管拡張薬としては,おもにニトログリセリンを選択している。オルプリノン(コアテック®)やカルペリチド(ハンプ®)は動脈管拡張作用が強く出た経験があり,第 1 選択はニトログリセリンとしている。ニトログリセリン 0.3～0.5 μg/kg/分で開始し,血圧,尿量,BE,Stress-Velocity 関係の変化をみながら投与量を調節する(最大 2 μg/kg/分まで)。ニトログリセリンを増量していくと,PDA が症候化する可能性があるので注意を要する。

⑪生後 48 時間以降で心ポンプ不全が改善したら,循環作動薬は速やかに中止する(漫然と継続しない)。

11 内大脳静脈(ICV)血流波形の揺らぎの活用

- 左右の上衣下胚層周囲の静脈が合流した ICV のドプラ血流波形は,心内圧・静脈圧・胸腔内圧・腹圧などの上昇による脳循環への影響を反映する可能性がある。

- 超低出生体重児の生後早期に,定常流である ICV に揺らぎを認め

- る場合は，IVH のリスクがある。
- 超低出生体重児の生後早期の ICV の揺らぎの成因には，右心不全，右房圧の上昇だけでなく，左房圧上昇に伴う右室の後負荷不整合や，卵円孔レベルの左右短絡による右心系の拡大や右心系への静脈帰来血流量の減少などがあり得る。
- 超低出生体重児の生後 3 日間は脳エコーや心エコー時に ICV の血流波形を確認し，池田による ICV 波計の揺らぎの Grade 分類（図 4-3）[5,6]で評価する。
- ICV に揺らぎを認める場合は，その成因を分析し，呼吸循環管理の変更を検討する。
- 心電図の心房収縮に一致して揺らぎを認める場合は，心房圧の上昇を疑い，減負荷療法を検討する。
- 心房収縮や心拍と不一致の揺らぎの場合は，人工呼吸器の呼吸補助と一致していれば胸腔内圧の上昇や浮腫に伴う循環血液量の減少などを疑い，呼吸器管理方法や投与水分量の増量などを考慮する。

b 早産および極低出生体重の SGA 児

1 心不全

- 胎児期の心筋負荷で，心筋肥厚を認めることが多い。
- appropriate gestational age（AGA）児よりも血圧は高め。ベースが胎児期から続く慢性心不全のため，安静（モルヒネやチオペンタールによる鎮静。カテコラミン製剤の使用は避ける）を第一にする。
- AGA 児と異なり，生後 24 時間以降の後負荷過剰状態に伴う心ポンプ不全は少ない（SGA＝慢性心不全と考え，カテコラミン製剤をルーチンで投与し昇圧過剰になると，むしろ後負荷不整合になりやすい）。
- 生後早期から心拡大がある SGA 症例では，PDA により肺血流量が増加すると AGA 児以上に急速に肺出血などをきたす可能性がある。LA/Ao が 1.3，または左房容積が 0.7 mL/kg 以上あるような左房拡大時では，PDA の早期発見と治療が重要である。

2 胎便病

- 腹部膨満は空気嚥下とともに増強する。血行動態の安定しない急性期に呑気で腹部膨満が悪化する場合には，鎮静を強化する。

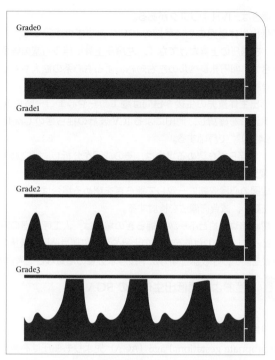

図 4-3 内大脳静脈波形の揺らぎの Grade 分類
揺らぎが強くなるのに一致して,脳室内出血の頻度や重症度が高まった。
Grade 0：血流速度が一定で正常流波形であるもの。
Grade 1：血流波形の流速の最低値が最大流速の半分以下とならない範囲で血流波形に揺らぎがあるもの。
Grade 2：血流波形の流速の最低値が最大流速の半分未満となるが,0cm/秒になることはなく揺らぎがあるもの。
Grade 3：血流波形の流速の一部が 0 cm/ 秒になる,揺らぎを認めるもの。
Ikeda T, et al. Changes in the perfusion waveform of the internal cerebral vein and intraventricular hemorrhage in the acute management of extremely low-birth-weight infants. Eur J Pediatr 2015；174：331-338[5]/Tanaka K, et al. Changes in International Cerebral Vein Pulsation and Intraventricular Hemorrhage in Extremely Preterm Infants. Am J Perinatol 2022［Online ahead of print］[6]

- 日齢 0 で呼吸循環が安定次第,浣腸（25％グリセリン浣腸を 2〜5mL/kg/回,1日 3〜8 回）を開始する。
- 呼吸循環が安定次第,モルヒネは漸減中止する。
- 胎便の排泄がない・胎便が排泄されても腹部膨満が続くときは,

外科医とともにガストログラフイン®注腸の適応を検討する。数回の注腸や手術を要することもある。
- 適応は厳格に見極め、予防的にガストログラフイン®胃内注入を検討する（⇒p.306）。
- 低リン血症（<4.0mg/dL）は腸管運動を低下させ胎便病の増悪因子となるので、早期（日齢2〜3頃）よりP（フィジオ®35またはリン酸Na補正液。フィジオ®35とリン酸Na補正液は他の薬剤と混濁するので単独投与）の点滴静注を開始する。
- 早期に重度の低リン血症をきたす場合には、refeeding症候群も鑑別に入れる（⇒p.170）。

3 その他
- 好中球減少の場合は、CRP・血糖は日齢6まで毎日、以降1〜3回/週測定する。CRP上昇時に好中球<1,000/μLならば、顆粒球コロニー刺激因子（G-CSF）製剤（グラン®2〜4μg/kg/回）を静注する。単に白血球減少のみではG-CSF製剤は使用しない。
- 急性期に血小板3万/μL以下なら血小板輸血を考慮する。通常は、出血症状を認めず自然軽快する。

C 後期早産および正期産のSGA児

- SGA児は出生体重と身長が10%tile未満。Light-for-dates児は体重のみが10%tile未満をいう。
- 胎児発育不全（FGR）という呼称は、胎児の児頭大横径（BPD）、腹囲、大腿骨長による胎児発育の低下をさす産科管理上の診断名のため、出生後の児では使用しない。
- 胎盤検索：組織学的な虚血性病変や子宮胎盤動脈病変は母体要因を示唆する。臍帯付着異常、巨大絨毛膜下血腫、mesenchymal dysplasia（妊娠早期の胎児血管の閉塞によると推測される胎盤奇形）は胎盤要因を示唆する。Small placentaは胎盤機能不全の場合も、胎児奇形の場合も起こり得る。
- SGAと診断したら、単なる胎内環境によるものか、奇形症候群、染色体異常、TORCH症候群などの基礎疾患によるものかを鑑別する。

2 糖・電解質異常

a 低血糖

1 管理目標
- 血糖値＜45 mg/dL では必ず対応する。

2 ハイリスク疾患・病態
- small for gestational age（SGA），重症新生児仮死，糖尿病母体児，多血症，過成長症候群，低出生体重，呼吸障害，敗血症。
- 糖の恒常性から診断と治療を考える。グルコース消費の亢進・グリコーゲンの分解不良（高インスリン血症含む）が低血糖の主要な要因である。低血糖に反応して，糖新生（材料はアミノ酸，ピルビン酸，乳酸，中性脂肪）が起こる。肝臓では脂肪酸酸化でケトン体（脳で利用可能）が作られる。よりマイナーな作用として，インスリンの拮抗作用をもつコルチゾール，成長ホルモン，グルカゴン，アドレナリンなどの問題を考える。

3 症状
- 無症状のことが多い。
- 長期または重度の低血糖の場合は，not doing well，易刺激性，哺乳不良，筋緊張低下，頻脈，けいれん，昏睡，無呼吸発作，徐脈，低体温症などを認めることがある。

4 検査
- インスリンを毛細血管採血（足底血）で提出しない（溶血のため低値になる）。
- ブドウ糖の点滴依存性が高い，高いブドウ糖投与速度（GIR）を要する（＞7 mg/kg/分）場合は，低血糖時（＜45 mg/dL）のサンプルが重要。
- 高インスリン性低血糖の診断：血中インスリン値＞1 μU/mL，血中3-ヒドロキシ酪酸（β-ヒドロキシ酪酸）＜2 mmol/L（2,000 μmol/L），血中遊離脂肪酸＜1.5 mmol/L（1.5 mEq/L）。

5 管理
- 低血糖の診断よりも予防が重要。

1)ハイリスク児
- 出生体重＜2,000 g の light-for-dates 児，コントロール不良の糖尿病母体児，過成長症候群など。
- 予防的にブドウ糖（GIR 5～6 mg/kg/分開始）の点滴をする。なるべく中心静脈ラインを確保し，点滴漏れによる血糖低下を予防する。血糖が安定するまで 1～2 時間ごとに血糖を測定する。
- 目標血糖値：50～100 mg/dL。血糖値＜45 mg/dL は避ける。
- ブドウ糖持続静注で，ブドウ糖濃度≧10％または GIR≧7 mg/kg/分のブドウ糖量が必要な場合は中心静脈ラインを確保する。
- PI カテーテルからの輸液糖濃度は 15％以下にする。
- 血糖値＜20 mg/dL なら 10％ブドウ糖 1 mL/kg をゆっくり静注（輸液ポンプの"早送り"を利用）後，血糖上昇（＞45 mg/dL）を確認するまで 20～30 分ごとに血糖測定し，GIR を 2 mg/kg/分ずつ徐々に上げていく。
- 点滴からのブドウ糖液のフラッシュを過剰に行うと反応性の低血糖をきたすので，漸増することが重要。
- 消化に問題がないならば，点滴からのブドウ糖投与量を増やすよりも，経腸栄養を開始したほうが血糖は安定しやすい。
- 高インスリン血症時のジアゾキシドの使い方を以下に示す。
  ①適応のめやす：経腸栄養が十分量（160～180 mL/kg）を超えても，GIR＞5 mg/kg/分を要する場合。
  ②小児内分泌専門医に相談したうえで，メリット（有効なら低血糖のリスクが減り早期退院も可能）とデメリット（退院後も投薬期間中は自宅血糖測定を要する）を総合的に判断し開始する。
  ③ジアゾキシド 3～5 mg/kg/日，分 2 を経口で開始，12～15 mg/kg/日まで増量する。
  ④15 mg/kg/日まで漸増し，（開始 5 日以降でも）無効ならば不応と判断する。
  ⑤副作用：Na と水分貯留による心負荷。とくに早産児では，循環不全と動脈管開存の可能性がある。長期には多毛（そのほか，IgG 低下，好中球減少，血小板減少，Bil 遊離作用。高用量で肺高血圧）。
  ⑥心負荷がみられる場合には，利尿薬（サイアザイド系利尿薬あるいはループ利尿薬）を併用する（ジアゾキシドはサイアザイ

ド系利尿薬と類似した構造をもつが，利尿作用はない。利尿薬を併用するならば，血糖の安定性を考慮すると，サイアザイド系利尿薬を用いるほうが理にかなっているかもしれない）。
- ほとんどは SGA に伴う一過性の高インスリン性低血糖であるが，原因がはっきりしない場合は表 4-6 に示す疾患も考慮する。検査

表 4-6 低血糖の比較的まれな鑑別疾患（下線は検査項目）

疾患	特徴
グルタミン脱水素酵素（ミトコンドリアでの）異常	高インスリン＋高アンモニア血症
先天性下垂体機能低下	・視神経の低形成，脳梁欠損，口唇裂や口蓋裂を伴う。 ・ACTH，GH，TSH。
副腎機能低下	・ケトン体上昇。 ・先天性副腎皮質過形成では必ずしも低血糖にはならない。
糖原病	・肝腫大を伴う。 ・乳酸上昇，肝機能障害，低血糖時の代謝性アシドーシスなどを呈する。
先天的な糖新生の異常（FBPase 欠損など）	・乳酸やピルビン酸の上昇。
アミノ酸代謝異常（メチルマロン酸血症，メープルシロップ尿症，高チロシン血症）	・アンモニア上昇，高クロール性代謝性アシドーシスを伴う。 ・タンデムマスが診断に有用。
β遮断薬の副作用	・乳児血管腫や Fallot 四徴症の無酸素発作などで投与される。 ・とくに経腸栄養が確立しない段階での投与は低血糖になりやすい。
後期ダンピング症候群	・機能的または解剖学的に胃が小さいことが原因。とくに，Nissen 噴門形成術後は要注意。 ・そのほか，胃瘻造設術後，食道閉鎖症，長期中心静脈栄養離脱後で起こり得る。 ・空腹時血糖は正常のことが多いので注意する。 ・疑う場合には，哺乳後 1 時間ごとに血糖測定する。哺乳後約 2 時間で最低値にあることが多い。 ・治療は，少量頻回投与（持続注入），増粘剤（例：つるりんこ牛乳・流動食用：ミルク 100 mL に 0.5〜2 g）の使用。

ACTH：副腎皮質ホルモン，GH：成長ホルモン，TSH：甲状腺刺激ホルモン，FBPase：フルクトース-1,6-ビスホスファターゼ

項目は下線。

2) 産科病棟でのリスク児
- **表1-1**（⇒p.3）を参照。

6 アルタイム持続血糖モニター（リアルタイム CGM）

- 適応：空腹時血糖が血糖最低値ではない可能性がある低血糖リスク児（院内の倫理審査と家族の同意書を得て実施している）。
- 除外：体重＜2,000 g。皮下組織が少ない（いずれも正しい血糖が測定されないため）。未熟性が強く，皮膚の脆弱性が強い。
- 治療方針の変更にも役立つ（例：持続注入から経口哺乳への移行など）。
- 留置部位は大腿外側。
- 校正目的に，1日4回は血糖測定を行う。
- 感染予防のため留置中は入浴を避け，留置期間は72時間までとする。
- 哺乳のタイミングを記録する。

b 高血糖

- 臨床的に問題となるのは，血糖≧180〜200 mg/dL。

1 原因
- 高血糖の原因を**表4-7**に示す。

2 治療
- 原因の検索と除去。とくに輸液の再確認，感染症のチェック，ス

表4-7 高血糖の原因

原因	特徴
ブドウ糖過剰投与	
未熟性	
重症新生児疾患	・敗血症 ・重症仮死 ・頭蓋内出血 ・術後，など
薬剤	・ステロイド，カテコラミン製剤投与
新生児糖尿病	・約半数は一過性で，インスリンからの離脱可能。 ・1型糖尿病と異なり，自己抗体は陰性なのが特徴。 ・生後6カ月未満に発症し，随時血糖≧200 mg/dLの持続，インスリンの必要性で診断する。

- トレスの緩和，補液へのアミノ酸添加。
- 糖尿による高浸透圧利尿からのショック・脱水に注意する。脱水がみられる場合はインスリンを併用する。
- インスリン療法：原因の除去やブドウ糖投与量を減じても250 mg/dL以上の高血糖が続く場合。インスリン（ヒューマリン®R注100単位/mL）0.1〜0.2単位/kg/日で開始して調整する。少量から漸増するほうがコントロールしやすい。

> 【例】体重1,000 gの児への投与
> ヒューマリン®R100を100倍希釈〔1 mL+5%ブドウ糖液99 mL（1 U/mL）〕。100倍希釈ヒューマリン®R 1 mL+10%ブドウ糖液49 mL（0.02 U/mL）を1 mL/時≒0.5 U/kg/日。フィルター禁。

- 必ず血糖値をモニタリングし，血糖≦250 mg/dLで減量する。
- インスリン使用中の血糖値の目標は，哺乳前で血糖≦100〜150 mg/dL，哺乳後は≦150〜200 mg/dL。

C refeeding症候群

- SGA児の生後早期の中心静脈栄養開始時に起こり得る。
- 低リン血症，低カリウム血症，低マグネシウム血症，高カルシウム血症[※6]を呈する。
- 必ずしも低血糖は伴わない。
- 尿中のP・Kが低いことを確認する（尿細管性アシドーシスなどと鑑別をする）。
- 低リン血症，低カリウム血症，および低マグネシウム血症を補正する。
- 正常な血糖を維持するレベルのエネルギー投与を行う（aggressive nutritionを避ける）。

[※6] 成人の教科書では高カルシウム血症の記載はないが，早産のSGA児ではrefeeding症候群に伴い高カルシウム血症をきたしやすく，Caの補充に注意する。

d 低ナトリウム血症

- 血液 Na≦135 mEq/L。
- 絶対的に Na が不足なのか,Na に不足はないが総水分量が多く,希釈されて相対的に Na が低値なのかを鑑別する(表4-8)。
- 影響:血液 Na の変化は血液の浸透圧変化を引き起こし,中枢神経細胞障害をきたす可能性があるため,血液 Na を適切な範囲(Na 135〜145 mEq/L)に保つ。
- 治療は,細胞外液量の減少を伴うなら Na の補充を行う。細胞外液量の増加(=浮腫)を伴うならば,Na や水制限およびループ利尿薬を投与する。
- 低ナトリウム血症の補正は緩徐(1日に Na≦10 mEq/L の変化)に行う。

e 高ナトリウム血症

- 血液 Na>150 mEq/L。
- 高ナトリウム血症を伴う脱水では,細胞内から細胞外への水分のシフトにより血管内容量は保たれるので,総水分の低下をバイタルサインや身体所見,心エコー所見から判断するのは難しい。
- 高ナトリウム血症の鑑別を表4-9に示す。もっともよくみられるのは,正期産児の生後早期の母乳欠乏によるものである。そのほ

表4-8 低ナトリウム血症の鑑別

病態	所見	原因
細胞外液減少	尿中 Na 低下	Na 投与不足 消化管からの喪失
	尿中 Na 上昇	腎性喪失 利尿薬 鉱質コルチコイド欠乏(≒晩期循環不全) 尿細管性アシドーシス
細胞外液正常		糖質コルチコイド欠乏(≒晩期循環不全) 抗利尿ホルモン不適切分泌症候群(SIADH)
細胞外液増加	尿中 Na 低下	低蛋白血症 心不全 非ステロイド性抗炎症薬(NSAIDs)
	尿中 Na 上昇	重炭酸 Na や塩化 Na 投与

表 4-9 高ナトリウム血症の鑑別

病態	原因
水分喪失	不十分な母乳（ミルク）栄養 下痢 不感蒸泄増加 腎性喪失（尿崩症，浸透圧利尿，異形成腎）
Na の過剰負荷	重炭酸 Na や塩化 Na 投与

表 4-10 低カリウム血症の鑑別

病態	原因
細胞内移動	インスリン投与 refeeding 症候群 β_2 作動薬投与
腎からの喪失	副腎ステロイド過剰 Fanconi 症候群 低マグネシウム血症 フロセミド，サイアザイド系利尿薬，浸透圧利尿薬投与 カフェイン，テオフィリン投与 アムホテリシン B 投与 ドキサプラム投与 まれな疾患（Bartter 症候群，Gitelman 症候群，Liddle 症候群）
消化管からの喪失	慢性下痢

か，超早産児の生後早期（生後 1～3 日）の利尿期には，経皮的な水分喪失（保育器内の湿度を下げると喪失は顕著になる。高ナトリウム血症では湿度を高めに保つ）が加わり，高ナトリウム血症をきたす。

- 超早産児では，高ナトリウム血症でも一般的な Na 必要量（約 2～3 mEq/kg/日）を維持するほうが安全である。
- 補正は 1 日の血液 Na の変化を 10 mEq/L 以内にする。

f 低カリウム血症

- 血液 K<3.5 mEq/L 未満。
- 早産児では K<3 mEq/L でも，体動減少や無呼吸，麻痺性イレウスは必ずしもはっきりしない。
- 鑑別の際には，喪失と細胞内移動を考える。尿中 K は鑑別に重要である（表 4-10）。

- 子宮収縮抑制のために母体にリトドリンが開始された直後に出生すると，児の血液 K が低いことがある（慢性のリトドリン投与ではみられない）。
- 薬剤の副作用はつねに念頭におく。
- 治療は原因によるが，K を補正する場合に 1 時間に 0.3 mEq/kg を超えない。K は粘膜刺激性のため，経腸栄養が確立していない児の K の内服は避けたほうが安全である。

g 高カリウム血症

- 血液 K>6 mEq/L。
- 生後早期の毛細血管採血（足底血）は溶血の影響を受けやすいため，高値であれば動脈採血で評価する。
- 高カリウム血症で頻度が高いのは，超低出生体重児の生後 36 時間以内に起こる非乏尿性高カリウム血症である。
- 母体への長期の硫酸 Mg 投与例では，出生週数にかかわらず K の推移を確認する。
- 原因を鑑別しながら（**表 4-11**），不整脈が起こると危機的な状況に陥ることを想定し，まずは治療にあたる。
- 不整脈発症前に治療を開始することが重要。
- 不整脈がなくとも，心機能低下の原因になる可能性がある。
- 脱水や hypovolemia があれば，生理食塩液負荷（10 mL/kg を

表 4-11 高カリウム血症の鑑別

病態	原因
細胞外の K の移動	超低出生体重児の生後早期の"非乏尿性高カリウム血症" 溶血 急性腫瘍崩壊 横紋筋融解 代謝性アシドーシス
腎からの K 排泄減少	副腎不全，晩期循環不全，低アルドステロン症 腎障害 薬剤（ACE 阻害薬，スピロノラクトン，NSAIDs，ヘパリン，トリメトプリム，シクロスポリン，硫酸 Mg）
K 摂取の増加	K 過量投与 輸血

ACE：アンジオテンシン変換酵素，NSAIDs：非ステロイド性抗炎症薬

1〜2時間で静注）を行う。
- 低カルシウム血症や低マグネシウム血症があれば補正する。
- 不整脈出現時は，まずモニタリングのうえ，徐脈に注意しながらグルコン酸 Ca（カルチコール®；Ca 0.39 mEq/mL）0.5〜1.0 mL/kg を静注する。次に，2 倍希釈した 7%炭酸水素 Na 2〜4 mL/kg を緩徐に静注する。
- グルコース−インスリン（GI）療法：在胎 28 週未満児では血清 K >6 mEq/L ならば，インスリン 0.5〜1.0 単位/kg/日を投与する。

> 【例】体重 500 g の児へ投与する場合
> ヒューマリン®R100 を 100 倍希釈〔1 mL＋5%ブドウ糖液 99 mL（1 U/mL）〕。100 倍希釈ヒューマリン®R 1 mL ＋10%ブドウ糖液 19 mL（0.05 U/mL）を 0.4 mL/時 ≒ 1 U/kg/日。フィルター禁。点滴静注開始。低血糖にならないように血糖を数時間ごとに確認する。血清 K が 6 mEq/L 以下に低下すれば減量中止する。

- イオン交換樹脂〔ポリスチレンスルホン酸（カリメートン®散）0.5 g/kg＋注射用水 2 mL〕注腸は数時間で劇的な効果を示すが，消化管穿孔のリスクを考慮し最終手段とする（早産児には原則使用しない）。

h 低カルシウム血症

- 補正 Ca<7.5 mg/dL，またはイオン化 Ca（iCa）<0.8 mmol/L（1.60 mEq/L）。
- 補正 Ca＝[実測 Ca＋(4−血清 Alb)] mg/dL。
- コントロール不良の妊娠高血圧症候群および糖尿病母体から出生した児や，早産児，仮死児，22q11.2 欠失症候群の児で新生児早期低カルシウム血症を呈する。
- 低カルシウム血症の原因として，ビタミン D 欠乏（吸収不良・腎障害・肝障害），低マグネシウム血症（<1.5 mg/dL），フロセミド投与による Ca 利尿，アルカローシス（iCa 低下）がある。
- 無呼吸，けいれん，振戦，易刺激性，徐脈，心ポンプ不全などの非特異的症状を呈する。
- 検査が異常値でも，無症状の場合は予防的な Ca 投与は避ける。

- とくに仮死児では，心不全がなければ投与しない。
- けいれんを伴う場合は，グルコン酸 Ca（Ca 0.39 mEq/mL）1〜2 mL/kg を徐脈に注意しながら静注。その後，3 mL/kg/日で持続静注する。Ca は点滴漏れによる組織壊死を起こしやすいので，可能な限り中心静脈ラインから投与する。
- Ca 値が改善しない場合は，ビタミン D 欠乏（25-ヒドロキシビタミン D で評価）や低マグネシウム血症，副甲状腺機能低下症の合併を考慮する。

i 高カルシウム血症

- 補正 Ca>12 mg/dL，または iCa>1.5 mmol/L（3.0 mEq/L）。
- ほとんどが医原性で，過剰な Ca 投与が原因。そのほか，ビタミン D の過剰投与，低体温療法に伴う皮膚脂肪壊死症（subcutaneous fat necrosis），Williams 症候群がある。
- intact 副甲状腺ホルモン（iPTH），1,25-ジヒドロキシビタミン D，25-ヒドロキシビタミン D を確認する。
- まずは Ca の投与をやめる。それでも高カルシウム血症が持続する場合には，（高カルシウム血症では利尿が亢進するので）脱水に注意し，フロセミド 1 mg/kg を静注する。その他にステロイド〔プレドニゾロン（プレドニン®）2 mg/kg〕静注も有効。低リン血症を伴う場合には，リン酸 Na 補正液 2〜3 mL/kg/日（≒ 30〜45 mg/kg）を輸液に添加する。

j 低リン血症

- 血清 P<2.5 mg/dL。
- P は Ca に比べて蓄積が少なく，補充しないと早期に低リン血症を引き起こす。
- SGA 児で refeeding 症候群（低カリウム・低マグネシウム血症を伴う）を発症すると，著しい低リン血症をきたす。
- 低リン血症は未熟児骨減少症の原因の 1 つである。「refeeding 症候群」（☞ p.170）も参照。
- 尿中の P が感度未満あるいは，尿細管 P 再吸収率（%TRP＝1－［尿中 P×血清 Cr/血清 P×尿中 Cr］）が 99％以上であることを確認する。

- 臨床的には血清 P≦3 mg/dL で，腹部膨満・腸蠕動低下をきたすことがある。
- 血清 K<5 mEq になれば，フィジオ®35 をベースとした輸液に変更する（フィジオ®35 は 100 mL あたり 1 mmol の P を含む）。調整困難な場合はリン酸 Na 補正液（0.5 mmol=mL）0.5～1.0 mL/kg/日を加える。
- 輸液終了後の管理は p.344 を参照。

k 高リン血症

- 血清 P>8 mg/dL。
- 原因として，P の過剰投与〔正期産児では輸液からの P が約 1.5 mmol/kg/日（フィジオ®35 で 150 mL/kg）を超えると要注意〕，腫瘍崩壊（一過性骨髄異常形成症候群など），腎不全があげられる。
- 症状に直接的なものはないが，高リン血症に伴う低カルシウム血症に注意する。
- 総水分量を増やし，尿からの排泄を促す。症候性の低カルシウム血症があれば，補正する（☞ p.174）。

l 低マグネシウム血症

- 血清 Mg<1.5 mg/dL。
- 原因は，①Mg 摂取量の減少（コントロール不良の母体糖尿病，小腸切除後，SGA）と，②Mg 喪失（交換輸血，胆道閉鎖，肝炎，下痢，フロセミド，アミノグリコシド系抗菌薬，アムホテリシン B 投与による副作用），があげられる。
- 症状は易刺激性，振戦，けいれんなど。Ca 投与に反応しない低カルシウム血症。
- けいれんがあれば，硫酸 Mg 注射液（硫酸 Mg 補正液 1 mEq/mL）0.8 mL/kg を 2 倍希釈して 1 時間で点滴静注する（不整脈のリスクがあるため，心電図のモニタリングは必須）。持続投与が必要な場合は 0.25～0.5 mL/kg/日，点滴静注（フィジオ®35 には 100 mL あたり Mg 0.3 mEq を含む）。

m 高マグネシウム血症

- 血清 Mg>2.8 mg/dL。
- 原因は母体への硫酸 Mg 投与，生後の Mg 過剰投与。
- 無呼吸，呼吸抑制，筋緊張低下，哺乳不良などを呈する。
- 徐脈，低血圧，心拡大，心駆出率低下，動脈管の閉鎖遅延の可能性がある。
- 長期間の硫酸 Mg 投与母体からの出生児は，生後に高マグネシウム血症が遷延することがある。また，骨・歯の石灰化障害が起こり得る。
- Mg 値からのみで治療の可否を判断しない。
- 症状がある場合，Mg の作用を拮抗する目的に，グルコン酸 Ca を投与する。母体への硫酸 Mg の長期投与による高マグネシウム血症では，血清 Mg 値の低下に時間を要する。

3 呼吸

a 急性呼吸障害一般

- 多呼吸，呻吟，陥没呼吸，チアノーゼなどの症状がみられる。
- ほとんどが，後述する呼吸窮迫症候群（RDS），新生児一過性多呼吸（TTN），胎便吸引症候群（MAS）であるが，それ以外の鑑別は難しい。
- 呼吸障害の原因は，①気道，②肺，③胸郭，④肺うっ血，の観点から鑑別を進める。
- おもな検査は，胸部X線，呼吸機能検査，喉頭ファイバー，気管ファイバー，胸部CTである。
- まれではあるが，疾患特異的な所見（以下があれば疑う）がみられる。
  ① 後鼻腔狭窄や閉鎖：呼気時に口腔が膨らみ，圧が最上昇したところで"パフッ"と口から空気が漏れる。緊急で経口の気道確保が必要。
  ② 梨状窩瘻による頸部嚢胞："出生時"に嚢胞に空気が入り，内容液が口腔内にあふれる。分泌物をすべて吸引すると，口腔内分泌物は落ち着く（頸部嚢胞のおもな鑑別疾患はリンパ管腫であるが，リンパ管腫は圧迫による呼吸症状はあっても気道との交通はない点で鑑別可能である）。

b 呼吸窮迫症候群（RDS）

1 症状
- 基本的には在胎36週以下の早産児。
- 超早産児を除くと，呻吟や陥没呼吸は出生当初は目立たなくても，時間経過（1時間以内）とともに進行する。

2 診断
- 出生後：マイクロバブルテスト（胃液）（**付録3-c**，☞ p.362）。
- 胸部X線（**表4-12**[7]；呼吸障害の重症度分類ではない）。

3 鑑別を要する疾患
- ①早発型肺炎，②肺静脈狭窄を伴う総肺静脈還流異常症，③肺

表 4-12 呼吸窮迫症候群（RDS）の Bomsel 分類

	網・顆粒状陰影	肺野の明るさ	中央陰影の輪郭	air bronchogram
Ⅰ度	かろうじて認められる微細な顆粒状陰影，末梢部に比較的多い	正常	鮮明	欠如または不鮮明，中央陰影の範囲を出ない
Ⅱ度	全肺野に網・顆粒状陰影	軽度に明るさ減少	鮮明	鮮明，しばしば中央陰影の外まで伸びる
Ⅲ度	粗大な顆粒状陰影	著明に明るさ減少	不鮮明 中央陰影拡大	鮮明，気管支の第2，第3分岐まで認められる
Ⅳ度	全肺野が均等に濃厚影で覆われる		消失	鮮明

Bomsel F. Radiologic study of hyaline membrane disease: 110 cases. J Radiol Electrol Med Nucl 1970；51：259-268[7)]

出血。

4 治療

- 肺サーファクタント補充療法として，サーファクテン®1 vial（120 mg）/kg に生理食塩液 3 mL を加え懸濁溶解し，閉鎖式薬物注入用カテーテル（トラックケアー MAC）を用いて，各肺葉に均等注入されるよう，体位変換しながら左右と正中 3 方向に分注する。
- 肺サーファクタント投与で改善しない場合は，総肺静脈還流異常症の除外が重要。

5 呼吸管理

- FiO_2 0.3～1.0，換気回数 40～60 回/分，最大吸気圧（PIP）16～20 cmH$_2$O，呼気終末陽圧（PEEP）5 cmH$_2$O，吸気時間 0.4～0.6 秒で開始。
- エアリーク予防に吸気圧を適正に下げる。一方で，酸素化の改善後にもエアリークを懸念して，（十分に肺コンプライアンスが改善するまで）最低限の PEEP を維持するために早期抜管はしない。
- 肺サーファクタント投与後 3 時間以上経過し，pCO_2 が低下（または 1 回換気量増加）し始めてから換気圧を下げ始める。
- weaning に際して，1 回換気量 4～6 mL/kg/回，分時換気量 0.20～0.40 L/kg/分をめやすにするが，陥没呼吸の有無，胸の

- 上がりや pCO$_2$ も参考にする。
- 酸素化の改善が乏しく X 線の透過性が改善しない場合には，肺サーファクタントを再投与する。
- 高い換気条件〔PIP>20 または平均気道内圧（MAP）>12〕を必要とする場合は，高頻度振動人工換気（HFO）を検討する。
- 換気条件を下げる手順としては，FiO$_2$>PIP>換気回数。
- 肺サーファクタント投与後，最低でも 6 時間は，原則として気管吸引しない。ただし，換気状態が悪化（とくに pCO$_2$ 上昇）する場合は吸引する。

C 新生児一過性多呼吸（TTN）

1 原因

- 肺水吸収遅延による肺胞低換気が原因。早産（30～38 週），帝王切開，無痛分娩など，陣痛・分娩時間の短い場合に多い。
- TTN 予防のため，予定帝王切開は妊娠 38 週以降に施行する。

2 診断

- 出生直後から発症する多呼吸・呻吟・陥没呼吸・チアノーゼで，ほかに原因がない場合。
- 胸部 X 線：air bronchogram，肺含気量の増加，肺門周囲に線状陰影，まれに胸水もみられる。
- 鑑別診断：卵円孔早期閉鎖（PCFO）。心エコーで心房中隔瘤（心房中隔が右房側へ突出），左室低形成，左房拡大，僧帽弁閉鎖不全などがみられる場合には，頻度は低いが PCFO が鑑別にあがる（☞p. 204）。

3 治療

- 酸素投与のみで回復することが多いが，経鼻 CPAP を行うとより改善が早い。
- 重症化することもまれではなく，十分な酸素吸入で酸素化が得られない場合や生後 24 時間で改善傾向がない場合には，気管挿管し人工呼吸器管理する。努力呼吸が強い場合には鎮静する。対応の遅れにより，重篤なエアリークや新生児遷延性肺高血圧（PPHN）をきたすこともある。
- 通常，肺サーファクタントは無効。

d 胎便吸引症候群（MAS）

1 症状
- 出生直後より発症する多呼吸，陥没呼吸，チアノーゼ，胸郭の膨隆。
- エアリークや PPHN を合併しやすい。

2 診断
- 胎児機能不全（NRFS），羊水混濁の既往。
- 臍帯・皮膚・爪の黄染，気管内より胎便を吸引。
- X 線所見：無気肺と気腫像の混在と，索状斑状浸潤陰影（ただし最重症型ではスリガラス状肺野）。

3 出生時の処置
- 児頭娩出後，できるかぎり手早く顔面の胎便をぬぐい，口腔吸引を行う。

4 治療
1) 軽症例
- 酸素投与（維持目標 $PO_2 > 100$ mmHg，$SpO_2 > 95\%$）。

2) 人工換気を要する例
- エアリークを起こしやすいため，多くの場合は鎮静（時に筋弛緩）を行ったほうがよい。
- 気道閉塞疾患のため HFO は無効のことが多いが，症例によっては HFO が有効な場合もある。
- 肺サーファクタント洗浄療法：5 倍希釈サーファクテン®（1 vial を生理食塩液 20 mL で溶解）を用いて気管洗浄を行う。
- さらに重症呼吸障害の場合は，サーファクテン®（1 vial）を補充する。
- 重症呼吸障害で NO 20 ppm を使用しても SpO_2 が 100% にならない症例に対しては，デキサメタゾン投与（0.5 mg/kg/日を分 2，3 日間静注，必要に応じて漸減）を検討する。期待する作用機序は，胎便による化学性肺炎に対する抗炎症効果で，効果の期待できる症例の特徴は，胎便が混入した羊水を吸引し，X 線上では典型的 MAS 所見に乏しく hazy lung で，徐々に呼吸障害が進行し肺出血合併が多い症例。

e dry lung 症候群

- 長期羊水過少で胎児呼吸様運動が阻害されることによる早産児の機能的肺低形成といわれるが，末梢気道閉塞が病態とも考えられている。
- 在胎 20 週未満での破水かつ羊水過少（ほぼゼロ）例では重症である。この場合，28 週未満で出生すると救命困難なことが多い。
- 同調性間歇的陽圧換気（SIMV）が無効な場合には HFO に変更している。
- 高い換気圧を必要とするが，典型例では 48 時間以内の経過で劇的に改善する。
- 剖検例の肺/体重量比は低値だが，肺低形成の基準を満たさないものが多い。

f leaky lung 症候群

- RDS 類似の症状を呈し，循環状態とは関係なく気管から多量の血清様（または淡血性）内容物が吸引される疾患群。出血性肺浮腫の一病型と考えられているが，発症機序は不明である。
- 胃液マイクロバブルテストでは medium〜weak を示すことが多く，呼吸機能検査では TTN に準じたパターンを示す。
- 全身浮腫，電解質異常（低ナトリウム血症，高カリウム血症）を伴うことが多く，なんらかの原因による血管透過性亢進が疑われる。
- 気道分泌物が多い状態でも肺サーファクタント補充が有効で，補充後に換気改善とともに気管吸引が減少する。
- しかし，RDS に比べて呼吸管理が長引くことが多い。

g 肺出血

- 肺うっ血を伴う心不全〔仮死に伴う心不全，症候性動脈管開存（症候性 PDA），PCFO，総肺静脈還流異常症，感染，代謝疾患など〕で起きやすい。
- 肺出血が予想される，あるいは肺出血の場合，人工換気中であれば高めの PEEP（6〜7 cmH$_2$O）で管理する。ただし，高めの PEEP が循環状態を悪化させる可能性がある場合は，その限りではない。

- 気管吸引で大量新鮮血が吸引され，換気条件の悪化がみられれば，胸部X線と心エコーで基礎疾患の検索を行い，その治療を優先する。
- 大量出血の場合は気管洗浄を行う。場合により肺サーファクタント洗浄療法を行う（⇒ p. 181）。
- 必要に応じて肺サーファクタント補充を試みる。

h　エアリーク

- 原因：未熟肺，肺低形成，MAS，TTN などの低肺コンプライアンスや不均等換気肺に対する人工換気。人工換気や持続気道陽圧（CPAP），自然気道にかかわらず，陥没の強い自発呼吸。
- 呼吸管理中にバイタルサインの急激な悪化（徐脈・血圧低下・チアノーゼ）をみたら，緊張性気胸を疑う。
- 透光試験や心エコーで心臓描出困難などの所見も診断の参考になる。
- 気胸で穿刺することを前提に撮像する場合には，患側を上にしたdecubitus view が有用。
- 新生児では多くが仰臥位管理のため，軽症気胸は正面X線で medial pneumothorax となる。
- 軽症エアリークは高濃度（30〜40％）酸素投与（窒素の wash out 法）のみで改善する。
- 人工換気中のエアリークの場合はファイティング予防のために鎮静し，なるべく低い換気圧（最低限の PEEP を保たないと，むしろ悪化させる）で管理する。
- 緊張性気胸は診断がつき次第，胸腔穿刺を行い，5〜10 cmH$_2$O の陰圧で持続ドレナージを行う（⇒ p. 129〜131）。

i　無気肺

- 右上葉に起こることが多い。とくに挿管チューブが深い場合に，右上葉を閉塞しやすい。
- 筋弛緩で調節換気中に起こりやすい。筋弛緩中は高い吸気圧と長めの吸気時間（少なくても 0.6 秒）にし，換気回数は減らしてリクルートメントを行う。
- 遷延あるいは繰り返す場合には，気管支分岐異常を合併していることもある。

- 体位ドレナージを中心とした呼吸理学療法を行い，吸気加湿を十分にして排痰を促す。
- 肺サーファクタント洗浄療法による気道洗浄が有効なこともある。
- 気管支が粘稠喀痰で閉塞している場合には，気管支ファイバーで吸引除去できることもある。

j 気道狭窄（咽頭狭窄，喉頭狭窄，気管・気管支狭窄／軟化症）

- 長期呼吸管理の合併症あるいは先天性の気道病変を鑑別診断にあげ，必要に応じて内視鏡検査や陰圧 CT 検査など（☞ p. 67〜68）を行う。
- 吸気性喘鳴では胸腔外気道（咽頭・喉頭・気管上部）の病変を，呼気性喘鳴では胸腔内気道（気管下部・気管支・細気管支）の病変を疑う。
- 慢性肺疾患（CLD）の結果として，気管軟化や肉芽形成を発症することがある。
- 上気道〜中枢気管狭窄（とくに舌根沈下や喉頭軟化症）では，腹臥位で症状が軽減することがある。
- 早産児の急性期メチシリン耐性黄色ブドウ球菌（MRSA）感染は壊死性気管炎や気管肉芽などの難治な気道狭窄病変を引き起こすことがあるため，保菌者への再挿管時にはバンコマイシンを投与する。
- 長期挿管の合併症としての声門下狭窄と気管・気管支軟化症，ならびに PDA 手術後の合併症としての反回神経麻痺には注意が必要である。
- 軽症の気道病変は発育とともに自然軽快することも多いが，重症の呼吸障害を呈する場合は原因に応じて鎮静管理，分泌物管理，下咽頭チューブ，呼吸器管理，軟化症治療，気管切開などを行う。
- 気管・気管支軟化症は呼吸努力により呼気時に胸腔内圧が上昇することで，気道脆弱部分の狭窄が顕著になる。慢性的な気道粘膜どうしの接触に伴い，浮腫，潰瘍，肉芽などの粘膜病変を併発する。鎮静を管理の基本として，呼吸管理中であれば，必要に応じて high PEEP 療法（7〜10 cm H_2O）を行う。
- 原因や重症度にもよるが，一般的には呼吸努力が強まる生後半年

頃にかけて気道狭窄症状が顕在化しやすく，その後は成長によって1歳頃までに改善傾向がみられる場合が多い。
- 呼吸器感染による急性増悪に注意が必要である。
- 気管・気管支軟化症症例で急激に呼吸状態が悪化した場合は，粘膜病変が進行した可能性が高く，筋弛緩・鎮静下に，十分に長い呼気時間（X線で過膨張にならない程度とし，換気グラフィックモニターで呼気フロー終末の平坦化を目指す）を確保したhigh PEEP呼吸管理が必要になる。そのうえで，粘膜病変に対して0.1％アドレナリン（ボスミン®外用液）0.1 mL 局所噴霧やデキサメタゾン（デカドロン®）0.25 mg/kg の12時間ごと投与を検討する。

k 抜管困難

- 原因の多くは長期挿管に伴う喉頭浮腫か声門下狭窄で，そのほかに両側声帯麻痺や喉頭軟化症なども原因になる。
- 喉頭浮腫を疑う場合は，抜管前日からデキサメタゾン 0.25 mg/kg の12時間ごと投与を行い，抜管後は数時間ごとにアドレナリン外用液吸入（生理食塩液 2 mL＋0.1％アドレナリン外用液 0.1〜0.2 mL）を行う。
- 喉頭浮腫の場合，症状のピークは抜管後6〜12時間で，それ以後は軽快することが多い。
- やむを得ず再挿管する場合には，挿管チューブにベタメタゾン（リンデロン®-V）軟膏を塗布する。再挿管後は数日〜1週間安静を保ったうえで，再度，抜管を試みる。
- 抜管失敗を繰り返す場合には，喉頭展開による観察，経鼻的喉頭ファイバー，直達喉頭鏡による観察などを行い原因検索に努める。
- 器質的疾患（声門下肉芽・横隔膜症など）あるいは，機能的疾患（両側声帯麻痺・喉頭軟化症など）であっても重症で短期的抜管の見通しが立たない場合は，気管切開を考慮する（⇒ p.119）

l 新生児慢性肺疾患（新生児CLD）

1 定義と分類（表4-13）[8]

- 肺・気道の病態により酸素投与を必要とするような呼吸窮迫症状が新生児期に始まり，日齢28を超えて続くもの。

表 4-13 新生児慢性肺疾患（新生児 CLD）の分類

病型	呼吸窮迫症候群（RDS）	IgM 高値，絨毛膜羊膜炎，臍帯炎	日齢 28 以降の泡沫状/気腫状陰影
Ⅰ	+	−	+
Ⅱ	+	−	−
Ⅲ	−	+	−
Ⅳ	−	不詳	+
Ⅲ'	−〜+	+	+
Ⅴ	−	−	−
Ⅵ	上記のどの型にも当てはまらないもの		

絨毛膜羊膜炎があれば，bubbling のない CLD はⅢ'型へ分類する。
藤村正哲（監），田村正徳，他（編）．新生児慢性肺疾患の定義と診断．科学的根拠に基づいた新生児慢性肺疾患の診療指針，改訂 2 版，メディカ出版，5，2010[8]

- 修正 36 週時点での酸素依存度は，呼吸予後に相関する。酸素投与の必要性を見極めるために，oxygen reduction test での評価が有用である。

2 予防および管理方法

- CLD を疑う場合は，腹臥位管理，呼吸理学療法を積極的に行う。
- CLD への進行が予測される場合，生後 1 週以降，予防的にベクロメタゾン（キュバール™ 50 エアゾール）の吸入を行う。
- 栄養管理：肺浮腫が呼吸に悪影響を及ぼしていると思われる場合を除き，水分制限は原則行わない。総エネルギー摂取量 120〜150 kcal/kg/日を目標とする。母乳の場合は後乳を積極的に利用する。
- 肺浮腫の軽減目的に利尿薬投与が有効な場合があるが，長期投与はできるだけ避ける。
- 生後 1 週以降で，呼吸器依存で FiO_2 0.3 以上の場合はステロイド投与を考慮する（表 4-14）[9]。
- CLD 対策に去痰薬や β_2 刺激薬，マクロライド系抗菌薬は投与していない。

3 呼吸管理上の注意点

- 換気条件は経皮的二酸化炭素分圧（$TcPCO_2$）45〜55 mmHg をめやすにしている。
- さらに換気条件が悪化する場合は，HFO や NAVA（neurally ad-

POINT oxygen reduction test

1. 対象
◆ 酸素吸入で SpO_2 が 96％以上維持されている児。

2. 除外
◆ nasal high flow や経鼻持続気道陽圧（経鼻 CPAP），または SpO_2 90％以上を維持するために，吸入酸素濃度 30％以上または FiO_2 1.0 の 1L/分の酸素投与を要する児，肺高血圧など酸素中止が困難な病態の児は対象から除外される。

3. 経鼻カニューレでの FiO_2 換算式
◆ 鼻カニューレでの FiO_2 換算式
 $FiO_2 = 0.21 + 流量(L/分) \times (使用酸素濃度 - 0.21) / 体重(kg)$
◆ 100％酸素濃度吸入時の FiO_2 を表 a に示す。

4. 方法
◆ 安静時において，哺乳直後でないタイミングに施行する。
 ① 吸入酸素濃度を下げていく（表 b）。
 ② 室内気で 30 分観察する。

5. 判定
◆ Failure 基準（表 c）を用いる（Failure の場合には酸素を元に戻す）。
◆ 酸素ブレンダーや微量酸素流量計などを準備できないことから，Walsh らのオリジナルの方法を改変して実施している。

表 a 100％酸素を経鼻カニューレで吸入している場合の FiO_2

	1 kg	1.5 kg	2 kg	2.5 kg	3 kg	3.5 kg	4 kg
0.25 L/分	0.41	0.34	0.31	0.29	0.28	0.27	0.26
0.5 L/分	0.61	0.47	0.41	0.37	0.34	0.32	0.31
0.75 L/分	0.80	0.61	0.51	0.45	0.41	0.38	0.36
1 L/分	1	0.74	0.61	0.53	0.47	0.44	0.41
1.5 L/分	1	1	0.80	0.68	0.61	0.55	0.51

表 b 吸入酸素濃度の減量方法

条件	方法
器内酸素の場合	3 分ごとに 2％ずつ減量
経鼻カニューレでの酸素投与の場合	3 分ごとに酸素流量 0.25 L/分ずつ減量

（次ページへつづく）

POINT oxygen reduction test（つづき）

表c Failure 基準

以下のいずれかに該当する。

- SpO_2 80～89%が5分以上
- SpO_2 80%未満が15秒以上
- 無呼吸（20秒以上の呼吸停止）
- 徐脈（心拍数80/分未満が10秒以上）
- テスト終了後に1時間以上，必要な吸入酸素濃度が10%以上増加する。

参考文献
- 友滝清一，他．慢性肺疾患の診断における oxygen reduction test の有用性と臨床的意義．日周産期・新生児会誌 2017；53：465
- Walsh MC, et al. Impact of a physiologic definition on bronchopulmonary dysplasia rates. Pediatrics 2004；114：1305-1311

表4-14 呼吸状態悪化時のステロイド療法

投与薬剤 （商品名）	用法・用量	
ヒドロコルチゾン （ソル・コーテフ®）	4mg/kg/日 分2静注 3日間	・原則，漸減しない。 ・終了翌日が酸素化改善のピーク。終了後4日までは酸素化改善効果が続くことが多い。 ・換気改善効果は乏しい。 【参考】 コルチコステロイドの等価量 ヒドロコルチゾン4mg＝デキサメタゾン0.15mg＝プレドニゾロン1mg
デキサメタゾン （デカドロン®）	0.15～0.5mg/kg/日 分2静注 3日間	・できるだけ使用を控える。 ・ヒドロコルチゾンが無効な場合に考慮する。
プレドニゾロン （プレドニン®）	1～2mg/kg/日 分2内服	・最重症CLDに対して長期投与を余儀なくされる場合に選択。

Brunton LL, et al. Goodman & Gilman's The Pharmacological Basis of Therapeutics. 11 th ed, McGraw-Hill, 1027, 2005[9)]をもとに作成

justed ventilatory assist）への変更も検討する。
- 体動や体向時に気道閉塞発作が多い場合，チューブ先端位置や気道内の状態を，X線や気管支ファイバーで確認する。
- 呼吸状態が悪い場合はステロイド療法（表4-14）を行う。

4 抜管前後の管理

- 挿管チューブ当たりによる気道閉塞,または徐脈発作を起こす場合は,抜管で改善することも多い。
- 修正 37〜40 週をめどに,oxygen reduction test で酸素投与の中止を検討する (⇨ p. 187)。酸素依存度が高ければ,在宅酸素療法 (HOT) を検討する (⇨ p. 32)。

5 合併症

- 限局性肺気腫や巨大ブラ:まず気管支軟化症に伴う気道肉芽などの存在を,見える範囲で検索する。患側下の側臥位で呼吸管理する。手術で著明な改善が得られるので,呼吸状態が悪い場合,保存的に見すぎない。手術に備えて CT を撮影する。NAVA で縮小することもある。
- 声門下狭窄:長期挿管・頻回の再挿管・新生児期の気道感染(とくに MRSA)などの場合は注意する。再挿管の際には,予防的に抗菌薬(単回)を投与する。
- 胃食道逆流(GER):CLD 増悪に関与することがある。関与を疑う場合には,抜管までの間,十二指腸チューブで栄養する。

m 無呼吸発作

1 定義

- 20 秒を超える呼吸停止,20 秒未満でも,チアノーゼ,徐脈,蒼白のいずれかを伴うもの。呼吸停止には,胸郭運動が認められても鼻腔内気流が認められないもの(閉塞性無呼吸)も含まれる。

2 原因

①未熟性:呼吸中枢,気道構造,呼吸筋の未熟性により生じ,通常,修正在胎 37 週までに消失するが,在胎 28 週未満で出生した児では 43〜44 週まで続くこともある。

②症候性:母体鎮静薬投与・感染症・多血症・貧血・けいれん・頭蓋内出血・口腔内分泌物貯留・上気道閉塞・代謝性疾患(低血糖,低体温,高体温)などを鑑別する。プロスタグランジン E_1 (PGE_1)製剤投与の副作用でも起こる。早産児であっても,まずは症候性無呼吸の除外が必要である。在胎 36 週以後に発症する無呼吸はすべて症候性と考えて,原因を鑑別する。

3 一般的管理

- 前述の鑑別診断を行い,基礎疾患のあるものはその治療を行う。
- 腹臥位にし,頸部前屈を防ぐ。
- 胃管の位置が正しいか確認する。
- 皮膚温を 36℃ 程度(四肢で 36℃,体幹で 36.5℃)の低めに保つ。体温上昇は無呼吸の頻度を高める。
- 酸素投与(呼吸賦活効果がある)。
- 無呼吸を 7 日間以上認めないことが退院の条件となる。
- 修正 48 週までは,麻酔後 24 時間は無呼吸に注意する。
- 貧血の是正。

4 治療

1) **無水カフェイン(レスピア®)**
- 維持量として 10 mg/kg を 1 日 1 回,点滴静注(30 分)または経口投与。
- 中毒濃度は高いが,副作用として,頻脈,低カリウム血症に注意する。
- 最終投与から約 7 日は効果を示すことを考慮して,少なくとも退院の 7 日前には中止しておく。在胎 36 週以降の児には原則投与しない。
- 投与の変更が煩雑になり投与量エラーを防ぐため,敢えて loading していない。

2) **塩酸ドキサプラム(ドプラム®)**
- 0.1〜0.2 mg/kg/時,持続静注。上限は 0.3 mg/kg/時。
- 中枢性の無呼吸では速やかに効果がみられる。
- 副作用として,低カリウム血症があげられる。そのほか易刺激性,けいれん,胃吸引増加,腹部膨満,消化管穿孔も報告があるが,0.1〜0.2 mg/kg/時の使用では経験がない。

3) **経鼻 CPAP**
- *p.100* を参照。
- コントロールできなければ(バギングを要する,または 8 時間に 5〜6 回の無呼吸発作)気管挿管し,人工換気する[※7]。

[※7] NAVA 導入後から気管挿管・人工呼吸管理中に自発呼吸をモニターしやすくなり,人工呼吸器離脱後の無呼吸で困らなくなった。

4 循環

a 新生児期に問題となる心疾患

- 先天性心疾患の多くは、胎児期には胎盤のサポートを受けて循環が保たれるが、出生後に病態に応じた症状を呈する。
- 一方、高度徐脈や重症 Ebstein 病、動脈管早期閉鎖などでは、しばしば胎児機能不全や胎児水腫をきたす。

1 出生後診断のヒント

- 先天性心疾患の診断が確定されない状態で、出生時に元気だった児が生後数時間〜数日の経過で状態が急速に悪化する場合は、①動脈管の狭小化、②肺血管抵抗の低下による循環不全、の影響を考慮する必要がある。
- 100%酸素投与下でも残存するチアノーゼや上下肢差のあるチアノーゼ、上下肢の血圧差、新生児呼吸障害として非典型的な経過がみられる場合は、大血管の位置関係や血管の分枝、大動脈弓の連続性、心房間の血流方向、肺静脈還流などに着目してエコー検査を繰り返す。

2 症状出現時期別の鑑別

- 表 4-15 に症状出現時期による鑑別診断を、また表 4-16 に動脈管依存性疾患の動脈管の意義を示す。
- プロスタグランジン E_1（PGE_1）製剤を用いて動脈管開存（PDA）を維持し、疾患に応じた治療計画を立てる。
- 介入の時点で動脈管の内径が保たれていれば、PGE_1 製剤により急激に肺血流が増加するリスクを考慮し、アルプロスタジル（パルクス®）2 ng/kg/分で開始する。介入時、動脈管がすでに狭小化している場合はアルプロスタジル 5 ng/kg/分で開始し、エコー所見や SpO_2 値の推移により適宜調整する。
- Ductal shock ではアルプロスタジルアルファデクス（プロスタンディン®）50〜100 ng/kg/分で開始し、動脈管を早急に開く。副作用の呼吸抑制に対しては呼吸管理を行う。
- 純型肺動脈閉鎖や肺動脈閉鎖に伴う主要体肺動脈側副血行路は、基本的には肺血流減少をきたすが、動脈管や側副血管の形態に

表 4-15 症状出現時期による鑑別診断

症状出現時期	鑑別診断
出生直後からショックをきたす	重症肺静脈狭窄を伴う総肺静脈還流異常症 最重症の Ebstein 病（wall to wall heart） 重症の気道狭窄病変を伴う肺動脈弁欠損や血管輪 動静脈血のミキシングが不良な大血管転位症 1 型 心房中隔欠損のない左心低形成症候群，など
出生直後からチアノーゼが目立つ（動脈管が開存している状態で症状出現）	完全大血管転位 総肺静脈還流異常症
生後数日で比較的呼吸はよいが，チアノーゼをきたす（動脈管の閉鎖に伴い症状出現）	Fallot 四徴症 純型肺動脈閉鎖 重症肺動脈弁狭窄
生後数日で陥没呼吸と皮膚色不良（いわゆる"土気色"）と軽度チアノーゼをきたす（動脈管の閉鎖に伴い症状出現）	左心低形成症候群 大動脈縮窄複合 大動脈弓離断

表 4-16 動脈管依存性疾患の動脈管の意義

動脈管の意義	動脈管依存性疾患
体血流が動脈管に依存	左心低形成症候群 重症大動脈弁狭窄 大動脈縮窄複合 大動脈弓離断
肺血流が動脈管に依存	Fallot 四徴症 純型肺動脈閉鎖 重症肺動脈弁狭窄，など

よって肺血流増加も生じ得る。

3 各論（新生児期に問題となる疾患のおもな所見と対応）

1）左心低形成症候群・総動脈幹症・大動脈縮窄複合の急性期管理

- アルプロスタジルで PDA を維持する。
- PaO_2 や SpO_2 の値を指標に，低酸素換気療法（FiO_2 0.16〜0.20）を行う（☞ p. 144）。
- $PaCO_2$<40 mmHg が続く場合には，鎮静薬で安静を保つ。
- 肺血流のコントロールが困難な場合には，挿管下に筋弛緩薬を併用し，低酸素療法とともに $PaCO_2$≧40 をめざして調節呼吸管理を行う。

- 心不全が強いときは啼泣などで負荷がかかると急変リスクが上昇するため，モルヒネなどで鎮静してから挿管などの侵襲的な処置を行う。

2) Fallot 四徴症
- 右室流出路狭窄の血流パターンの確認が有用（**図2-20**, ☞p.63）。
- 重度の肺動脈狭窄例は動脈管依存性を判断し，動脈管を開存させる。
- （チアノーゼのない）いわゆる pink Fallot では，高肺血流の治療が必要なことがある。
- 肺動脈弁狭窄が中等度以下でも，円錐中隔や右室流出路の肥厚が目立つ症例は，経過中に肺動脈弁下狭窄によるチアノーゼの進行，啼泣時の無酸素発作（spell）の出現に注意する。
- 右室流出路狭窄に対しては，相対的貧血の補正や容量負荷，プロプラノロール（インデラル®，開始量1 mg/kg/日）投与を考慮する。
- 啼泣後に SpO_2 低下，心雑音の変化（小さく短くなる）があれば，spell を考える。
- Spell の対応としては，胸膝位，鎮静，容量負荷（輸血など）を行う。

3) 総肺静脈還流異常
- 肺静脈狭窄がある場合，重度の肺うっ血による著明なチアノーゼ（皮膚色は青白い）と呼吸困難を呈する。
- X線所見：肺うっ血が著明で，網状顆粒状陰影をきたす。呼吸窮迫症候群（RDS）や胎便吸引症候群（MAS）に類似。通常，心胸郭比（CTR）は正常。新生児遷延性肺高血圧（PPHN）と異なり，胸郭はベル型でないことが多い。
- 心エコー所見："肺静脈が左房に還流しない" ことで診断が確定するが，共通肺静脈への還流と左房への還流を区別するのは難しいため，他の所見（左房左室が小さい，心房間は右左シャント，無名静脈の拡張や肝内の拡張した脈管の存在）もよく観察する。
- 肺血流増加で肺うっ血が増悪するため，酸素投与は可及的に控える。新生児期に外科的修復術を行う。肺動脈狭窄や閉鎖がない限り，PGE_1 製剤は禁忌。

4) 重症 Ebstein 病
- 三尖弁付着異常，三尖弁逆流（TR）により，チアノーゼと重度の右心機能不全を呈する。

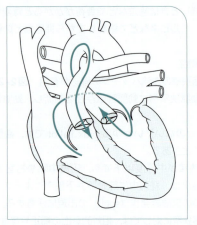

図 4-4 circular shunt

- 三尖弁付着部位や右室の収縮能によって重症度はさまざま。
- X 線所見：著明な心拡大，最重症例は wall to wall heart（CTR＝100%）を呈する。
- 心エコー所見：重度の TR を伴い，右房が拡大。三尖弁の付着が心尖方向に偏位。重症例は肺動脈弁の順行性血流が消失し（機能的閉鎖），TR の流速が低下する。最重症例では右室のポンプ機能が消失し，肺動脈弁逆流を合併すると，肺動脈→肺動脈弁逆流→右室→TR→右房→心房間シャント→左房→左室→大動脈→動脈管→肺動脈→肺動脈弁逆流→右室→…と血流の短絡回路（circular shunt, 図 4-4）を生じ，重篤な心不全を呈する。
- 肺血管抵抗を下げることを念頭において治療する。
- 右室から肺動脈への順行性血流を増やす目的に，呼吸管理，高濃度酸素投与や一酸化窒素（NO）吸入療法を行う。
- 重度の低酸素血症や循環不全が改善しない場合は，救命目的に緊急で Starnes 手術を考慮する。

5）肺動脈弁欠損

- 逆流防止弁が欠如し，右室－肺動脈の間で往復する血流によって右室と肺動脈が著明に拡大する。拡大した肺動脈が気管や気管支を圧迫し，多様な呼吸障害を呈する。

- 出生直後から第3肋間胸骨右縁に連続性心雑音（to and fro）を聴取。
- X線所見：肺気腫，無気肺，肺門部の瘤状影，CTRの拡大。
- Fallot四徴症，22q11.2欠失症候群に合併することが多い。
- 呼吸障害に対応し，検査所見をふまえて手術方針を検討する。

6）完全大血管転位
- 出生直後からチアノーゼを呈する（皮膚色は赤黒い）。
- （冠動脈血の酸素飽和度が低いので）胎児機能不全（NRFS）や新生児仮死で重症化することがある。
- 出生時には蘇生の必要に備える。
- （胎児期の肺血流の酸素飽和度が高いので）PPHNを合併することがあり，SpO_2は上肢く下肢で開大する。
- アルプロスタジルでPDAを維持する。アルプロスタジル開始後にもチアノーゼが改善せず，心房間交通が不十分（左房拡大や右房側に凸な心房中隔）な場合には，バルーン心房裂開術を行う。

b 未熟児動脈管開存症（未熟児PDA）

1 頻度
- 在胎週数が少ないほど，生後の症候性PDAの頻度は高い（23週67%，24〜26週45%，27〜28週30%）。
- 肺サーファクタント（サーファクテン®）投与例では，呼吸状態改善後に症候性PDAを合併しやすい。
- 低出生体重児のPPHNでは，肺高血圧が改善後に急速に症候性PDAとなることがある。

2 症状
- 肺血流量増加に伴う心不全と，体血流量減少に伴う循環不全。
- 心雑音，bounding pulse，心尖部拍動，頻脈，多呼吸，陥没呼吸，呻吟，血中CO_2貯留，腹部膨満，乏尿，アシドーシス，肺出血。

3 診断

1）身体所見
- 心雑音はPDAの診断の参考となるが，生後早期の肺血管抵抗が高い時期には，症候性PDAでも心雑音が聞こえないことが多い。生後早期の超低出生体重児で心雑音が聞こえるときには，すでに肺出血の寸前であることさえある。
- 拡張期血圧の低下や収縮期・拡張期血圧の脈圧差の増大に注目す

る。ただし、非観血的血圧測定ではわかりにくい。

2）X 線検査

- 胸部 X 線の所見は、心拡大と肺うっ血である。ただし早産児の生後早期においては、RDS などの呼吸器疾患や人工呼吸器管理による肺容積の変化は CTR に影響する。また、新生児期は心臓が時計方向に回転し、右心系が大きいため、左心系は右心系の心陰影に重なり含まれてしまう。そのため、左心系の拡大は CTR に反映されにくいことに注意する。
- PDA が症候化する時期は生後 24 時間以降であるが、左心機能低下例や肺血管抵抗減弱が早いことがある母体硫酸 Mg 投与児では、症候化が早まることがある。

3）心エコー検査

- 超低出生体重児では、動脈管が閉鎖するまでは生後 3 日以内は 8 時間に 1 回、動脈管閉鎖以降の生後 1 週間以内は少なくとも 1 日 1 回のエコー検査を行う。
- 動脈管の径・血流波形・ridge 形成、左肺動脈血流波形、左室・左房の拡大、腎動脈血流波形などの指標で総合的に PDA の重症度を判断する。
- 超低出生体重児で動脈管の径 1.5 mm 以上、pulsatile 血流波形、ridge 形成なし、左肺動脈拡張末期速度 15 cm/秒以上、左房径/大動脈径（LA/Ao）比 1.3 以上、左房容積係数 0.8 mL/kg 以上、左室拡張終末期径（LVDd）12 mm 以上もしくは [5.4×体重＋7.1] mm 以上、腎動脈拡張期逆転波形などをみた場合は PDA の治療を検討する。
- 動脈管の大きさ・流量は刻々と変化しやすいため、呼吸循環状態の変化があれば再検査する。
- 動脈管を長軸で観察する。
- 動脈管は最初に肺動脈側の内腔に突起が形成されて閉鎖していくので、ridge の有無に注目する。
- カラードプラ上、動脈管から肺動脈へ流れ込む血液が、主肺動脈内のどこを流れているかで閉鎖傾向を判断できる（左側の壁に沿って流れる場合は閉鎖傾向なし、右側の壁に沿って流れる場合は閉鎖傾向あり）。
- 大動脈縮窄症（CoA）を見逃さない。大動脈弓が観察困難、峡部

が狭い場合は CoA の可能性あり。
- 動脈管血流に比し，LA/Ao 比，LVDd が大きすぎる場合は左心機能低下（僧帽弁閉鎖不全を含む）を考える。
- 肺高血圧がある場合，肺血管抵抗の低下とともに急激に肺血流量が増加する可能性がある。

4）ヒト脳性 Na 利尿ペプチド前駆体 N 端フラグメント（NT-proBNP）
- 生後 1 週以内は胎児発育不全（FGR），NRFS および新生児仮死，後負荷過剰に伴う心ポンプ不全，子宮内感染症などでも上昇を認める。生後 4 日以降の未熟児 PDA の重症度評価には有用と考えられる。
- 1 計測値の絶対値で判断はせず，経時的変化が重要である。
- 9,000 pg/mL 以上で，かつ上昇傾向を示す場合は要注意。

4 薬物治療

1）適応
- イブプロフェン（イブリーフ®），インドメタシン（インダシン®）のみプロスタグランジン合成阻害薬として，現在，保険収載されている。2018 年以降，当施設ではイブプロフェンを使用している。
- 早期投与により，PDA の合併症やイブプロフェンの副作用を軽減できる可能性があるので，超低出生体重児では合併症を生じる前に（肺出血しないように）治療を開始する。
- 超低出生体重児や左心機能障害例では，生後 18 時間以降で動脈管の閉鎖傾向がなければ治療を開始する。
- 標準的薬用量では初回 10 mg/kg/回を投与し，2 回目，3 回目は 24 時間ごとに 5 mg/kg/回投与する。
- 当施設の投与方法（表 4-17）は，消化管穿孔のリスクを考慮して在胎週数ごとに投与量を変えている。
- 心エコーで動脈管の閉鎖が確認されたら，以後の投与を中止する。1 クールを終えた時点で動脈管の閉鎖がみられない場合，2 クール目の開始は少なくとも 1 クール目終了後 4 日は間隔をあける。間隔をあけることが困難であれば，外科治療を検討する。

2）副作用
- 低血糖，腎障害，消化管穿孔，血小板機能障害，肺高血圧。
- イブプロフェン開始後は，消化管穿孔のリスクを高めるステロイド製剤の併用は避ける。

表 4-17 神奈川県立こども医療センターのイブプロフェン(イブリーフ®)投与方法

	24 週未満	25 週	26 週以降
生後 1 週未満	2-2-2 mg/kg/回	消化管リスクの状況で判断	5-5-5 mg/kg/回
生後 1 週以降	5-5-5 mg/kg/回		

いずれも 1 時間静注。24 時間ごとに 3 回までの投与を 1 クールとしている。
インドメタシン(インダシン®)は投与日齢を問わず 0.1 mg/kg/回であったことをふまえて,イブプロフェン(イブリーフ®)では減量している。

- イブプロフェン投与前の血糖値が低めの場合は,ブドウ糖投与速度(GIR)をあげておく。
- 乏尿の場合は投与間隔を延ばし,フロセミド・ドパミンの併用を検討する。
- 血小板減少がある場合は出血傾向に注意する。

5 その他の内科的治療

1)循環補助薬

- 未熟児 PDA は高拍出性心不全となるので,心収縮力の低下は必ずしも伴わない。血圧が低くとも,心収縮力〔左室駆出率(EF)や心拍補正左室平均円周短縮速度(mVcfc)〕などが維持されていればカテコラミン製剤は併用しない。
- 心収縮力低下症例において,ドパミン(1〜2 μg/kg/分),ドブタミン(2〜4 μg/kg/分)を使用することはあるが,PDA の左右短絡量の増加を認める場合には減量や中止を考慮する。
- 血管拡張薬は動脈管閉鎖を妨げることがあるので,症候性 PDA には慎重に投与を検討すべきである。後負荷過剰に伴う心ポンプ不全に対する血管拡張薬投与中に動脈管の開存を認める場合は,血管拡張薬の減量・中止を検討する。

2)輸液の制限

- 水分量制限は未熟児 PDA の肺血流量増加による心不全を軽減する一方で,体血流量減少による循環不全を増悪し得る。したがって,過度な水分制限はしない。
- 肺出血のリスク状態で手術などを待機している状況のみ,維持輸液量から 10〜20 mL/kg 程度減らす。

3）利尿薬

- 乏尿の有無にかかわらず，PDAによる左房拡大で肺出血のリスクが高いと考えられる状況では，フロセミド（0.5〜1 mg/kg）を8〜12時間ごとに投与する。
- フロセミドは腎臓でのPGE産生を高め，軽度ではあるが動脈管を拡張する作用があるため，イブプロフェンの投与を検討している間に，フロセミドを頻回投与することは避ける。

4）貧血の補正

- 症候性PDAではHb 12 g/dL以上を保つ。貧血を是正すると，動脈管が閉鎖傾向になる児や，心ポンプ不全が軽減する児がいる。
- 心拡大や左房拡大があり輸血が容量負荷になることを懸念する場合には，輸血時間の延長や輸血前にフロセミドを投与する。

5）呼吸管理

- SpO_2は90〜95％前後に保つ。高すぎると肺血管抵抗を下げ，動脈における短絡血流を増加させる。一方，低すぎると動脈管が開く可能性がある。
- 肺出血のリスクが高い場合は，呼気終末陽圧（PEEP）4〜5 cmH_2Oに保つ（肺血管抵抗を保つ）。
- 低CO_2・アルカローシスは肺血管抵抗を下げ，動脈管における短絡血流を増加させる。

6 手術

1）適応

- 心不全が進行性で，内科的治療を繰り返す時間的余裕がない。
- 肺出血をきたしている。
- 合併症のためイブプロフェンを投与できない〔腎不全，壊死性腸炎（NEC）など〕。
- 内科的治療では再開存を繰り返している。
- 肺うっ血でCO_2貯留などの呼吸障害の原因になっている。
- 水分制限のため経管栄養を増量できない，または体重増加不良。
- イブプロフェンを1クール投与してもNT-proBNPが9,000 pg/mL未満に低下せず，すぐに再上昇する。

2）術中の管理

- 手術室への移動中も100％酸素では換気しない（肺血管抵抗を下げて肺血流を増やし，肺出血をきたすことがある）[※8]。

- 自己膨張式バッグに酸素チューブをつないで，酸素療法は必要最低限度として手術室に移動する。

3）術後管理
- 通常，結紮直後から高血圧となるが，多くの場合，その後に低下する。
- 帰室後には手術に伴う脳室内出血（IVH）の有無を確認する。
- 一部に，後負荷過剰に伴う心ポンプ不全をきたすことがある。血圧が高く心機能が低下している場合は，モルヒネや血管拡張薬の投与を検討する。
- 術前の輸液制限や開胸術による水分喪失，術後の浮腫などのため，術直後から術後 12 時間にかけて前負荷過小の心ポンプ不全をきたすこともある。心エコーで左室や左房の狭小化を認める場合には，容量負荷を必要とする場合がある。
- 手術の合併症として，気胸，脳出血，肺出血，横隔神経麻痺，反回神経麻痺，肋骨骨折がある。

C 新生児遷延性肺高血圧症（PPHN）

1 病態
- 新生児早期の適応障害。
- 肺循環が確立しづらいために，重度の低酸素血症をきたす。

2 原因
- PPHN の原因疾患を**表 4-18** に示す。

3 症状
- 高度のチアノーゼ，とくに下半身に強い（分離性チアノーゼ）。
- 啼泣・体動・処置などの些細なことで増悪するチアノーゼ発作（いわゆる flip-flop）。
- TR に伴う収縮期雑音を聴取することがある。

4 診断
- SpO_2 に上下肢差があり，下肢が上肢より 5 以上低い場合。
- 高度の肺高血圧の所見：高度の TR，心室中隔の扁平化（左室の

[※8] 動脈管結紮術で搬送を引き受ける際にも，100%酸素による流量膨張式バッグでの換気をしないように依頼している。実際に，搬送中に肺出血をきたすことを経験する。

表 4-18 新生児遷延性肺高血圧症の原因疾患

肺血管抵抗が高いまま持続する原因	体血圧が低いために相対的な肺高血圧が続く原因
胎便吸引症候群（MAS） 先天性横隔膜ヘルニア（CDH）や 先天性胸水などに伴う肺低形成症 長期羊水過少に伴う dry lung 症候群 先天性肺炎（GBS，リステリアなど） 胎児動脈管早期収縮症	胎児・新生児仮死 一過性心筋虚血 出血性ショック 敗血症（GBS など） 低血糖 多血症 低体温，など

GBS：B 群 β 溶血性レンサ球菌

表 4-19 新生児遷延性肺高血圧症の鑑別疾患

大きく 3 つの疾患	具体的な診断
チアノーゼ性心疾患	Ebstein 奇形 肺動脈狭窄 大動脈縮窄症（CoA）や大動脈弓離断（IAA）* 総肺静脈還流異常，など
先天性心外シャント疾患	Galen 大静脈瘤 肝血管腫，など
肺静脈性肺高血圧	卵円孔早期閉鎖（PCFO）

*とくに CoA や IAA では動脈管が右左短絡

拡張障害），動脈管・卵円孔レベルで右左または両方向性シャント，右室収縮力の低下（心エコーによる評価は p. 74 参照）。
- 鑑別を要する疾患を表 4-19 に示す。

5 治療・管理

1）基本方針

- flip-flop に関連する痛みや不快な刺激を緩和する：十分な鎮静（モルヒネをベースにミダゾラムを考慮），必要に応じて筋弛緩薬（ベクロニウム）を追加する。
- 肺血管抵抗を下げる：基本は酸素投与。NO 吸入療法＞アルカリ療法＞肺血管拡張薬。
- 肺高血圧に対抗する強心昇圧：カテコラミン製剤やステロイド投与。
- 増悪因子（低体温，低血糖，多血）を補正する。

2）処置方針

- 上肢と下肢に SpO_2 モニターを装着する。

- 刺激を避ける（ミニマルハンドリング）。
- 動脈ラインや尿カテーテルを留置する。
- flip-flop がある場合，気管吸引などの処置の直前に短時間作用型の鎮静薬（チオペンタール；ラボナール®）や筋弛緩薬（ベクロニウム）を追加投与する。

3）呼吸管理

①急性期

- NO 吸入療法：濃度 20 ppm で開始する。効果が得られないときには 20 ppm 以上を検討するが，20 ppm 以上では必ずしも濃度と効果が比例するわけではない。
- 酸素化が急激に改善する pCO_2（critical CO_2）を見つけ，呼吸管理目標の pCO_2 を把握する。
- ただし，$PaCO_2$ 35 mmHg 以下は避ける（聴力障害リスク）。
- flip-flop が消失するまでは，酸素濃度や換気条件を慌てて下げない。
- 従来型人工換気法（CMV）で十分な換気が得られない場合は，高頻度振動人工換気（HFO）で換気する。ただし，閉塞性病変が疑われる場合や呼吸機能検査で気道抵抗が 400 mH_2O·kg/L/秒以上の場合は，HFO の効果は小さい可能性がある。
- 体外式膜型人工肺（ECMO）は，oxigenation index（OI）>40 または肺胞気動脈血酸素分圧較差（$AaDO_2$）>600 mmHg が続くときに考慮する。ただし，〔重症肺低形成や慢性肺疾患（CLD）ではなく〕おもな病態が PPHN である場合には，ECMO を除く内科管理でほとんどが対処可能である。

②回復期

- flip-flop が生じないことを確認しながら，慎重に呼吸器条件を緩和する。
- FiO_2 が 0.6 に下げられたら，NO 吸入の減量を試みる。NO 濃度が 10 ppm 以下になったら，数時間以上あけて 1〜2 ppm ずつ下げる。
- とくに NO 長期吸入例では，1 ppm 以下への減量で悪化することがあるので慎重に行う。
- FiO_2 が 0.3 に下げられたら，NO 吸入の離脱を試みる。
- 呼吸器条件が下げられたら，薬物療法の減量を試みる。

4）NO 吸入療法

- 保険適用：出生後 7 日以内に開始する。開始から 96 時間（4 日間）を限度に算定され，理由と医学的根拠のレセプト詳記により，最大 144 時間（6 日間）まで延長可能。
- 注意点として，①Met Hb 5%を超えないようにする（メトヘモグロビン血症），②二酸化窒素（NO_2）濃度は 0.5 ppm 未満を保つ。
- 禁忌：動脈管レベルで，右左短絡に依存する先天性心疾患〔左心低形成症候群や大動脈弓離断（IAA）や CoA など〕。

5）薬物療法

- 過換気アルカリ療法が基本。塩基過剰（BE）が＋になるように適宜，炭酸水素 Na で補正する（7%メイロン®1mL には，Na 約 0.8 mEq を含む。輸液全体の Na 投与量に配慮する）。
- 肺血管抵抗に負けない体血圧の昇圧を目指し，カテコラミン製剤投与・容量負荷・ヒドロコルチゾン投与を行う。正期産児では収縮期血圧 60 mmHg 以上を目指す。
- SpO_2 の上下肢差が生じる血圧値などを把握し，それ以上の血圧を維持する。
- 十分な循環血液量を確保する。生理食塩液の容量注入で無効な場合は，新鮮凍結血漿（FFP）などで容量注入する。
- 血管拡張薬を投与する症例では，通常よりも多めの輸液が必要。
- ただし心機能が低下した症例では，急速で多量の輸液は心機能を悪化させる。
- 血管拡張薬の多剤併用は血圧低下をきたすことがあるので，慎重に併用する。
- 表 4-20 に，新生児 PPHN に用いる薬剤と使用方法を示す。

> *memo*
>
> 動脈管レベルでの右左短絡を根拠に，CoA を PPHN と診断し NO 吸入を開始すると，急速な肺血管抵抗の低下による肺うっ血をきたし，全身状態は悪化する。その後に NO 吸入を中止しても，下がった肺血管抵抗は戻らずに難渋する。なんでもかんでも "とりあえず NO 吸入療法" ではなく，適切な評価が大事である。

表 4-20 新生児肺高血圧症に用いる薬剤と使用方法

	薬剤	使用方法
昇圧薬	ドパミン	・2〜5 μg/kg/分。
	ドブタミン	・ドパミンとの併用で 4〜10 μg/kg/分。
血管拡張薬	エポプロステノール（フローラン®）	・強力な肺血管拡張作用あり。 ・2〜3 ng/kg/分で開始し，効果をみながら 2〜3 時間ごとに 2〜3 ng/kg/分ずつ増量，9〜12 ng/kg/分まで増量する。 ・単独ルート，冷蔵保存。 ・速効性ではなく，徐々に効果を発揮する。 ・一方で，投与初期に血圧低下をきたすことも多く，注意が必要。 ・回復期に症候性 PDA を合併することあり。
	シルデナフィル（レバチオ®）	・0.5 mg/kg/日 分 4 で経口または注腸し，PH に対する効果・血圧の下がり具合をみながら，1.0〜2.0 mg/kg/日まで漸増し，分 4〜8 で維持する。
	ニトログリセリン（ミリスロール®）	・0.5〜5 μg/kg/分。 ・NO 吸入療法の離脱を図る目的で使用する。 ・具体的には，NO 吸入療法が長期化し，1〜2 ppmまで NO 濃度の漸減ができるが，離脱が困難な場合に併用する。 ・静脈拡張作用が強いので，循環血液量を十分に保つ必要がある。
	オルプリノン（コアテック®；PDEⅢ阻害薬）	・PH に伴う右心不全に用いる。 ・0.1 μg/kg/分で開始し，血圧をみながら 0.5 μg/kg/分まで漸増，点滴静注。 ・ブドウ糖液に溶解可能。 ・血圧低下に注意。

PDA：動脈管開存，PH：肺高血圧，PDE：ホスホジエステラーゼ，NO：一酸化窒素

6 鑑別すべき特殊な病態

1) 動脈管早期収縮（PCDA）

- 胎児診断例，もしくは高度なチアノーゼにかかわらず動脈管閉鎖している症例では，動脈管早期収縮（PCDA）を考える。
- 上下肢の SpO_2 差はないが，高度のチアノーゼと flip-flop を認める。
- 心エコーで右室優位の心筋肥厚と右室収縮力低下を認める。

2) 卵円孔早期閉鎖（PCFO）

- 低形成気味の左室の拍出力が低下しているため，動脈管レベルは右左短絡となり，左房圧上昇から肺静脈圧が高くなり，肺静脈性肺高血圧による三尖弁閉鎖不全を認める。

- 肺うっ血をきたすと呼吸障害が出現する。
- PPHN との鑑別が困難であるが,典型的には心房中隔瘤（心房中隔が右房側へ突出）,僧帽弁閉鎖不全があること,左房が拡大し収縮しないことが特徴である。
- 肺うっ血に伴う呼吸障害は出生後,数時間〜12時間で起こるので,胎児診断例では少なくとも約 24 時間は NICU で経過観察する。
- 動脈管が開存している際には,上下肢の SpO_2 をモニターする。
- 呼吸障害がある場合は程度に応じて鎮静と呼吸管理を行い,左心系の適応を待つ。
- 左室の壁運動は不良であるが,カテコラミン製剤による昇圧は病態を悪化させる可能性が高い。また,NO 吸入療法も病態を悪化させる可能性がある。

d 新生児高血圧

1 定義
- 収縮期血圧または拡張期血圧が,修正週数における血圧の 95%tile 以上である場合を高血圧と定義する。
- 日齢 14 以降における修正週数での血圧を**表 4-21** に示す。

2 原因
- 新生児の高血圧はほとんどが二次性高血圧である。
- 原因を**表 4-22** に示す。

3 原因検索
- 原因検索として,**表 4-23** に示す検査を行う。

4 症状（非特異的）
- 呼吸障害,循環障害,神経学的異常（易刺激性・けいれん）,哺乳不良,発育不良など。
- 高血圧による臓器への影響を確認する（眼底検査,心エコー,頭部エコー）。

5 治療
- 医原性の要因の除去（水分調節,カテコラミン製剤の減量,疼痛除去）。
- 原因に応じた治療（手術,内分泌疾患に対するホルモン治療など）。
- 上記を行ったうえで,血圧がつねに 99%tile を超えている,または 95%tile 以上で高血圧による症状を認める際に,薬物治療を検

表 4-21 日齢 14 以降における修正週数での血圧（mmHg）

修正週数	血圧	50%tile	95%tile	99%tile
44 週	収縮期	88	105	110
	拡張期	50	68	73
	平均	63	80	85
40 週	収縮期	80	95	100
	拡張期	50	65	70
	平均	60	75	80
36 週	収縮期	72	87	92
	拡張期	50	65	70
	平均	57	72	77
32 週	収縮期	68	83	88
	拡張期	40	55	60
	平均	49	64	69
28 週	収縮期	60	75	80
	拡張期	38	50	54
	平均	45	58	63

表 4-22 新生児高血圧の原因

	原因
医原性	水分過剰，ステロイド投与，カテコラミン製剤投与，手術後の疼痛
血管性	大動脈縮窄，臍動脈カテーテルによる血栓，腎静脈血栓，腎動脈狭窄
腎実質性	多嚢胞腎（ARPKD, ADPKD），閉塞性腎症，急性腎障害，腎石灰化
その他	慢性肺疾患，甲状腺機能亢進，副腎皮質過形成，腫瘍，頭蓋内圧亢進，腹壁欠損の閉鎖

ARPKD：常染色体劣性多発性嚢胞腎，ADPKD：常染色体優性多発性嚢胞腎

討する。
- 高血圧緊急症の際には，点滴での降圧治療のほうが好ましい。
- 超低出生体重児では血圧の絶対値に加えて，心エコー所見（心収縮，後負荷）を参考に降圧治療を行う。
- 双胎間輸血症候群（TTTS）の血行動態が疑われる受血児では，

表 4-23 新生児高血圧の検査

	検査内容
身体所見	四肢の血圧測定(上下肢,左右差),腹部腫瘤,外性器異常,外表奇形
血液検査	BUN, Cr, 電解質, Ca (+必要に応じて甲状腺機能,レニン活性,アルドステロン,アドレナリン,ノルアドレナリン)
尿	一般尿
画像	エコー (+必要に応じて放射性核種による腎スキャン,造影 CT)

腎動脈の精査目的の造影 CT は,レニンとアルドステロンが亢進する場合に限定して施行する。

出生時より高血圧を認めるが,至適血圧については個別の検討が必要である。過度に血圧を下げることで,脳梗塞や脳室周囲白質軟化(PVL)を助長する可能性がある。

1) 点滴治療
- 急激な血圧低下による臓器血流の低下に注意する。
- 高血圧に対する注射薬について,表 4-24 に示す。

2) 内服治療
- 高血圧に対する内服薬について,表 4-25 に示す。
- 利尿薬のみで血圧が下がらない場合には,血管拡張薬を併用する。
- コントロール不良な高血圧に対しては,循環器科と相談のうえ,Ca 拮抗薬の使用を検討する。
- 発作性上室頻拍(PSVT)に対する Ca 拮抗薬(ベラパミル;ワソラン®)の使用は禁忌であるが,心筋への作用が少ない Ca 拮抗薬(ニカルジピン)の高血圧への使用については有効な報告がある。

e 不整脈

- 不整脈治療で重要なポイントは,以下に示す 5 点である。
  ① 治療を要する不整脈か?
  ② 緊急を要する不整脈か?
  ③ バイタルサインの確認(血圧・脈・呼吸・意識)。
  ④ 原疾患の診断と治療。
  ⑤ モニター心電図だけで判断せず,12 誘導の心電図で確認する。

表 4-24 新生児高血圧に対する注射薬

投与薬剤	用法・用量
フロセミド	0.5〜1 mg/kg, 静注
ニトログリセリン	早産児 0.3〜2 μg/kg/分, 持続静注
	成熟児 2〜5 μg/kg/分, 持続静注

表 4-25 新生児高血圧に対する内服薬

	薬剤	用法・用量
利尿薬	フロセミド（ラシックス®）	1〜3 mg/kg/日, 分3
利尿薬	スピロノラクトン（アルダクトン®A）	1〜3 mg/kg/日, 分3
血管拡張薬	エナラプリル（レニベース®）	0.05〜0.1 mg/kg/日, 分2 (0.01〜0.02 mg/kg/日, 分2で開始し, 2〜3日ごとに漸増。必要に応じて 0.15〜0.2 mg/kg/日まで漸増。ただし, 腎臓の正常発達を阻害する可能性があり, 修正44週までの使用は慎重に検討する)
血管拡張薬	プロプラノロール（インデラル®）	2 mg/kg/日, 分3（CLD での使用は避ける）
Ca拮抗薬	ニカルジピン（ペルジピン®）	0.5〜3 μg/kg/分, 点滴静注
Ca拮抗薬	アムロジピン（アムロジン®）	0.05〜0.3 mg/kg/日, 分1

CLD：慢性肺疾患

1 期外収縮〔心房期外収縮（PAC），心室期外収縮（PVC）〕

- 心房性・心室性ともに通常，無症状であり，自然に消失することが多く，単源性で連発がなければ基本的に治療を要しない。
- 期外収縮から頻拍発作を起こすことがまれにある。
- 不応期のため QRS 波が欠落する PAC や，変行伝導を伴って wide QRS 化する PAC をたびたび経験する。変行伝導を伴う PAC と，PVC の鑑別は，先行する異所性 P 波の有無を心電図で確認するか，期外収縮後に心拍が開始する際のもともとの心拍リズムとのずれに注目する（後者は P 波が観察しにくい心電図モニターでも有効）。リズムに合致して開始すれば，PVC が推定される。

2 頻脈（心拍数＞180/分）

1）心房性の頻脈：原則として幅の狭い narrow QRS

① 洞頻脈
- 心拍数＜220/分。
- 原因：高体温，循環不全（脱水，心不全，貧血），甲状腺機能亢進，薬物（カテコラミン製剤，メチルキサンチン製剤）の副作用。
- 必要に応じてクーリングや鎮静などの対症療法を行いながら，原疾患の検索に努める。

② 上室頻拍（SVT）
- 心拍数＞200/分（200/分〜220/分でも頻拍発作を鑑別する）。
- 鑑別診断：房室回帰頻拍（AVRT），房室結節回帰頻拍（AVNRT），心房粗動（AFL），心房頻拍（AT），接合部異所性頻拍（JET）など。
- 高体温や体動などによる心負荷のほか，薬剤性やカテーテル操作の直接刺激などが誘因となることがあるが，原因がはっきりしないケースも多い。

> **POINT　心電図モニターで簡便に wide QRS（変行伝導を伴う PAC と PVC）を鑑別する方法**
>
> モニター心電図の wide QRS 形態のみでは，PAC と PVC の区別は難しい。変行伝導を伴う PAC では，それまでの RR 間隔から予測されるタイミングと異なって次の心拍が出現する。一方，PVC では，それまでの RR 間隔から予測されるタイミングで次の心拍が出現する（図）。
>
>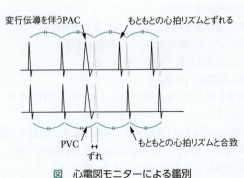
>
> 図　心電図モニターによる鑑別

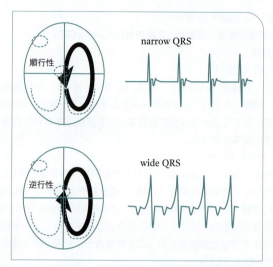

図4-5 頻拍中の心電図による鑑別

- 発作中および治療により心電図が変化した瞬間の記録は，診断にきわめて重要である．バイタルサイン（とくに血圧，末梢動脈の脈が触れる）が安定している限り，心電図を記録しながら介入する．
- 抗不整脈薬は副作用に心機能障害や催不整脈作用などがあり，可能な限り循環器科と相談して慎重に選択する必要がある．
- Ca拮抗薬（ベラパミル）は重篤な低血圧を起こしやすく，新生児には投与禁忌である．

③房室結節を経由するリエントリーによる頻拍発作
- 典型的なPSVT．突然発症し，突然頓挫する．
- 房室結節の遮断が発作頓挫に有効である．

ⅰ）房室回帰頻拍（AVRT）
- 房室結節と房室間の副伝導路（Kent束など）を経由する，異常伝導回路によるリエントリー性の頻拍症．
- 頻拍中の心電図ではQRS波のリズムは基本的に整で，房室結節の刺激伝導が順行性（orthodromic）ではnarrow QRS，逆行性（antidromic）ではwide QRSである（図4-5）．
- 洞調律時の心電図でデルタ波があれば，Wolff-Parkinson-White

(WPW) 症候群の診断が可能。
- 間歇性 (intermittent) WPW 症候群や，潜在性 (concealed) WPW 症候群ではデルタ波が確認できない場合がある。デルタ波がなくても WPW 症候群は否定できない。

ii) 房室結節回帰頻拍 (AVNRT)
- 房室結節内で電気的に回路が形成される，リエントリー性の頻拍症。
- P 波は陰性（洞調律の P 波と逆向き）であり，P 波の位置は心房への逆行性伝導と心室への順行性伝導の速度により決まる（QRS 直後に陰性 P 波が現れることが多い）。
- QRS 波は narrow QRS で，順行性の AVRT や JET との鑑別に迷うケースがある。

iii) 房室回帰頻拍 (AVRT) と房室結節回帰頻拍 (AVNRT) の治療
- バイタルサインが不良な場合や心機能が低下している場合は，同期下除細動を第 1 選択とする。
- 迷走神経刺激法 (ice bag 法)：ビニール袋に氷などを詰め，呼吸状態に注意して 10～15 秒をめやすに顔面を覆う（注：眼球圧迫は眼球損傷のリスクであり禁忌）。
- アデノシン三リン酸 (ATP；アデホス®)：刺激伝導系を抑制し，3～5 秒程度，一時的に心静止状態として発作を頓挫させる。薬剤半減期が 10 秒以下ときわめて短いため，0.1 mg/kg 急速静注後，生理食塩液 5 mL で一気にフラッシュする。洞調律にならなければ 0.2～0.3 mg/kg を追加投与する。
- 同期下除細動：治療薬剤が無効，または全身状態不良の場合に行う。

④ 心房筋の自動能亢進や心房内のリエントリーによる頻拍発作
i) 心房粗動 (AFL)
- 不整脈のなかでは周産期に起こりやすく，心不全を伴いやすい。
- 規則正しい鋸状の F 波を認める。F 波は通常，300～600/分程度。
- 1：1，2：1，3：1 伝導など，伝導の比率に応じて心拍数が変化する。
- ATP は AFL の治療としては無効であるが，一時的に徐脈になると F 波が明瞭になるので，鑑別が困難な症例では診断的価値がある。
- 確実に AFL と診断できた場合は，薬物治療よりも同期下除細動を行う。出力は 0.5～1 J/kg で行い，無効の場合は 2 J/kg まで出力を増やす。

- ほかの上室不整脈を併発した例を除き,生後早期の同期下除細動で頓挫に成功した AFL の再発はまれである。ただし,頓挫後も 24 時間はモニタリングを行う。

ⅱ)心房頻拍(AT)
- 心疾患術後や Costello 症候群などの基礎疾患のある児にやや多い。
- 心電図では,異所性 P 波(しばしば多源性)に引き続いて narrow QRS を呈する。変行伝導を伴う wide QRS が混在することもある。
- 高体温を避ける。
- 薬物治療〔フレカイニド(タンボコール®),ランジオロール(オノアクト®)など〕は循環器科にコンサルトし,適宜,考慮する。
- 難治例などに対しては,心拍数コントロールのためのジゴキシンの維持量内服も有効。
- マイクロリエントリータイプの AT では,ATP が有効なことがある。

2)心室性の頻脈
①心室頻拍(VT)
- 新生児では,QRS の幅が広い頻拍発作はまず VT と考えて対応する。短時間で VF に移行する危険がある。
- 基礎疾患に電解質異常,心筋症,心筋炎,QT 延長症候群,冠動脈異常などがないかを検索する。
- 同期下除細動を行う。循環が不安定な脈なし VT であれば,非同期下除細動(2 J/kg)を行い,循環が安定している脈あり VT で

Ｐoint 除細動の実際

- ◆心室細動(VF)を誘発する可能性があるため,必ず心電図同期下で行う。
- ◆小児用パドル,または小児用パッドを使用する。
- ◆パドルには十分量のゼリーを付ける。
- ◆心基部と心尖部を挟むような位置で,接触しないようにパッドを置く。
- ◆出力は 0.5〜1 J/kg で行う。無効時は 2 J/kg まで出力を増やす。
- ◆局所の皮膚が熱傷となることがあるので,予防的にステロイド軟膏(ベタメタゾン;リンデロン®など)を塗布し,皮膚の変化に注意して観察する。

あれば同期下除細動（0.5～1 J/kg）を行う。除細動器が QRS 波に反応しないようなら，非同期下除細動を行う。
- 循環が安定している場合は循環器科と相談して，リドカイン（キシロカイン®）1 mg/kg を希釈して静注することもある。その後，予防としてリドカイン 10～50 μg/kg/分を持続静注する。

②心室細動（VF）
- QRS の幅は広く，形の異なる QRS 波が不規則につながる。
- ただちに心肺蘇生が必要。
- 非同期下除細動を 2 J/kg で行う。無効の場合は 4 J/kg まで出力を増やす。

3 徐脈（心拍数＜80/分）

1）洞徐脈：P 波を伴う徐脈
- 基礎疾患：低体温，甲状腺機能低下症，洞不全症候群，QT 延長症候群，電解質異常（高マグネシウム血症，低カルシウム血症），脳圧亢進など。
- 心不全がなければ治療不要。
- 医原性（眼底検査など）の迷走神経の緊張亢進であれば，硫酸アトロピン 0.01～0.02 mg/kg の静注。
- 症候性の徐脈では，ペースメーカの埋め込みを検討する。

2）完全房室ブロック：P 波と QRS が対応しない
- 基礎疾患：先天性心疾患（多脾症候群，修正大血管転位など），母体膠原病（SS-A/SS-B 抗体陽性，新生児ループスなど），心疾患術後合併症，その他（心筋炎，染色体異常など）。
- 心拍数≧55/分で心機能が良好な症例は経過観察してもよい。
- 心拍数＜55/分，心不全合併例はただちに治療を開始する。
- イソプレナリン（プロタノール®）0.05～0.2 μg/kg/分，点滴静注で心拍数＞70/分を目指す。
- イソプレナリンは肺血管抵抗を下げるため，肺血流増加型の心奇形での使用は禁忌。
- 症候性の徐脈では，体格に応じて一時的（体外式）ペースメーカまたは，永久的ペースメーカの埋め込みを行う。
- 徐脈性不整脈による胎児水腫をきたした早産児は，ハイリスク（とくに late preterm 以降でも NEC のある児）である。娩出時期や蘇生方針を慎重に検討する。

- 一時的（体外式）ペースメーカではペーシングレート100〜120/分で開始し，血圧が最大になるレートを選択する。新生児では閾値は変動する。安全域として，outputは閾値の2倍に設定する。

f 先天性心外シャント疾患

- 原因不明の心拡大，PPHN，高拍出性心不全を認めた場合に，仙尾部奇形腫や頭部（Galen大静脈瘤）・肝臓・胸郭内・胎盤などの動静脈シャントを伴う病変の有無を確認する。

1 症状
- シャント量が多い場合，体血管の血管抵抗低下と容量負荷による高拍出性心不全となる。
- 頻脈，チアノーゼ，シャントの中枢側の脈圧増大と末梢側の脈圧低下，PPHN様症状。
- シャントによる盗血現象や圧迫による症状（けいれん，肝不全など）。

2 診断
- 頭部や肝臓などの局所における血管雑音，シャントの中枢側での振戦（thrill）の触知が重要。
- 心エコー所見：心拡大，頻脈かつ過剰収縮を認める。心臓におけるシャントの存在側の半身の静脈還流が増加することを反映して，上大静脈と下大静脈に3倍以上の口径差を認める。
- 動脈管の左右シャントが少ないわりに，腹部大動脈や頸部大動脈のドプラ所見で拡張期 retrograde pattern を認めるのが特徴。シャントは頭部・腹部のエコーやCTなどで，血管性嚢胞性病変を見つけることで確定診断可能。

3 鑑別診断
- CoA，冠動静脈瘻，総動脈幹症，大動脈肺動脈窓などの先天性心疾患。

4 治療
- 重篤な心不全，PPHN様の症状の場合には，緊急で外科的治療などを考慮すべきである。
- 体血管抵抗の低下が問題であり，手術を待機しても改善の可能性は低い場合がある。

g 双胎間輸血症候群（TTTS，慢性）

1 病態
- 一絨毛膜二羊膜双胎で，胎盤の血管吻合を介した両児間の血流シャントが存在し，両児間の循環血液量不均等が生じた状態。
- 表4-26に，供血児と受血児の特徴を示す。

2 診断
- 一絨毛膜双胎で両児間の羊水量差がある。
- 胎児心エコーにおいて大児に心筋肥厚，房室弁逆流，心拡大などの所見があり，小児がFGR児にかかわらず心臓が小さめ。
- 出生後の胎盤検索で一絨毛膜性が確認され，供血児から受血児への動脈−静脈吻合が存在する（両児間の体重差・Hb差は確定診断には必要ない）。
- 羊水過少児が子宮壁に押しつけられ，体動が制限された状態（stuck twin）のこともある。
- TTTSの胎児診断がなくとも，生直後から大児に臍帯浮腫，頻尿・多尿，網状チアノーゼ，高血圧を認めた場合，TTTSを疑う。
- 大児と小児の入院時の血圧が2倍違う，心エコー所見で小児に比して大児の心筋肥厚が強く，房室弁逆流が強い場合などもTTTSを疑う所見である。

3 出生前管理
- 受血児においては，在胎28週未満の出生では重度心不全やIVHの合併，在胎32週未満では周産期脳障害（PVLや脳梗塞）が，単胎児と比して高頻度に合併する。
- 胎児治療の適応外症例では，可能な限り在胎週数の延長を目指す。

表4-26 双胎間輸血症候群の特徴

供血児	受血児
・羊水過少 ・腎不全 ・胎児発育不全 ・貧血 ・低血圧	・羊水過多 ・多血症 ・高血圧 ・心筋肥厚 ・心拡大 ・心不全 ・胎児水腫

- 子宮内圧の減圧,母体の切迫症状軽減,胎盤循環の是正を目的とした頻回の羊水穿刺が有効な場合がある。

4 出生時管理

- 一絨毛膜双胎では可能な限りの人数で蘇生を行う。羊水量の差にこだわりすぎず,両児の状態をあわせて考え,TTTS の病態の有無を判断する。
- 臍帯動脈血を採取し,心不全・腎不全・貧血・多血の評価をする目的で,BNP(NT-proBNP),レニン,アルドステロン,シスタチン C,フェリチンを測定(臍帯静脈血では評価できない)。

5 出生後管理

1)供血児

- 生直後は胎児・新生児仮死,低血糖症,貧血などが問題となり得る。
- 腎障害を伴った small for gestational age(SGA)児の管理に準じる。
- 生直後の Cr や BUN などは母体腎機能を反映しているため,児の血液検査からの腎機能は経時的に評価する。
- 重症例は乏尿,無尿が続くため,溢水状態になることがある。
- 軽症〜中等症例では,尿量は維持されていても重炭酸イオンの喪失による代謝性アシドーシスなどの腎機能障害が問題となることがある。多尿傾向の場合もある。
- 単胎に比して心筋壁が薄く,血圧上昇後に後負荷不整合(afterload-mismatch)になりやすい。安易な昇圧治療は控える。乏尿による前負荷増大や後負荷不整合による心ポンプ不全には,ニトログリセリン(0.3〜1 μg/kg/分)を併用する。
- 乏尿に対しては利尿薬,多尿・重炭酸イオンの喪失に伴う単純性アシドーシスに対しては炭酸水素 Na を投与する。
- 腎血流を維持するため,低用量のドパミン(1〜2 μg/kg/分)を投与する場合がある。
- 未熟児 PDA を合併した場合,腎機能の低下が著しい児ではイブプロフェンの投与は慎重に行う(早期に外科的治療を選択する場合もある)。

2)受血児

- 最重症例は重症心不全のため生直後から肺出血や循環不全ショックをきたし,新生児蘇生に反応が乏しい場合がある(胎児治療普及後は最重症例はほとんどいない)。

- 軽症〜中等症例は，生直後は高血圧・多尿である。生後 12〜24 時間で血圧低下，乏尿，代謝性アシドーシスなどの循環不全からショックをきたすことがある。
- 生後に浮腫が進行し，血管内容量や血圧の維持に難渋することがある。数日後に浮腫が改善してくると多尿期になる。相対的な利尿不足から循環血液量増加と前負荷過剰による心ポンプ不全のために，IVH や肺出血をきたすことがある。
- PVL や脳梗塞などの脳虚血性病変を合併しやすい。
- 受血児の生後の循環不全には，胎児期に供血児から移行していた

POINT TTTS の重症度評価

- ◆胎児診断時には Quintero の分類（表）を利用。Quintero 分類を満たしていなくても，生後に TTTS 病態を認めることがある。
- ◆①在胎 26 週未満（stage Ⅰ〜Ⅳ），②染色体異常や重症の胎児奇形がない，③未破水，④amniotic septostomy をしていない TTTS，を満たす児は，レーザー焼灼術の適応があるかどうかを確認するため，施行施設に紹介する。
- ◆受血児は心筋肥厚により容量負荷を代償（肥厚型心筋症型）するが，代償不全になると心拡大が進行し，心筋は菲薄化（拡張型心筋症型）する。後者はより予後不良。
- ◆心不全に加えて呼吸障害を合併すると出生後管理がさらに困難となるので，分娩不可避の場合は母体ステロイド投与を考慮する。

表　双胎間輸血症候群（TTTS）の重症度分類（Quintero）

stage	所見
stage Ⅰ	供血児の膀胱がみえる
stage Ⅱ	供血児の膀胱がみえない
stage Ⅲ	どちらかの児に以下の血流異常を認める 　a. 臍帯動脈の拡張期途絶・逆流 　b. 臍帯静脈の連続した波動（UV pulsation） 　c. 静脈管血流の逆流
stage Ⅳ	どちらかの児が胎児水腫
stage Ⅴ	どちらかの児が胎児死亡

Quintero RA, et al. Stage-based treatment of twin-twin transfusion syndrome. Am J Obstet Gynecol 2003；188：1333-1340

レニン・アンジオテンシン・アルドステロン系（RAA系）ホルモンの消失が関与している可能性がある。
- 受血児の治療は，①volume expander，②昇圧薬，③血管拡張薬，を用いる。

①volume expander（循環血液量増量薬：生理食塩液，FFP）
- 多尿後のショック予防を意図して，迅速にPIカテーテルと末梢動脈ライン，もしくは臍動静脈カテーテルを確保。生後早期から，生直後の血圧や尿量を目標に容量注入療法を開始。生理食塩液，酢酸リンゲル液（ヴィーン®F）などが無効な場合には，FFP，赤血球輸血で容量注入する。必要があれば，積極的に人工呼吸器管理とする。
- 過剰な容量注入療法は，のちのIVHや脳室周囲出血（PVH）の原因となる。血圧を持続モニタリングし，心エコーを経時的に施行。アシドーシスの進行や乳酸値の上昇がないように，容量注入量を調節する。大量輸液にかかわらず，心臓は狭小化していく場合がある。心エコーのLA/Ao比が1〜1.3を目標にし，上大静脈（SVC）フローは入院時の値から著減しないように輸液量を調節する。

②昇圧薬
- 心内腔が維持されている心ポンプ不全がある場合には，ドパミンやドブタミン（2〜5μg/kg/分）を投与する。
- 循環血液量維持と浮腫予防を目標に，ヒドロコルチゾン（ソル・コーテフ®）1〜5mg/kg/回，1日1〜3回を投与し，血圧を安定して維持できる場合もある。

③血管拡張薬
- 血管拡張薬は，輸液の過剰投与時や浮腫回復期の循環血液量増加時に投与する場合があるが，重篤な低血圧をきたす場合もあるので慎重投与する。後負荷増大（高血圧）による心ポンプ不全や冠血流維持・心筋保護を目的に，ニトログリセリン（0.5〜2μg/kg/分）を投与することがある。
- 受血児の心不全治療である容量注入や血管拡張薬による治療は，未熟児PDAを重症化させ，肺出血をきたし得る。早期にイブプロフェン投与や手術を考慮しなければならないこともある。

h 急性腎障害（AKI）

1 原因

- 原疾患の検索が重要である（**表4-27**）[10]。腎前性がもっとも多い。
- 生後早期の血清Crは母体のレベルを反映するので，血清Crの評価は難しい（**表4-28**）[11]。

表4-27　急性腎障害の鑑別

	腎前性	腎性
尿流量（mL/kg/時）	さまざま	さまざま
尿浸透圧（mOsm/L）	>400	≦400
尿-血漿浸透圧比	>1.3	≦1.0
尿-血漿クレアチニン比	29.2±1.6	9.7±3.6
尿中Naイオン濃度（mEq/L）	10〜50	30〜90
Na排泄分画（FE_{Na}）	<0.3（0.9±0.6）	>3.0（4.3±2.2）

Askenazi D, et al. Acute Kidney Injury and Chronic Kidney Disease. Gleason CA, et al (eds), Avery's Diseases of the Newborn, 10th ed, 1280-1300.e5, 2018[10]

表4-28　在胎週数別の血清クレアチニン参考値

年齢	在胎週数	50%tile値 mg/dL（μmol/L）	95%tile値 mg/dL（μmol/L）
7日	25〜27週	0.87（76.9）	1.23（108.7）
	28〜29週	0.84（74.3）	1.18（103.9）
	30〜33週	0.66（58.3）	0.95（83.9）
10〜14日	25〜27週	0.75（66.3）	1.10（97.3）
	28〜29週	0.69（61）	1.02（90.3）
	30〜33週	0.57（50.4）	0.84（74.1）
1か月	25〜27週	0.48（42.4）	0.72（63.6）
	28〜29週	0.41（36.2）	0.64（57）
	30〜33週	0.35（30.9）	0.57（50.2）
2か月	25〜27週	0.31（27.4）	0.51（44.9）
	28〜29週	0.33（28.8）	0.58（51.6）
	30〜33週	0.25（22.2）	data not available

Bateman DA, et al. Serum creatinine concentration in very-low-birth-weight infants from birth to 34-36 wk postmenstrual age. Pediatr Res 2015；77：696-702[11]

表4-29 急性腎障害の診断と重症度分類（新生児修正KDIGO）

病期	血清クレアチニン（sCr）	尿量
0	変化なし または <0.3 mg/dLの増加	≧0.5 mL/kg/時
1	48時間以内に≧0.3 mg/dLの増加 または 7日以内に基礎値[*1]の1.5〜1.9倍	6〜12時間で<0.5 mL/kg/時
2	基礎値[*1]の2.0〜2.9倍	12時間以上で<0.5 mL/kg/時
3	基礎値[*1]の3倍以上 または ≧2.5 mg/dLの増加[*2] または 腎代替療法の開始	24時間以上で<0.3 mL/kg/時 または 12時間以上の無尿

[*1]: sCrの基礎値とは，診断以前のsCrの最低値と定義する。
[*2]: sCr 2.5 mg/dLは糸球体濾過量（GFR）<10 mL/分/1.73 m^2 を意味する。
Selewski DT, et al. Neonatal Acute Kidney Injury. Peadiatrics 2015；136：e463-e473[12]

2 腎機能評価

- AKIの診断と重症度分類を**表4-29**[12]に示す。
- Crクリアランスは体表面積の算出が困難なため，シスタチンCで代用している（出生週数によらず，シスタチンCのめやすは，異常高値>2.5 mg/L，予定日までの正常値1.5 mg/L）。
- 在胎週数・日齢でCrクリアランスとNa排泄分画（FE_{Na}）の正常値は異なる（☞p.47のmemo参照）。FE_{Na}の計算式は**付録1-a**（☞p.358）を参照。
- 体重，血圧，脈拍，肝腫大，胸部X線でのCTR，心エコーなどから循環血液量減少を診断する。

3 治療

- 尿量1.0 mL/kg/時以下，かつ血清Cr≧1.5 mg/dLの場合はAKIとして対処する。

1）腎前性

- 生理食塩液10 mL/kgを30〜60分かけて静注。頻脈，低血圧，末梢循環不全が残る場合は，さらに同量を追加してもよい。さらに追加する場合は，心エコーで心機能を確認する。
- 容量負荷を十分に行っても利尿がつかない場合，フロセミド1 mg/kgを静注する。

表4-30 体重別の不感蒸泄量

体重	不感蒸泄
>2,500 g	15〜25 mL/kg/日
1,500〜2,500 g	15〜35 mL/kg/日
<1,500 g	30〜60 mL/kg/日

- 腎血流増加を期待して，ドパミン1〜2 μg/kg/分を投与する（ただし，予後を改善するデータは乏しい）。

2）腎性

- 基本となる治療を以下に示す。
  ①水のバランスを保つ。
  ②電解質，酸塩基のバランスを保つ（☞ p.173）。
  ③血圧の管理〔☞ p.205；ただし，アンジオテンシン変換酵素（ACE）阻害薬は禁忌〕。
  ④原疾患の治療。
- 投与水分量=1日の尿量+不感蒸泄量（**表4-30**）をめやすにする。
- 急性期はNa，Kは原則として投与しないが，血清Na 120 mEq/L以下で低ナトリウム血症の症状があればNaの投与を検討。
- フロセミド1 mg/kgを1日2〜3回静注。または1〜3 mg/kg/日，24時間持続静注。
- ドパミン1〜2 μg/kg/分，点滴静注。
- 腎排泄性の薬剤についての投与量・投与間隔を検討する。
- 持続する乏尿・無尿のために水分，電解質のバランスを保てない場合や，十分な栄養が投与できない場合は腎代替療法（腹膜透析，血液透析，持続的血液濾過透析）を考慮する（基準は p.139 参照）。AKIを鑑別するための指標を**表4-27**[10]に示す。

i 胎児水腫

- 胎児の全身性浮腫で，胸腹水を伴うことが多い。

1 原因

- 病因により免疫性と非免疫性に大別される。
- 免疫性胎児水腫はRh不適合妊娠などの母児間血液型不適合妊娠による。

表 4-31 非免疫性胎児水腫の原因

おもな要因	具体的な診断
心血管病変	心奇形 頻拍性不整脈, 徐脈性不整脈 血管腫瘍（巨大な胎盤血管腫など）
双胎	双胎間輸血症候群（TTTS）
感染	パルボウイルス B19, サイトメガロウイルス（CMV），梅毒, トキソプラズマ, など
染色体異常	Down 症候群, Turner 症候群, など cystic hygroma を伴う異常
胸腔の病変	腫瘍〔先天性囊胞性腺腫様奇形（CCAM）など〕 先天性横隔膜ヘルニア（CDH） 骨系統疾患など胸郭の異形成
尿路・腎の疾患	prune belly 症候群 先天性ネフローゼ症候群
消化器疾患	胎児肝腫瘍 肝炎 腸回転異常
代謝病	ライソゾーム病, など
胎児貧血	胎児貧血となる遺伝性疾患 母児間輸血症候群 胎児頭蓋内出血
原発性リンパ病変	pulmonary lymphangiectasis generalized lymphangiectasis
その他	Noonan 症候群, Costello 症候群, Cornela de Lange 症候群, Opitz-Frias 症候群, 先天性筋強直性ジストロフィー, など

- 非免疫性胎児水腫の原因は, 表 4-31 に示すように多岐にわたる。
- 原因不明なことも多い。

2 検査

- 予後不良でも, 遺伝相談の資料となるよう, 診断のための十分な検査を行う。

1）胎児期の検索

- 筋強直性ジストロフィーの家族歴：両親の筋力の評価, percussion myotonia や grip myotonia の有無。
- 母体血：不規則抗体スクリーニング, HbA1c, HbF, TORCH 症候群, パルボウイルス B19（それぞれの IgM や IgG）。

表 4-32 乳び胸水の性状

項目	診断基準値
細胞数	>1,000 cells/μL
リンパ球分画	>80%
トリグリセリド	>1.1 mmol/L（98 mg/dL）

Büttiker V, et al．Chylothorax in children: guidelines for diagnosis and management．Chest 1999；116：682-687[13]

- 胎児エコー：①胎児水腫の重症度推定（10 mm 以上の皮膚厚と，早期に出現し進行性の胸腹水は予後不良），②肺低形成の評価，③心・腎・肺・動静脈奇形などの奇形の診断，④胎児不整脈の診断，⑤胎盤腫瘤性病変の診断，⑥心不全の評価，⑦貧血を推定するために胎児の前大脳動脈血流速度測定，を行う。
- 胎児全身骨 X 線：軟骨無発生症（achondrogenesis）などの四肢短縮性骨系統疾患。
- 羊水・胎児血：染色体異常，貧血の診断。
- 胎児の胸水：TP・IgG 測定，細胞数算定，細胞診（リンパ球がどれぐらいを占めるか）を確認する。胎児ではリンパ異常でも TG は上昇しない。
- 特発性非免疫性胎児水腫を反復する場合は，両親のヒト白血球抗原（HLA）タイピングを確認する。

2）新生児の検査

- Hb，TP，Alb，Na，K，Cl，Ca，P，肝機能，腎機能，蛋白分画，染色体，直接・間接 Coombs，TORCH 症候群スクリーニング，ウイルス抗体価。
- 胸水の一般検査：TG，TP・IgG 測定，細胞数算定，細胞診（リンパ球が 90％以上か，表 4-32）[13]。絶食中はリンパ異常でも TG は上昇しない。
- 胎児水腫の原因が明らかでないときは，リンパ球の空胞化，眼底検査（チェリーレッド斑）を行い，ライソゾーム病などを鑑別する。全身状態が安定したら，筋強直性ジストロフィー鑑別のために全身骨の検査を行う。

3 管理

1) 胎児期
- 免疫性胎児水腫では，胎児採血で貧血が進行する場合は胎児輸血，または娩出して交換輸血のどちらかを選択する。
- 胎児治療としての胸腔−羊水腔シャント術は生命予後を改善する。
- 在胎32週未満で出生する場合は予後不良のことが多い。
- 出生前の母体へのステロイド投与はRDS予防・毛細管透過性亢進・生後の循環適応に有効である。

2) 新生児期
- 治療は先天性乳び胸の治療を参照。

j 先天性乳び胸

- 救命率の向上のためには，早産での出生を防ぐ。早産・出生後の治療よりも胎児治療（胸腔−羊水腔シャント）を優先する。
- 胸水を伴う胎児水腫の多くはリンパ性胸水で，肺低形成を合併することもあり，出生時から重症呼吸障害を呈する。

1 出生時の対応
- 分娩立会いをして，重症呼吸障害を合併する場合は，出生後ただちに胸腔穿刺を行い排液する。
- 胸水は淡黄色血清様のことが多い。
- 胸水の一般検査として，TG，TP・IgG測定，細胞数算定，細胞診（リンパ球90％以上）で診断確定する（**表4-32**）[13]。絶食中はリンパ異常でもTGは上昇しない。
- 胸水症の原因については *p. 221* も参照。

2 治療
- 穿刺排液後，早期（24時間以内）に再貯留することも多く，呼吸障害を合併する場合には持続ドレナージが必要になる。
- エコーで再貯留の部位と胸水量を確認し，カテーテル挿入の適応や位置を決定する。
- 乳び胸水は母乳や人工乳（普通ミルク）の投与により増量するため，禁乳で治療を開始する。原則として，胸水が停止するまでは禁乳を継続する。しかし，長期間の禁乳は全身状態の悪化を招くため，1カ月以内には胸水を停止させ経腸栄養を開始するために，**図4-6**に示すような手順で治療を進める。

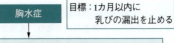

図 4-6 乳び胸水治療のアルゴリズム
ICG：インドシアニングリーン

- 治療開始時は胸水を積極的にドレナージし，呼吸状態や全身浮腫の改善を目指す。
- 大量（100 mL/日以上）の排液が生後1週間以上続く場合は自然治癒が期待しにくいため，オクトレオチド（サンドスタチン®）やプレドニゾロン（プレドニン®）の投与を検討する（**図 4-6，表 4-33**）。
- オクトレオチドの投与方法・期間：50 μg/kg/日を持続静注で投与開始。持続静注が難しい場合は静注か皮下注でもよい（その場

表 4-33 乳び胸水の治療方針

治療	ポイント
オクトレオチド	保険適用外であり，家族の希望がある場合に投与する。院内倫理委員会の承認を得たプロトコールに準じる。オクトレオチド投与中は経管栄養は行わない。 3 日間： 50 3 日間： 100 200 μg/kg/日 24時間持続静注
プレドニゾロン	原則，オクトレオチドが無効である場合に併用。有効例は一定期間，使用ののち，漸減中止。 1〜2 mg/kg/日 分 3 静注
胸腔腹腔シャント，LVA など	オクトレオチド，プレドニゾロンが無効で，1 カ月程度，胸水流出が持続する場合，症例ごとに検討する。

LVA：リンパ管静脈吻合術

合は 3 回に分割する)。
- 効果が不十分な場合，3 日ごとに 100 μg/kg/日，200 μg/kg/日まで増量可能。評価はドレーンからの流出量・エコーで行う。10 日間経過をみて効果がないと考えられた場合は中止。改善後は，薬剤は漸減ではなく投与中止する。
- 注意すべきオクトレオチドの副作用：胆汁うっ滞，肝機能障害，腎障害，一時的な耐糖能異常，甲状腺ホルモン低下，NEC。オクトレオチド投与中は連日，血中 Bil・血糖・電解質を検査する。肝機能・腎機能・甲状腺ホルモンは 1 回/週検査する。NEC の報告があるため，オクトレオチド投与中は禁乳をする。
- オクトレオチド開始 3〜4 日後も効果が不十分な場合には，プレドニゾロン 1〜2 mg/kg/日 分 3 静注の併用を検討する。
- 多量の胸水排液が持続する症例では，全身状態が悪化する前にピシバニール®などの胸腔内注入，胸腔-腹腔シャント，リンパ管静脈吻合術などの外科的治療の適応を考慮する。
- 全身のリンパ管形成異常では，胸膜癒着や胸管結紮は全身状態を悪化させる可能性がある。そのためリンパ管機能評価目的に，生後 1 週前後にインドシアニングリーン（ICG）リンパ管造影を行う[14]。

- 輸液の原則：浮腫の原因は，①血管内静水圧の上昇，②血管透過性の亢進，③血漿膠質浸透圧の低下，④間質の膠質浸透圧の上昇，⑤リンパ管機能の低下，である。重症例では，出生時より低蛋白血症，低アルブミン血症を呈することが多い。まずは低下した血漿膠質浸透圧を上昇させるため，FFP，Alb，ガンマグロブリン製剤を積極的に投与する。しかし，過剰に輸液したFFPやAlbなど膠質浸透圧が高いコロイドが血管外へ漏れ，間質の膠質浸透圧が上昇することも浮腫の原因となる。低蛋白血症が改善したのちは，FFPやAlbの投与は必要最小限にする（血清Albの目標値：2 g/dL）。
- 急速な輸血や輸液，心不全の悪化は血管内静水圧の上昇を引き起こす。
- 筋弛緩や過剰な鎮静はリンパ管機能を低下させる。
- 胸水が停止したら，経腸栄養は中鎖脂肪酸（MCT）ミルクで開始し，増量しても胸水が再発しないことを確認してから母乳や普通ミルクに変更する。

5 脳神経

a 新生児仮死，低酸素性虚血性脳症（HIE）

- 新生児仮死とは，出生時に新生児の呼吸・循環が確立できない状態のこと。
- 分娩前後の異常（臍帯脱出，回旋異常，胎盤早期剥離など）がおもな原因であるが，先天性横隔膜ヘルニア（CDH）や神経筋疾患などの先天性の疾患も仮死の原因となる。
- 周産期の仮死，低酸素虚血による脳機能異常が，新生児脳症である。
- 新生児脳症とは，生後数日以内に意識障害，筋緊張の異常（亢進・低下），哺乳・呼吸障害（脳幹機能障害），新生児けいれん，脳圧亢進症状などの一連の臨床症状を呈する脳機能異常状態をさす。
- 新生児脳症をきたす疾患として，胎児仮死，新生児仮死による低酸素性虚血性脳症（HIE）が最多だが，ほかのさまざまな疾患・病態でも類似した症状を示すため，鑑別診断は必須である。鑑別疾患を表4-34に示す。

1 中等症・重症脳症の低体温療法の適応 ABC と除外基準

- 低体温療法は中等症または重症の脳症に対する標準的な治療である。治療適応の決定には，生後6時間以内の診察による重症度評価が重要である。
- 低体温療法の標準的な適応基準（**A**）を表4-35[15]に示す。この適

表4-34 新生児脳症の鑑別疾患

- 低酸素性虚血性脳症
- 頭蓋内出血
- 出血性ショック（胎児母体間輸血，臍帯潰瘍など）
- 早期発症髄膜炎（GBSなど）
- 低血糖
- 先天性代謝異常
- ピリドキシン依存性てんかん
- 神経筋疾患（先天性筋強直性ジストロフィーなど）
- 染色体異常
- 脳奇形
- 母体への麻酔による影響

GBS：B群β溶血性連鎖球菌

表 4-35 標準的な適応基準（A）

在胎 36 週以上，1,800 g 以上で出生し，少なくとも以下のうち 1 つを満たすもの
・生後 10 分の Apgar スコアが 5 点以下
・10 分以上の持続的な新生児蘇生（気管挿管，陽圧換気など）が必要（CPAP は含まない）
・生後 60 分以内の血液ガス（臍帯血，動脈，静脈，末梢毛細管）で pH が 7.0 未満
・生後 60 分以内の血液ガス（臍帯血，動脈，静脈，末梢毛細管）で BE が −16 mmol/L 以下

CPAP：持続気道陽圧呼吸，BE：塩基過剰
田村正徳（監），岩田欧介（編）．2015CoSTR に基づいた新生児低体温療法実践マニュアル．東京医学社，2016[15]

応基準を満たしたものは，表 4-36[16, 17]に示す Modified Sarnat スコア（**B**）で神経学的異常の重症度判定を行う（新生児 HIE に詳しい新生児科医または小児神経科医が診察することが望ましい）。

- 治療適応（**A**；表 4-35）や重症度判定（**B**；表 4-36）で適応を満たしたものに対して，さらに **C** として少なくとも 30 分間の aEEG（amplitude-integrated electroencephalogram）または脳波検査を行い，基礎律動の中等度以上の異常[※9]もしくは，けいれん[※10]を認めるものを治療適応とする。ただし，**C** については低体温療法の適応決定の参考として重要ではあるが，必須条件ではない。

- **A**～**C** の適応決定の基準に加え，低体温療法の除外基準を表 4-37[15]に示す。

- 表 4-35，表 4-36 を用いた米国国立小児保健発達研究所（NICHD）基準での脳症重症度の評価方法を以下に示す。

① 意識，自発運動，姿勢，筋緊張，原始反射，自律神経の 6 項目で判断する。

② 表 4-36 の「原始反射」と「自律神経」の項目には複数のサインがある。複数サインの重症度が異なる場合には，もっとも重

[※9] 中等度異常＝upper margin＞10 μV かつ lower margin＜5 μV もしくは高度異常＝upper margin＜10 μV。
[※10] 突発的な電位の増加と振幅の狭小化，それに引き続いて起こる短いバーストサプレッション。

表4-36 Modified Sarnat スコア (B)

	正常	軽症	中等症	重症
1. 意識	刺激に反応	過覚醒, 刺激に過敏	傾眠	混迷/昏睡
2. 自発運動	正常	軽度減少, jittery（びくつき多い）	低下	なし
3. 姿勢	自然な屈曲	軽度の指・手指屈曲	高度な指・手指屈曲 股関節開排 or 下肢伸展	上下肢伸展（除脳硬直）
4. 筋緊張 (亢進・低下とも異常)	すべての四肢で十分な屈曲・股関節も屈曲	軽度亢進	明らかな低下 明らかな亢進	弛緩 強直
5. 原始反射（最重症項目を1つ採用） 吸啜 Moro反射	容易に誘発 完全	協調性が悪い 容易に誘発（閾値が低い）	減弱, 噛む 不完全	消失 消失
6. 自律神経（最重症項目を1つ採用） 瞳孔 心拍 呼吸	正常 100〜160 bpm 規則的	散瞳（おおむね>160) 過呼吸（>80回/分）	縮瞳 徐脈（おおむね<100) 周期性呼吸	固定 変動 高度の無呼吸

Sarnat HB, et al. Neonatal encephalopathy following fetal distress. A clinical and electroencephalographic study. Arch Neurol 1976 ; 33 : 696-705[16]/ Shankaran S, et al. Outcomes of safety and effectiveness in a multicenter randomized, controlled trial of whole-body hypothermia for neonatal hypoxic-ischemic encephalopathy. Pediatrics 2008 ; 122 : e791-e798[17] より一部改変

表 4-37 低体温療法の除外基準

- 冷却開始の時点で，生後 6 時間を超えている場合
- 在胎週数 36 週未満のもの
- 出生体重が 1,800 g 未満のもの
- 大きな奇形を認めるもの
- 現場の医師が，全身状態や合併症から，低体温療法によって利益を得られない，あるいは低体温療法によるリスクが利益を上回ると判断した場合
- 必要な体制がそろえられない場合

田村正徳（監），岩田欧介（編），2015 CoSTR に基づいた新生児低体温療法実践マニュアル，東京医学社，2016[15]

度なものをその項目の重症度として採用する（例：原始反射の項目判定：Moro 反射が完全でも，吸啜が弱く異常な場合には中等症と判定する）。

③気管挿管と人工呼吸管理が行われていれば自発呼吸の判定が困難なので，「自律神経」の項目は重症と判定する。

④上記 6 項目のうちもっとも該当項目が多い重症度を，その症例の重症度とする。

⑤中等症と重症の項目数が同じ場合，意識レベルが決定因子となる。

⑥生後 6 時間以内に重症度が変化した場合は，重度なほうを選択する。

POINT Apgar スコア

一般に，1 分値の Apgar スコア（表）で軽度仮死 4～6 点と重度仮死 0～3 点に区分される。ちなみに ICD10 では，1 分値の Apgar スコアで mild と moderate asphyxia が 4～7 点，severe asphyxia が 0～3 点と定義されている。

表 Apgar スコア

	Appearance（外見）	Pulse（心拍）	Grimace（顔しかめ）	Activity（活動性）	Respiration（呼吸）
0	全身蒼白	ない	反応ない	ぐったり	ない
1	体はピンク色だが，手や足は青みがかっている	100 回/分未満	顔をしかめる	腕と脚をやや曲げる	不規則でゆっくりした呼吸
2	全身がピンク色	100 回/分以上	くしゃみ，せきをする	活発に動く	強く泣く

⑦NICHD 基準では，6 項目のうち 3 項目が中等症または重症ならば低体温療法の適応となる。

⑧seizures（新生児けいれん）があれば中等症以上と判定される。

- 脳症重症度判定のために，記録しておくべき診察所見を以下に示す。

①まずは児に触れずに意識状態，自発運動，姿勢を観察する。その後，児に触れる診察として吸啜など刺激の少ない項目から開始し，最後に Moro 反射など刺激が大きい診察を行う。

②生後 6 時間以内に重症度は変化する場合があるため，必要時には何度も診察する。

③意識レベルは，清明，過覚醒，傾眠，混迷/昏睡に分かれる。採血時に同時に観察するとよい。啼泣し四肢の動きがみられれば清明，過敏で強く開眼し，興奮している状態を過覚醒，痛み刺激にしっかり反応するが，そのほかの反応が少ない場合は傾眠，痛み刺激のみで開眼あるいは四肢の動きがみられるが，刺激がなくなるともとに戻る状態ならば混迷，刺激で反応がなければ昏睡とする。

④筋緊張は，スカーフ徴候，引き起こし反射（head lag），手首や足首の可動性の大きさから，亢進，正常，低下を判断する。

⑤recoil の診察方法は，肘や膝を 5 秒間屈曲させたのちに伸展させ，やさしく手を離し，肘関節あるいは膝関節の屈曲具合を観察する（図 4-7，図 4-8）。しっかり屈曲すれば完全，少し屈曲する場合は不完全，伸展させた上肢・下肢がそのままの状態で屈曲しない場合は消失とする。

⑥原始反射の観察として，Moro 反射，吸啜反射（脳神経Ⅴ～Ⅶ・Ⅸ・Ⅹ・Ⅻ），探索反射（Ⅴ～Ⅶ・Ⅺ），手掌把握反射（図 4-9），足底把握反射（図 4-10）の評価を行う。

2 軽症脳症の低体温療法の適応と除外[※11]

- 軽症 HIE の適応基準を表 4-38 に示す。
- 表 4-38 を満たしたものは，Modified Sarnat スコア（表 4-36）の重症度判定で評価する。

[※11] 従来，軽症脳症後の神経学的予後は良好とされていたが，軽度の発達遅滞が認められる場合も少なくないことがわかってきた。軽症脳症への低体温療法の開始は症例ごと，あるいは施設の方針により検討されるべきである。

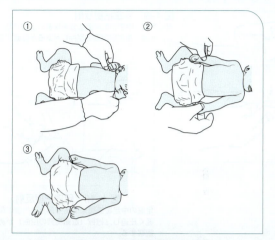

図 4-7　recoil の診察方法（上肢）
①優しく上腕をつかみ，肩関節・肘関節を屈曲させ，屈曲位を 5〜10 秒保つ。
②そのままゆっくりと肩関節・肘関節を伸展させ，十分な伸展が得られたところで，そっと検者の手を離す。
③消失例では，検者の手を離しても，まったく屈曲しない。

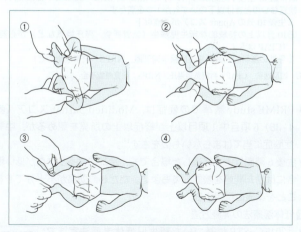

図 4-8　recoil の診察方法（下肢）
①優しく下腿をつかみ，膝関節・股関節を屈曲させ，屈曲位を 5〜10 秒保つ。
②そのままゆっくりと膝関節・股関節を伸展させる。
③膝関節・股関節の十分な伸展が得られたところで，そっと検者の手を離す。
④不完全な例では，少し屈曲するが，股関節は 90°未満にはならない。

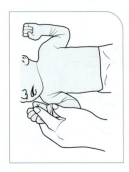

図 4-9 手掌把握反射
児の手掌・中手指節関節部分を検者の示指で軽く圧迫し、把握（指節間関節の屈曲）があるか診察する。

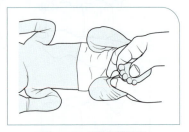

図 4-10 足底把握反射
足底の中足趾節関節の正中部分を検者の母指で軽く圧迫し、把握（趾節関節の屈曲）があるか観察する。

表 4-38 軽症低酸素性虚血性脳症（軽症 HIE）の適応基準 A

- 臍帯血 or 生後 1 時間以内 pH<7.0 and/or BE≦−16

または

- 臍帯血 or 生後 1 時間以内 pH<7.15 and/or BE≦−10 あるいは血液ガス検査なしのときは以下のいずれか 1 つを満たす
  ① 生後 10 分の Apgar スコアが 5 点以下
  ② 10 分以上の持続的な新生児蘇生（気管挿管，陽圧換気など）が必要（CPAP は含まない）
  ③ 急性の産科的問題（常位胎盤早期剝離，NRFS，臍帯脱出など）

BE：塩基過剰，CPAP：持続気道陽圧，NRFS：胎児機能不全

- PRIME study 基準での軽症は，Modified Sarnat スコア（表 4-36）6 項目中 1 項目以上が軽症以上の所見を認めるが，中等症脳症に当てはまらないものをさす[18]。
- 生後 6 時間以上を経過した場合でも，冷却によるリスクが低い場合には冷却開始を検討してもよい。ただし，効果が不十分であることを家族に説明する。

3 低体温療法の実施方法

- 「2015 CoSTR に基づいた新生児低体温療法実践マニュアル」[15]，あるいは新生児低体温療法登録事業の web サイトのマニュアルに準じて施行する。

1) 初期検査
- HIE の初期検査は，①合併症の有無や程度，②脳障害の評価，のために行う。

①合併症に関する検査
- 血液検査，尿検査：血液ガス（臍帯血，本人血），血中乳酸値，CBC，凝固線溶系，電解質〔抗利尿ホルモン不適切分泌症候群（SIADH）による低ナトリウム血症，低カルシウム血症，低マグネシウム血症〕，アンモニア，CRP，IgM，IL-6，AST，ALT，LDH，CK，BUN，Cr，尿中電解質，尿中 $β_2$MG。
- 心エコー，腹部単純 X 線。

②脳障害の評価のための検査
- aEEG：背景脳波の活動性と発作時脳波（ictal discharge）を観察する。
- 頭部エコー：初期は画像所見に乏しい。低酸素虚血発症から 12 時間以上経過してから，脳浮腫や脳血流の抵抗係数（RI）低下は起きる。入院時に，脳血流パターンを含めた頭部エコーの異常や RI 0.55 以下の低下があれば，胎児期に遷延した仮死の可能性が高い。12〜24 時間以降の脳浮腫による脳室の狭小化と前大脳動脈・中大脳動脈の RI 低下による発達予後予測の精度は高くない。強い壊死病巣を伴う部位は 3〜4 日以降に高輝度となる。
- 先天代謝異常の鑑別：先天代謝異常症が疑われるときは，タンデムマス・スクリーニング，アミノ酸分析，尿中有機酸分析の提出を考えて，濾紙血と凍結した尿を保存しておく。

2) 脳症の重症度評価
- 表 4-36 を参照。

3) 管理
- 新生児けいれんの治療に関しては p. 244 参照。
- 呼吸管理：高炭酸ガス血症を認めるときは人工呼吸管理を開始する。CO_2 は 40〜45 mmHg 程度の normocapnia とする。低炭酸ガス血症を避ける。
- 循環管理：平均血圧 35 mmHg（できれば 40 mmHg）以上を目標として循環管理を行う。
- 凝固・線溶系異常：播種性血管内凝固（DIC）の治療に関しては p. 283 参照。

表 4-39 aEEG，脳波，脳 MRI/MRS の評価に適した検査時期と所見の変化

生後時間	6時間まで	24〜96時間	4〜7日	1〜2週	コメント
aEEG	△	○	△	×	生後6時間までは陽性的中率が低い
多チャンネル脳波	△	○	△	×	新生児発作の診断には最適
拡散強調画像	×	○	○	×	受傷後24時間までは異常を過小評価。1週間以降には偽陰性化する
MRS Lac 上昇	×	○	○	△	受傷後24時間までは軽度上昇。1週間以降に低下する場合もある
MRS NAA 低下	×	○	○	○	受傷後24時間までは低下しないが，その後は2週間を通じて有用
T1強調画像	×	×	△	○	受傷後3〜4日ごろより有用となる
T2強調画像	×	×	×〜△	○	受傷後1週間より変化。早期評価に適さない

×評価困難，△有用だが評価に注意が必要，○有用
aEEG：amplitude-integrated electroencephalogram，MRS：magnetic resonance spectroscopy，Lac：乳酸，NAA：N-acetylasparate

- 血糖管理：低血糖・高血糖を回避する。
- 栄養管理：経腸栄養は壊死性腸炎（NEC）に注意して開始する。
- 脳浮腫に対するステロイド，グリセリン（グリセオール®），D-マンニトールの有効性は証明されていないため，原則投与しない。輸液管理は脳浮腫予防のための水分制限よりも，循環状態を良好に保つことを第一に考える。
- SIADH の病態では，水分制限を行う。
- 当院では硫酸 Mg，エリスロポエチン製剤，予防的フェノバルビタール投与は行っていない。

4 aEEG，脳波，脳 MRI による神経学的評価

- 新生児期に行われる検査では，脳 MRI がもっとも正確な予後評価指標である。
- MRI 検査は生後1週間以内に撮影し，異常がある場合には生後

1〜2週に受傷の範囲と重症度を確認するためにMRIを再検査することが望ましい。
- そのほか，新生児期の神経学的評価を行うのに適した画像検査ならびに，その所見を**表4-39**に示す。

b 脳室周囲白質軟化症（PVL）と白質障害（white matter injury）

- 脳室周囲白質軟化症（PVL）は早産児に起きる脳室周囲白質の障害で，姿勢や運動発達の障害（脳性麻痺），知的な発達の問題（精神遅滞），認知や行動の問題（発達障害）など神経学的後遺症の原因となる。
- 脳室内出血（IVH）は在胎週数が早く未熟性が強いほど発症が多くなるが，PVLは30週前後の早産児にも多く認められる。
- かつてPVLといえば，脳室周囲の白質に囊胞形成し，孔があく病変のことを示していた（囊胞性PVL）。しかし近年になって，早産児の白質障害（white matter injury）は囊胞形成はしないが，広い範囲（びまん性）で白質が減少するような病変（非囊胞性PVL）も重要であり，発達予後に大きな影響を及ぼしていることがわかってきた。
- リスク因子：前期破水（PROM），子宮内感染，双胎間輸血症候群（TTTS；受血児），敗血症，NEC，晩期循環不全など。
- 多呼吸による自発的CO_2低下もリスク因子と考える。とくに代謝性アシドーシス，低ナトリウム・高カリウム血症を認める児では白質障害のハイリスクと考えて，全身状態の変動をコントロールするために，慎重に循環管理，呼吸管理を含めた全身管理を行う。

1 症状
- 症状に乏しい。程度の強いPVLは，過敏性や新生児けいれんを呈する。
- 亜急性期は異常眼球運動，難治性無呼吸発作などがみられる。

2 検査
1) 頭部エコー
- リスク児は日齢3まで連日，日齢6以降は1週間ごと（1カ月まで），以降，退院まで2〜4週ごとに行う。
- 囊胞性PVLは脳エコーで診断が可能だが，囊胞性PVLではない

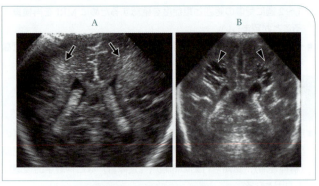

図 4-11 脳室周囲白質軟化症(PVL)のエコー像
A：日齢 3. 高輝度エコー(矢印)を呈する(PVL 1 度)
B：日齢 14. 囊胞状の変化(矢頭)を認める(PVL 3 度)

表 4-40 脳室周囲白質軟化症(PVL)の重症度分類

grade	エコー所見
1 度	脳室周囲の高輝度が 1 週間以上続く
2 度	脳室周囲の高輝度が小さな囊胞に変化する
3 度	前頭部,頭頂部,後頭部の広い範囲に囊胞形成する

Pierrat V, et al. Ultrasound diagnosis and neurodevelopmental outcome of localised and extensive cystic periventricular leucomalacia. Arch Dis Child Fetal Neonatal Ed 2001；84：F151-F156[19)]

白質病変は脳エコーでは診断が難しく,脳 MRI で診断する。
- PVL は最初,脳エコーで脳室周囲白質の高輝度として診断される。正常では脳室周囲白質の輝度は脈絡叢よりも低い。しかし,PVL では脈絡叢より高輝度を呈する。高輝度病変が 1〜2 週で囊胞性変化すると,囊胞性 PVL と診断される。
- 重症度により PVL 1〜3 度に分類される(図 4-11,表 4-40)[19)]。脳室周囲の高輝度が 1 週間以上続く場合に,PVL 1 度と診断する。しかし,正常でも生後しばらくは脳室周囲白質が高輝度にみえることがあるため,判断が難しい。正常なら生後 2〜3 週間で高輝度は消失する。
- 高輝度病変だけで予後の予測は難しい。囊胞性 PVL の場合,脳性麻痺となる可能性は非常に高い。

表 4-41 脳 MRI による白質障害スコア

画像所見	観察シーケンス	1 点	2 点	3 点
白質信号の異常	T1.2 axial	正常	high T1 または T2 の部位が半球に 1～2 カ所	high T1 または T2 の部位が半球に 2 カ所以上
脳室周囲白質容量	T1.2 axial and sagittal	正常	少し減少(軽度～中等度脳室拡大)	明確に減少(明確に脳室拡大)
嚢胞性病変	any imaging	正常	2 mm 以下の嚢胞が 1 つ	2 mm 以上の嚢胞が 1 つまたは複数の嚢胞形成
脳室拡大	T1.2 axial and sagittal	正常	前角・後角拡大はあるが,体部は軽度のみ	側脳室全体が拡大
脳梁低形成	T1 sagittal and coronal	正常	一部,菲薄のみ(矢状断で中心薄い)	全体が菲薄化

合計 15 点(正常:5～6 点,軽症:7～9 点,中等症:10～12 点,重症:13～15 点)
Woodward LJ, et al. Neotanal MRI to predict neurodevelopmental outcomes in preterm infants. N Engl J Med 2006;355:685-694[20]

- 出生前の PVL:日齢 0 のエコーで嚢胞形成,もしくは明らかな白質の高輝度病変がある。日齢 6 までに嚢胞形成。
- 周産期の PVL:日齢 1・2 で高輝度,1～2 週で嚢胞形成。
- 出生後の PVL:敗血症・NEC,晩期循環不全などにより発生する。TTTS(受血児)の出生前後の急激な循環動態の変化も原因となる。
- 病変の程度が強いほど,嚢胞形成(通常 2 週間)は早い。
- 脳室周囲出血(PVH),IVH,側脳室嚢胞(connatal cyst)との鑑別を要する。

2) MRI
- 状態が安定したら施行する。
- 嚢胞性 PVL ではない白質病変も,脳室拡大,脳梁の低形成,白質容量の低下,白質の信号異常などの脳 MRI 所見によって重症度を診断する(表 4-41)[20]。
- びまん性の白質障害は嚢胞性 PVL よりも頻度が高く,早産児の 50%に認められるとの報告もある。嚢胞性 PVL ではない白質病変でも,精神遅滞や認知障害をきたす可能性が高い[20]。

3 予後
- 両麻痺・てんかん・視覚認知障害と関連する。
- 出生予定日前後で撮影した脳 MRI の所見と発達予後は相関する[20, 21]。

4 家族への説明
- 出生前の両親訪問時あるいは入院時に，34週（32週）未満の児の家族に対して，IVH，PVL の可能性があること，ならびに当院の PVL の発症頻度をあらかじめ説明している。
- 嚢胞性 PVL と診断したら，時間をあけすぎずに PVL を発症したことを家族に説明する。リハビリテーションや運動機能予後についても説明する。嚢胞性 PVL ではない白質病変は，MRI 検査後に説明する。

5 予防
- 確立された予防策はない。しかし，周産期医療の発展に伴い，早産児の嚢胞性 PVL の発生頻度は確実に減少している。無呼吸や血圧変動などに対するきめ細やかな診療により，予防できる可能性がある。
- 出生前母体への硫酸 Mg 投与（投与期間は 24 時間まで）は脳性麻痺を 30～40％減少させるが，PVL を減少させるというエビデンスはない[22, 23]。
- 脳虚血は PVL の原因となる。しかし，どれくらいの血圧を保てば脳血流を十分に保つことができるのかは明らかではない。血圧だけでは脳循環を評価することはできないため，バイタルサイン，エコー，血液ガス所見などのさまざまな指標をもとに，細やかな循環管理を行う。
- 早産児では，低二酸化炭素血症で脳血流が減少することにより，PVL や脳性麻痺のリスクが高くなる可能性がある。とくに人工呼吸器管理中は，低二酸化炭素血症に注意が必要である。
- 晩期循環不全や出生後の敗血症によっても PVL は発生するため，急性期を過ぎても，呼吸，循環の状態に注意して管理する。
- 感染症の予防と早期発見・治療を行う。

C 脳梗塞（watershed infarction を除く）

1 原因
- 周産期脳障害による片麻痺は，脳梗塞と PVH が原因である。

2 特徴

- 特発性が多く,そのほか硬膜下出血,一絨毛膜性双胎一児死亡,TTTS,新生児遷延性肺高血圧症(PPHN),チアノーゼ型先天性心疾患,プロテインC/S欠損症,アンチトロンビンIII欠乏症,高ホモシステイン血症,体外式膜型人工肺(ECMO)療法の合併症などでみられる。
- 中大脳動脈領域に多い(左>右)。前大脳動脈や後大脳動脈の梗塞は,臨床症状に乏しい。
- 中大脳動脈梗塞は,主幹動脈型,皮質枝型,視床線条体動脈型の3つに分類される。
- 両側中大脳動脈領域の梗塞は,一絨毛膜性双胎一児死亡やTTTS(受血児)に合併することが多い。
- 静脈性梗塞は,プロテインC/S欠損症や脱水に合併することが多い(⇒p.249)。

3 症状

- 無呼吸発作,間代性けいれんが多い。
- 筋緊張の左右差,対側の足クローヌス,意識レベルの低下,大泉門膨隆・緊満などがみられる。
- 中大脳動脈梗塞は生後数時間~日齢2に,無呼吸や新生児けいれんで発症する。特発性は出生後,全身状態の良好な児が多い。

4 検査

- 鎮静・筋弛緩中の重症児では,脳波・エコーが手がかりとなる。
- 脳波で発作時脳波が片側のみに出現するときは,脳梗塞を疑う。背景脳波やfrontal sharp wave, delta brush(週数特異的波形)の左右差(lazy activity)を認めることもある。
- エコーでは,初期に画像所見は乏しい。しかし,中大脳動脈の血流パターンに左右差を認める場合は,中大脳動脈梗塞と診断可能である〔病側の拍動係数(PI),RIが低値を呈する〕。1~2日経過すると病側の脳室狭小化がみられ,その後,動脈支配領域のエコー輝度上昇が進行する。2週間程度で病側の脳室拡大や嚢胞性変化を認める。一方,後大脳動脈の脳梗塞はエコーでは死角となり,診断が難しい。
- 病変の程度にもよるが,MRI拡散強調画像では早ければ発症後数時間から画像所見が得られる。ただし,明瞭となるのは発症後

2〜3日である。1週後に病変部の皮質灰白質と白質のT2高信号，皮質灰白質のT1低信号がみられ，2〜3週後には病変部の皮質灰白質T2低信号，T1高信号がみられる。1〜2カ月後には囊胞化する。

- CTでも1〜2日経過すれば診断可能（支配動脈領域の低吸収，皮質白質境界の不明瞭化，浮腫）であるが，放射線被曝の観点からMRIを優先する。
- 長期予後の評価にはMRIが有用である。広範な基底核の信号異常や内包後脚病変を認める例は，片麻痺や精神遅滞，てんかんのリスクが高い。皮質枝型では神経学的予後は良好なことも多いが，広範囲の梗塞では発達予後に問題が生じる場合もある。
- プロテインC/S欠損症の日齢0〜90の活性値の下限は，プロテインC 45%，プロテインS 42%。ただし，ワンポイントの活性値のみで診断するのは困難である。とくに全身状態不良時にはこれらは低値をとることも珍しくないため，診断の際には成書を参照すること。

5 治療
- 新生児けいれんの治療を行う。

d 新生児けいれん（新生児発作, neonatal seizure）

1 特徴
- 新生児けいれんは慢性のてんかん性の場合もあるが，多くは低酸素虚血，出血，低血糖，髄膜炎などによる脳の一時的な急性症状である場合が多い。
- けいれんの原因（後述）を探ることが重要。新生児けいれんを疑ったら，まずは低血糖や髄膜炎など早急に治療を開始すべき疾患をルールアウトする。
- 新生児けいれんでは，けいれん以外の発作症状（無呼吸や心拍上昇や血圧変動）しかみられないことも多い。
- 脳波異常を認めるものの，臨床症状を伴わない発作も多い（sub-clinical seizure）。その一方で，一見するとけいれんと思われる新生児の異常運動でも，脳波検査では発作波を伴っていない場合も多い。発作症状と発作時脳波所見との間に乖離があることが，新生児けいれんの特徴である。

表4-42 新生児けいれん発作の原因疾患（頻度順）

① 低酸素性虚血性脳症
② 頭蓋内出血
③ 感染症（髄膜炎・脳室炎・脳炎）
④ 脳梗塞
⑤ 代謝異常や電解質異常（低血糖・低カルシウム血症・低マグネシウム血症）

- 脳波検査なしに新生児けいれんと診断することは非常に難しい。発作間歇時に spike が出現することは少なく，発作時脳波をつかまえる必要がある。

2 原因

- 新生児けいれんの原因疾患を頻度順に表4-42に示す。
- 新生児期にてんかんを発症する疾患として，乳児早期てんかん脳症（EIEE），早期ミオクロニー脳症（EME），片側巨脳症などの皮質形成障害，全前脳胞症などがあげられる。そのほか，常染色体優性遺伝を示す良性家族性新生児けいれんや，生後5日目に発症することが多い fifth day fits とよばれる良性特発性新生児けいれんがある。ピリドキシン依存性てんかんの鑑別も重要である。精査によっても原因不明の場合は，ミトコンドリア病などの診断が難しい代謝性疾患も考える。

3 鑑別疾患（以下は新生児けいれんではない異常運動）

- jitteriness：ブルブル震える動きがおもな症状で，時折，ミオクローヌスを伴う異常な運動である。眼球の異常運動を伴わず，刺激で誘発され，抑制で改善される場合があるなどの特徴がある
- 良性睡眠時ミオクローヌス：睡眠時のみにみられるミオクローヌス（ピクッとする運動）。発作時にも脳波異常を伴わない。
- 驚愕反応：筋緊張の亢進を伴い，前額へのタッピングや音刺激で誘発される。
- 落陽現象（水頭症），足間代（足クローヌス），後弓反張。
- 微細発作：明らかな間代，強直，ミオクローヌスではない異常な運動性発作，あるいは自律神経機能の発作性変化と定義されているが，曖昧な概念である。具体的には，眼球異常運動（固視や水平偏位を伴う持続性の開眼など），吸啜・クロール・ペダルこぎのような異常運動，無呼吸，発作性の頻脈や血圧変動があげられ

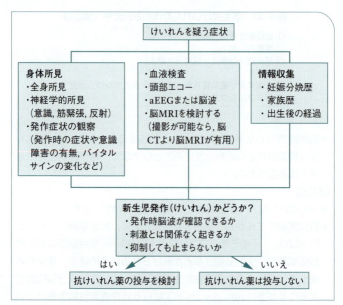

図 4-12 新生児けいれんの管理

る。微細発作以外にも，他の発作型がみられる場合や眼球の水平偏位を伴う場合には脳波の発作活動を伴うことが多い。
- 無呼吸：徐脈を伴う早産児の無呼吸ならば，「けいれん」でない場合が多いと思われる。しかし，正期産児の無呼吸，とくに徐脈を伴わない無呼吸は「けいれん」の場合が多い。

4 診断および治療
- 図 4-12 にしたがって，血液検査（血糖，Ca，Mg，血液ガス，CRP，Na，K，Cl，Ht），頭部エコー，ポータブル脳波または aEEG を施行する。aEEG はけいれんの診断に有効である。脳 MRI は原因検索や予後評価に非常に有用である。
- 真のけいれんには抗けいれん薬が有効であるが，真のけいれんではない異常運動には使用しても効果不十分の可能性があり，むしろ異常運動を悪化させる可能性もある。ミニマルハンドリングや体位の工夫が有効である。

1）抗けいれん薬使用原則

- 適応あり：臨床症状を伴い，脳波検査で発作時脳波を認める新生児けいれん。心拍や血圧変動の原因が新生児けいれんであることも多い。バイタルサインの変動や臨床症状はないが発作時脳波を認める subclinical seizure についても，頻回な場合は治療適応となる。
- 適応なし：発作時脳波を伴わない異常運動。

2）治療の実際（図4-13）[24]

① フェノバルビタール（ノーベルバール®）1 vial 250 mg を 5 mL の注射用水で希釈し，20 mg/kg（0.4 mL/kg）を30分かけて点滴。追加で10 mg/回を2回まで投与可能。追加する場合には人工換気補助を考慮する。

② ホスフェニトイン（ホストイン®）1 vial 750 mg/10 mL を生理食塩液 90 mL で希釈し，約19 mg/kg（2.5 mL/kg）を30分かけて点滴。投与速度は1 mg/kg/分を超えない。

③ レベチラセタム（イーケプラ®）1 vial 500 mg/5 mL を生理食塩液 20 mL で希釈し，20 mg/kg（1 mL/kg）を30分かけて点滴。

④ ピリドキサール（ピドキサール®注）10 mg/1 mL（ビタミン B_6）を緩徐に静注。投与時には無呼吸に注意する[※12]。

e 正期産児の頭蓋内出血

- 正期産児の頭蓋内出血の臨床症状はさまざまで，大量出血では出血性ショックに陥るが，少量なら無症状である。出血が脳幹を圧迫すると呼吸停止などに陥ることがある一方で，大量出血でも脳実質の出血を免れ，脳実質の破壊がなければ予後良好であることも多い。予後に関しては，脳実質破壊の程度，HIE の合併，および基礎疾患の有無が重要である。
- 頭蓋内出血に予想外の骨折を伴う場合は，身体的虐待，骨系統疾患，Menkes 病などの鑑別が重要である。

1 硬膜下出血

- 分娩時の硬膜変形による裂傷，変形による硬膜内静脈，静脈洞の損傷による出血などによる。

[※12] ビタメジン®静注用 1 vial にはピリドキシン 100 mg を含む。

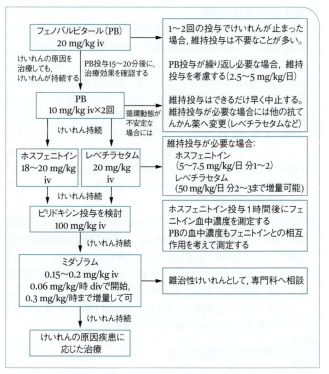

図 4-13 新生児けいれんが持続する場合の治療アルゴリズム（案）

けいれんが止まったあとの対応は，脳波または aEEG で少なくとも 24 時間モニタリングして，けいれんがないことを確認する。フェノバルビタールの維持投与を行っている場合，4～5 日間は血中濃度をモニターする。けいれんの原因検索を続ける。脳 MRI，髄液検査に加えて，染色体検査，遺伝子検査，先天代謝異常についても検討する。けいれんがほとんどみられなくなり，48～72 時間ないことが確認できれば，できるだけすべての抗けいれん薬の減量・中止を試みる。けいれんの再発は，経験的にはまれである。

Slaughter LA, et al. Pharmacological treatment of neonatal seizures：a systematic review. J Child Neurol 2013；28：351-364[24]）より一部改変

1）リスク因子

- 硬膜下出血のリスク因子を表 4-43 に示す。

2）部位

- 小脳テント：もっとも頻度が高い。テント上下に出血が進展する。
- 後頭部骨離開型（occipital osteodiastasis）：骨盤位と関連して起

表 4-43 硬膜下出血のリスク因子

要因	リスク因子
母体要因	初産 高齢出産 狭骨盤
児要因	巨大児,水頭症など頭囲の大きい児 早産児 フロッピーインファント 頭蓋骨早期癒合症(応形機能の低下)
分娩要因	短い分娩時間(十分な産道の拡張が得られず,応形機能が不十分) 長い分娩時間(頭部の変形が強くなる)
娩出要因	胎位異常(骨盤位・足位・顔面位) 回旋異常 器械的娩出(鉗子・吸引分娩)

こる。蝶形骨と後頭骨の重積。
- 大脳鎌:小脳テント病変に合併。
- 脳表硬膜下:通常,片側性で,正中偏位や脳室の左右差を伴う。

3) 症状
- 新生児けいれん(テント上硬膜下出血,HIEや脳梗塞の合併)。
- 大泉門膨隆・緊満,縫合離開(とくに鱗状縫合と矢状縫合),頭囲拡大,脳性啼泣,高度のテント上出血,HIEによる脳浮腫,テント下出血による髄液循環障害。
- 脳幹障害(テント下出血)。嗄声,無呼吸など。
- 意識障害,無呼吸,失調性呼吸,徐脈,瞳孔異常,眼球偏位,後弓反張,筋緊張異常,反射の異常(対光反射,瞬目反射,Moro

POINT 新生児けいれんの原因

- 生後4日以内に,超低出生体重児に不穏・体動の増加を認めた場合はIVHを疑う。
- 非発作時に全身状態が良好な場合は,くも膜下出血や低カルシウム血症・低マグネシウム血症を疑う。
- 原因不明の新生児けいれんは先天性代謝疾患や脳形成異常を疑い,代謝異常スクリーニングや画像,網羅的遺伝子検索などを検討する。
- 新生児けいれんの既往のある児は脳MRIを行い,外来フォローにつなげる。

反射,吸啜・探索反射)。
- 貧血・黄疸。

4) **検査**
- 頭部エコー,頭部 X 線,CT(急性期),MRI(亜急性期,退院前),脳波。
- 出血性素因の検索(後述)。

5) **管理**
- 臨床症状が軽度の例は経過観察(連日の頭囲計測,頭部エコーでフォロー)。
- 緊急で外科的血腫除去が必要な状況:①進行性の脳幹障害,血腫が急速に増大し脳実質の圧迫が強い場合,②急速に脳幹圧迫が進行する occipital osteodiastasis とテント下の出血。
- 新生児けいれんの治療。
- 出血後水頭症が進行する場合は,脳室−腹腔シャント術(V-P シャント)を行う。
- 貧血が強ければ輸血。

6) **予後**
- 硬膜下出血のみなら予後はよいが,脳実質障害を合併すれば神経学的後遺症の可能性がある。

2 くも膜下出血
- くも膜下腔の小動脈や静脈からの出血。他部位からくも膜下腔へ出血が進展したものは原発性ではない。
- 分娩損傷,仮死,うっ血などが原因と考えられている。
- 症状に乏しく髄液検査やエコー・CT で診断されるものと,発熱,黄疸,新生児けいれんで診断されるタイプがある。
- くも膜下出血による新生児けいれんは "well baby with seizure" と表現され,臨床症状に乏しく,全身状態がよい。

3 脳室内出血(IVH)
- 出血部位は,上衣下胚層,脈絡叢。視床出血も多い。
- 分娩損傷,仮死,ECMO 療法の合併症や先天性心疾患では静脈血栓症も病因となる。
- 過敏性,意識障害,新生児けいれん,大泉門膨隆,発熱などの症状をきたす。
- 頭部エコー,頭部 X 線,CT(急性期),MRI(亜急性期,退院前),

脳波で診断する。
- 管理は早産児の IVH に準じる（⊃ p. 251）。
- 水頭症例には V-P シャントを行う。

4 小脳出血
- 分娩損傷や仮死，IVH・くも膜下出血の進展などが原因で起こる。
- 後頭蓋窩の占拠性病変の症状として，脳幹障害，髄液循環障害をきたすことがある。
- 症状は軽微で，画像で偶然発見されることもある。
- 後遺症は出血，小脳破壊の程度による。
- 脳室拡大を起こし得る（閉塞と交通性水頭症になり得る）。

5 硬膜外出血
- 新生児は頭蓋骨が軟らかく，硬膜と骨の結合が強固なため，まれである。
- 骨折を伴う。頭血腫・帽状腱膜下出血の合併。
- 臨床症状は血腫の程度によるが，予後は良好で経過観察のみ。
- 出血量が多い場合はショックをきたすことがある。

6 静脈洞血栓症
- まれな疾患であるが，画像診断の進歩により診断される例が増加している。
- 新生児けいれん，意識障害，筋緊張の異常など，新生児脳症の症状や頭蓋内出血で発症する。
- 矢状静脈洞，横静脈洞，直静脈洞に多く，半数は多発性とされる。
- 診断は難しく，CT・MRI による血栓の確認，MR venography による静脈の観察が有用である。血液検査ではトロンビン-アンチトロンビン複合体（TAT），D-dimer，プラスミンα_2プラスミンインヒビター複合体（PIC）の上昇を認める。
- 抗凝固治療を検討する。

7 胎児の頭蓋内出血
- 胎児の出血傾向，胎児の外傷，胎内で生じた IVH（心不全，不整脈，臍帯・胎盤の異常）が考えられるが，原因不明のことも多い。
- 孔脳症や裂脳症となった例では，*COL 4 A 1* 遺伝子の異常が認められることがある。
- 胎児エコーで，上衣下出血，脳室内凝血塊，PVH，孔脳症様病変，脳室壁輝度上昇，脳室拡大などを呈する。

8 頭蓋内出血をきたす児にみられる基礎疾患

1) 血小板減少
- 早産児は2万～3万/μL以下,正期産児は1万～2万/μL以下で,かつ呼吸循環動態に異常を認める場合は要注意。
- DIC を合併するときはさらにリスクが高い。

2) 凝固線溶異常
- 各種先天性凝固因子欠損。第XIII因子欠乏ではプロトロンビン時間(PT),活性化部分トロンボプラスチン時間(APTT)は正常であるため注意が必要である。
- ビタミンK欠乏(早発型<24時間,古典型1～6日,遅発型0.5～6カ月)。
- 早発型は母体に投与されている薬剤〔抗てんかん薬のバルプロ酸,抗凝固薬のワルファリン(ワーファリン®)など〕と関連する。
- 頭蓋内出血以外の出血症状(臍出血・皮下血腫・採血部位の止血困難・頭血腫・帽状腱膜下出血・消化管出血)に注意する。
- 線溶系異常:プロテインC/S欠損症(S欠損)はごくまれ。

3) その他
- 開心術,動静脈奇形,先天性脳腫瘍,ECMO療法。

9 表在脳実質性軟髄膜出血 (spontaneous superficial parenchymal and leptomeningeal hemorrhage)

- 脳軟膜下と,それに接する表層の脳実質内出血が特徴。前頭葉や側頭葉の縫合や泉門直下が好発部位。出血部位直上の軟部組織の浮腫を伴うことが多い。
- 発生機序は経腟分娩時の過度な頭蓋変形による髄膜出血と,髄質静脈の灌流障害および静脈の破綻による表層の脳実質内出血と考えられている。
- 出生前に母児ともに異常はなく,標準的な出生時体重,高いApgarスコア,明らかな頭部外傷はない。血小板や血液凝固に明らかな異常はない。
- 出生時には無症状。数日以内に哺乳不良,無呼吸発作,新生児けいれんが出現する。
- 正中偏位があっても脳ヘルニアを示唆する所見がない場合には,保存的に経過をみる。新生児けいれんや無呼吸に対する内科的治療を行う。

- 神経学的後遺症はないことが多い。

f 早産児の脳室内出血（IVH）・出血後水頭症

1 脳室内出血（IVH）

- IVH は早産児の死亡や後遺症の原因となる重大な合併症の 1 つである。とくに 30 週未満の極低出生体重児（＜1,500 g）に多く，出生週数が早いほど IVH は発症しやすくなる。
- 早産児の IVH のほとんどは，脳室の上衣下胚層に起きる（図 4-14）。上衣下胚層は未熟脳だけに特有の組織で，在胎 26 週で最大，在胎 34 週頃に消退する。出血は脳室上衣下胚層に始まり，重症例では脳室内にも及ぶ。さらに病態が進むと，上衣下胚層に流れ込む静脈にも出血が起こり，脳室周囲の脳実質内も出血する（脳室周囲出血性梗塞）。
- 軽症でも両親に事実を伝える。
- 分娩時と生後 48 時間前後に好発。
- IVH を疑う症状を表 4-44 に示す。ただし，症状ではわからず，Hb や Ht の低下，アシドーシスで気づかれることもある。

> **POINT　表在脳実質性軟髄膜出血の画像**
>
> 画像を 1 度見ておくと，慌てずに評価を進めることができるだろう（図）。
>
>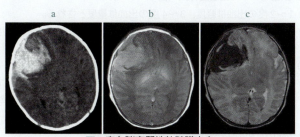
>
> **図　表在脳実質性軟髄膜出血**
> a：CT（日齢 1）。右前頭葉から側頭葉の骨縫合に一致する部位に脳実質からくも膜下に高吸収の血腫像。
> b・c：MRI（日齢 2）。同病変部位は T1 強調像高信号（b），T2 強調像低信号（c）。

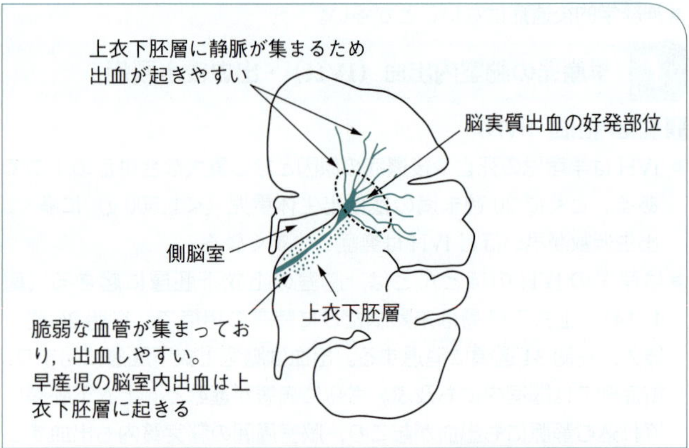

図 4-14 上衣下胚層と脳室周囲出血性梗塞

表 4-44 脳室内出血（IVH）を疑う症状

- 徐脈や無呼吸の増加
- 反射が増える。手足をパタパタする
- 活気がなくなる。皮膚色不良
- けいれん
- 肘や膝が伸展，手首は屈曲するような異常な姿勢
- 大泉門の緊満

1) 頭部エコーの重症度分類（図 4-15，表 4-45）
- 1〜2 度の出血は軽度，3〜4 度の出血は重度とされる。
- 神経学的後遺症の発生率は，1 度で 5〜10%，2 度で 15%，3 度で 35%，4 度で 50〜100% とされている。

2) 原因と予防
- IVH 予防の有効性についてエビデンスが示されている治療としては，出生前の母体ステロイド投与と出生後のインドメタシン投与がある（表 4-46，表 4-47）。
- 予防のための生後管理は p.160〜163 を参照。

2 出血後水頭症（posthemorrhagic hydrocephalus）
- IVH により髄液の循環経路が閉塞し，くも膜による髄液吸収が障害されることで脳室拡大し，出血後水頭症になる。過剰に貯留した髄液による脳の圧迫（頭蓋内圧の亢進）や，血液から生じる活

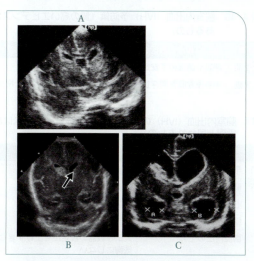

図 4-15 早産児脳室内出血（IVH）脳エコー
A：出血なし
B：IVH2度。上衣下胚層から脳室内に出血がみられる（矢印）
C：IVH3度。側脳室・第3脳室の拡大

表 4-45 脳室内出血（IVH）の重症度（Papileの分類）と神経学的後遺症

	画像所見	神経学的後遺症	画像所見
1度	出血は上衣下胚層に限局（脳室内には出血していない）上衣下出血ともいう	5〜10%	
2度	出血は脳室内にも及ぶが、脳室拡大はない	15%	
3度	出血は脳室内に及び、脳室が拡大	35%	
4度	脳室拡大があり、脳実質にも出血が及ぶ	50〜100%	

表 4-46 脳室内出血（IVH）予防策（質の高いエビデンスがあるもの）

時期	IVH の原因	予防策
出生前	呼吸や循環の不安定さ	母体ステロイド投与
出生後	未熟児動脈管開存症	インドメタシンの適切な投与

表 4-47 脳室内出血（IVH）の予防策（質の高いエビデンスはないが重要と思われるもの）

時期	IVH の原因	予防策
出生前	早産	周産期センターへの母体搬送
出生時	蘇生時のストレス	熟練したスタッフによる蘇生
出生後	心不全による脳うっ血	急な容量負荷を避ける
	脳の虚血	低血圧への適切な治療
	胸腔内圧の上昇	人工呼吸器の設定圧を上げすぎない 気胸にしない
	気道閉塞による急激な呼吸状態の変化	気道閉塞にしないように，適切なタイミングで気管内吸引を行う 適切な加湿 挿管チューブの位置に注意する
	刺激によるストレス	ミニマルハンドリング 上手な採血 徐脈にしないように吸引する 上手なポジショニング，体位交換，バギング，浣腸などに細心の注意を払う
	そのほか	体温管理，感染症の対策など

性酸素や炎症性サイトカインによる脳障害が問題となる。
- IVH 3 度以上で出血後水頭症へ進行した場合には，髄液中の血液と過剰に貯留した髄液の排液を目的に腰椎穿刺をする。
- 全身状態が安定したら腰椎穿刺を検討する。さらに，早産児の脳エコーで側脳室前角の幅（midline〜前角の外側を測定）が 97%tile より拡大したら，腰椎穿刺をより積極的に検討する（図 4-16，図 4-17）[25]。
- 1 回の排液量のめやすは 10 mL/kg/回，体重の 2% を上限とする。
- 反復腰椎穿刺は推奨されない。反復腰椎穿刺を必要とする場合には，頭皮下髄液リザーバー（Ommaya リザーバー）の留置術を行

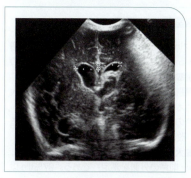

図 4-16
側脳室前角の幅の測定部位

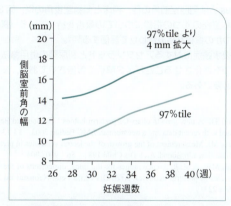

図 4-17　側脳室幅の 97%tile と脳室拡大と判断されるライン
Levene MI. Measurement of the growth of the lateral ventricles in preterm infants with real-time ultrasound. Arch Dis Child 1981；56：900-904[25]

う（ ☞ p.140）。
- それでも水頭症が改善しない場合には，体重増加（2,500 g 以上が望ましい）を待って V-P シャント術を行う。
- 水頭症が進行しているかどうかは，連日の頭囲測定や脳エコー検査によって診断する。

POINT 頭囲拡大,脳室拡大の評価

◆ 在胎 26〜32 週で頭囲は 1 mm/日で大きくなり,在胎 32〜40 週で 0.7 mm/日で大きくなるとされる[a]。測定位置を固定し,連日の頭囲計測を行うことで頭囲拡大をより正確に判断できる。

◆ 1 週間で 14 mm 以上の頭囲拡大は異常。20 mm/週以上の頭囲拡大は進行の著しい水頭症と考えられる。

◆ 水頭症の評価として骨縫合の所見も重要である(図 A)。水頭症が進行すると骨縫合は離開し,改善すると閉鎖する。

◆ 早産児の脳エコーで脳室拡大の評価として広く使用されているのは,側脳室前角の幅(midline〜前角の外側を測定)である。97%tile 以上を脳室拡大として定義する(図 4-17,図 4-18)[a, b]。

◆ Davies らは側脳室前角の径,視床と側脳室後角の径,第 3 脳室径,第 4 脳室径の 4 つの指標についての報告を行っている(図 B,表)。いくつかの指標を組み合わせて評価する[a〜c]。

◆ 出血後水頭症に対するアセタゾラミドと利尿薬の併用療法は神経学的予後を悪化させることがメタ解析で報告されており,使用には注意が必要である。

文献
a) Fenton TR. A new growth chart for preterm babies: Babson and Benda's chart updated with recent data and a new format. BMC Pediatr 2003;3:13
b) Levene MI. Measurement of the growth of the lateral ventricles in preterm infants with real-time ultrasound. Arch Dis Child 1981;56:900-904
c) Davies MW, et al. Reference ranges for the linear dimensions of the intracranial ventricles in preterm neonates. Arch Dis Child Fetal Neonatal Ed 2000;82:F218-F223

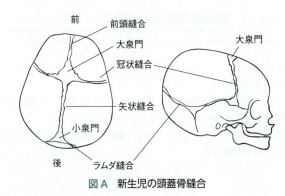

図 A 新生児の頭蓋骨縫合

(次ページへつづく)

POINT 頭囲拡大，脳室拡大の評価（つづき）

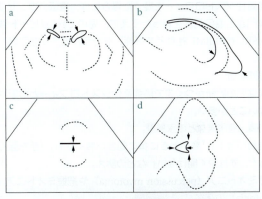

図B　計測部位
a：側脳室前角の径　b：視床と側脳室後角の径，
c：第3脳室径　d：第4脳室径計

表　脳室径（23～32週の早産児での正常範囲）

	平均（mm）	正常範囲（mm）
側脳室前角の径	1.27	0～2.9
視床～後角の径	16.7	8.7～24.7
第3脳室径	1.07	0～2.6
第4脳室の横径	5.37	3.3～7.4
第4脳室の縦径	4.74	2.6～6.9

Davies MW, et al. Reference ranges for the linear dimensions of the intracranial ventricles in preterm neonates. Arch Dis Child Fetal Neonatal Ed 2000；82：F218-F223[e]

g　先天性筋強直性ジストロフィー（その他のフロッピーインファントを含む）

- *DMPK*遺伝子の3'非翻訳領域のCTGの3塩基リピート伸長によって起こる。
- 常染色体優性（顕性）遺伝形式をとり，ほとんど母児間の遺伝に

よる。世代を経るごとに CTG リピートは長くなる（表現促進現象）。リピート数の延長はおおむね臨床症状と相関する。先天性筋強直性ジストロフィーを疑った場合には，遺伝カウンセリングの専門家と遺伝相談を行ったうえで，児の CTG リピート数の検査（SRL 社や BML 社などで可能）を行うかどうかを両親と相談する。

1 母親の診断
- 母親は児の診断がつくまで筋強直性ジストロフィーと診断されていないことが多い。
- 白内障，糖尿病などの家族歴。
- 「運動が苦手」「寒いときに指の動きが悪くなる」「手を強く握ったあと，すばやく開けない」などの訴え。
- 叩打ミオトニア（percussion myotonia）や把握ミオトニア（grip myotonia）の存在。
- 母親の筋力は低下していないことも多い。

2 周産期の特徴
- 原因不明の羊水過多に加えて，胎児に軽度の脳室拡大。
- 自然流産，分娩遷延，胎盤遺残，分娩後出血，弛緩出血など。
- リトドリン（ウテメリン®）による横紋筋融解症。
- 帝王切開時に，母親が麻酔から覚めにくい，抜管困難など。

3 児の症状
- Apgar スコア低値。呼吸障害のため人工呼吸管理を要することが多い。
- PPHN・心不全・消化管運動異常・PVL などをきたしやすい。
- 筋緊張低下，深部腱反射減弱・消失，哺乳・嚥下障害。
- facial diplegia，テント状上口唇，側頭筋低形成による前頭部突出，細い肋骨，右横隔膜挙上（約半数）。
- 肺低形成，心筋肥大，胎児水腫，内反足，胸水症。

4 管理
- 肺低形成による PPHN があれば，それに準じた治療を行う。
- 経鼻持続気道陽圧（経鼻 CPAP）を行うと，早期人工呼吸管理から離脱できる可能性がある。
- 口腔内分泌物が多いので持続吸引を行う。
- 消化管運動異常に対して，ベタネコール（ベサコリン®）2 mg/kg/

日のミルク注入前投与が有効なことがある。
- 呼吸障害や筋緊張低下は徐々に改善する。入院中からリハビリテーションを開始する。
- 精神遅滞がほぼ全例に認められる。
- 家族へ勧めることのできる参考文献：ピーター・ハーバー（著），川井　充，他（訳）．筋強直性ジストロフィー患者と家族のためのガイドブック．改訂第2版，診断と治療社，2015

5 その他の筋緊張低下を呈する疾患の鑑別
- 筋緊張低下を呈する疾患を**表4-48**に示す。

1）筋緊張低下の簡単な診断アプローチ
- 筋緊張低下の鑑別診断のアプローチに必要な障害部位と障害レベルの推定について，**表4-49**に示す。
- 詳しくは成書を参照のこと。

表4-48　筋緊張低下を呈する疾患

障害部位		鑑別疾患
中枢性 （深部腱反射は保たれる）	脳障害/ 全身疾患	・HIE，出血，敗血症，心不全，代謝病など
	脳幹	・Prader-Willi症候群，Down症候群など
	その他	・先天異常や脊髄損傷
脊髄前角細胞 （深部腱反射は消失する）		・脊髄性筋萎縮症，Werdnig-Hoffmann病
末梢神経		・congenital hypomyelination polyneuropathy, hereditary motor sensory neuropathyなど
神経筋接合部		・新生児一過性重症筋無力症 ・先天性筋無力症候群 ・高マグネシウム血症 ・アミノグリコシド系抗菌薬の副作用 ・乳児ボツリヌス症
筋 （深部腱反射は消失または著しい低下）		・先天性筋ジストロフィー（福山型・メロシン陽性型・メロシン陰性型・Walker-Warburg症候群） ・先天性ミオパチー（セントラルコア病・ネマリンミオパチー・ミオチュブラーミオパチーなど） ・ミトコンドリアミオパチー ・代謝性ミオパチー，Pompe病（糖尿病Ⅱ型） ・カルニチントランスポーター欠損

HIE：低酸素性虚血性脳症

表 4-49　先天性神経筋疾患の障害レベルの推定

	筋力低下				腱反射	筋電図	筋生検
	顔面筋罹患	上肢	下肢	近位−遠位			
中枢型	−	＋	＋	＞or＝	→↑	正常	正常
前角神経	慢性期	＋＋＋＋	＋＋＋＋	＞or＝	−	神経原性	神経原性
末梢神経	−	＋＋＋	＋＋＋	＜	↓	神経原性	神経原性
神経筋接合部	＋＋＋	＋＋＋	＋＋＋	＝	→	waning	正常
筋	＋〜＋＋＋＋	＋＋	＋	＞	↓	筋原性	さまざまな異常

2）病歴と診察項目（図 4-18）

- 家族歴と羊水過多，胎動微弱の有無。
- 中枢神経症状の有無，姿勢（frog position），眼球運動，顔面筋罹患（facial diplegia・ptosis・open mouth），啼泣微弱，嚥下障害（喘鳴・口腔内吸引の必要性）。
- 筋緊張，筋力低下（近位・遠位），筋量（muscle bulk），筋肉の触感（consistency），他動性の亢進（passivity）。
- 深部腱反射，原始反射，引き起こし反射（head lag）。
- スカーフサイン，踵−耳検査，弛緩肩，関節可動域，筋線維束性れん縮（舌・手指）。
- 痛覚に対する反応。
- 小奇形。

3）検査

- 血液（CK，アルドラーゼ，AST，乳酸/ピルビン酸，血液ガス，Mg）。
- 髄液（蛋白，糖，細胞数，乳酸/ピルビン酸）。
- 染色体。
- 頭部エコー・心エコー（心不全・心筋肥大・肺高血圧）。
- 胸部 X 線（細い肋骨・右横隔膜挙上・ベル型胸郭・心拡大）。
- 神経伝導速度・筋電図。人工呼吸器管理例では呼吸機能。
- 筋生検：筋生検で診断が確定する疾患，補助的の診断として役立つ疾患，生検を要さない疾患に分けられる。

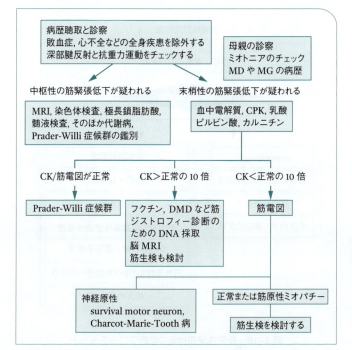

図 4-18 筋緊張低下の診断アルゴリズム
MD：筋強直性ジストロフィー，DMD：Duchenne 型筋ジストロフィー，MG：重症筋無力症，CPK：クレアチンホスホキナーゼ，CK：クレアチンキナーゼ

- エクソームシークエンス。

4）管理

- 先天性筋強直性ジストロフィーに準じる。

h 先天性多発性関節拘縮症（AMC）

- 出生時に 2 つ以上の関節に拘縮がみられること。
- 胎児期の運動性の低下（fetal akinesia）によるが，その原因はさまざま。
- 頻度は 3,000〜5,000 出生に 1 人。

1 原因の鑑別

- 脳・脊髄・脊髄前角細胞・神経筋接合部・末梢神経，筋，結合組織，

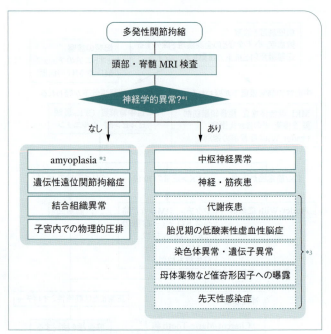

図 4-19　多発性関節拘縮の診断フローチャート

[*1] 神経学的異常：頭部・脊髄 MRI での異常，意識障害，腱反射の異常，けいれん，筋緊張の異常など。
[*2] amyoplasia にあたる適切な日本語の表記はない。
[*3] 二次的に神経学的異常をきたした疾患。

胎児期の母体からの催奇形因子曝露，代謝疾患，遺伝子異常による基礎疾患，子宮内での物理的圧排など，多岐にわたる。
- まず神経学的機能の異常（＝脳・脊髄・末梢神経・筋の構造/機能的異常）の有無で大きく鑑別する。
- 多発性関節拘縮の診断フローチャートを図 4-19 に示す。

1）神経学的異常なし

①amyoplasia（適切な日本語訳はなく，このまま記載した。筋肉が形成されないわけではない）
- 一般的に左右対称性の大関節の拘縮がある。
- 典型的所見として，足は内反尖足変形，膝は屈曲位，肩が内転

位・内旋位，肘が伸展位，手首は屈曲位でしばしば尺側偏位している。四肢の筋萎縮はあるが脂肪組織は残るため，ソーセージ様に見え，関節部の皮膚にシワが少ない。
- 多くの児に顔面の血管腫がある。
- 10%に腹部の異常（腹壁破裂，消化管閉鎖）を合併する。
- 多くの場合，精神発達は正常。
- 整形外科やリハビリテーション科にコンサルトする。

②遠位関節拘縮症
- 複数の遠位関節の拘縮が特徴。大関節が拘縮することはまれである。
- 遺伝学的要因が特定されている疾患群で，多くは常染色体優性（顕性）遺伝形式。Type1～10まで知られている。
- 診断には遺伝子検査が有用。
- 眼，心臓，消化管，性器・性腺，泌尿器系などの合併症の精査も行う。

③物理的阻害による関節拘縮
- 多胎，羊水過少，臍帯巻絡などによる胎内での四肢運動制限による。

2）神経学的異常あり
- 中枢神経系の異常：胎児期のなんらかの誘因によるHIEにより四肢の運動低下が起こり，多発性関節拘縮をきたす場合もある。その他，Moebius症候群（脳幹の運動ニューロン障害。先天性顔面神経麻痺と外転神経麻痺が特徴）や脊髄性筋萎縮症（通常は新生児期に所見は乏しい）などがある。
- 末梢神経疾患，神経筋接合部障害，筋疾患：神経診察や血液検査での筋酵素の上昇などのほか，筋電図検査による異常部位の特定が重要。胎児期から発症する遺伝性末梢神経障害もあるが，まれである。胎児期から発症した先天性ミオパチーや，先天性筋強直性ジストロフィーなども原因になり得る。重症筋無力症の母体から移行する神経筋接合部阻害の自己抗体などにより，胎児期の児の筋力低下を招き，多発性関節拘縮をきたすことがある。

2 診察・評価
- 拘縮している関節や全身の神経学的評価。必要であれば小児神経内科医にコンサルトする。
- 多関節拘縮診断のための検査を**表4-50**に示す。

表 4-50　多関節拘縮診断のための検査

・血液一般（CK，アルドラーゼなど）
・脳・脊髄 MRI，脳波検査
・遺伝子検査（既知のもので 400 以上ある）
以下は症例ごとに検討
・代謝スクリーニング
・（筋疾患を疑うとき，下位運動ニューロン徴候があるとき）神経伝達速度，筋電図検査

i 二分脊椎・脊髄髄膜瘤

- 二分脊椎は神経管閉鎖不全の1つで，3,000 出生に1人程度の頻度とされ，先天性水頭症の原因のなかでもっとも多い。
- 水頭症，Chiari 奇形による症状（Chiari クライシス），下肢の弛緩性麻痺，脊椎変形，足変形，膀胱直腸障害などの多彩な症状を認めるため，専門各科の包括的医療を要する。

1 出生までの管理
- 妊娠早期に胎児の水頭症，レモンサイン・バナナサインで発見される。水頭症がない場合には，胎児診断されにくい。
- 胎児診断例は，出生前に産科医とともに新生児科医が両親に治療方針や予後について説明する。
- 髄膜瘤を伴う水頭症は，両親の同意が得られれば可能な限り帝王切開分娩とする。
- 表 4-51 を用いて麻痺レベルの診断をする。
- 開放性二分脊椎では生後 48 時間以内に髄膜瘤閉鎖術を行う。

2 入院後から手術まで
- 腹臥位で管理する。
- 臍は長めに処置する（術前に腹臥位管理しやすいように）。
- 身体計測を行う（表 4-52，頭囲：後頭結節を通って最大径になる前額の場所をマーキングし計測）。
- 患部の保護を行う。生理食塩液ガーゼで髄膜瘤を覆う。ラップフィルムは肛門にかからないようにし，髄膜瘤に便が付着しないように肛門との境界に綿球をあてがう。

3 術後の管理
- 連日の頭囲計測（頭囲拡大が 1.5 cm/週以上の場合は異常の疑い。

表 4-51 二分脊椎患児の麻痺レベル

麻痺レベル		L2	L3	L4	L5	S1	S2	S3
股関節	屈曲 Th12, L1, 2, 3	−	±	+	+	+	+	+
	伸展 S1	−	−	−	−	−	+	+
	内転 L2, 3, 4	−	±	+	+	+	+	+
	外転 L5	−	−	−	−	+	+	+
膝関節	伸展 L2, 3, 4	−	±	+	+	+	+	+
	屈曲 L5, S1	−	−	−	−	−	±	+
足関節	背屈 L4, 5	−	−	−	±	+	+	+
	底屈 S1, 2	−	−	−	−	−	±	+
	内反 L4	−	−	−	±	+	+	+
	外反 S1	−	−	−	−	−	+	+
膝蓋腱反射	L2, 3, 4	−	−	±	+	+	+	+
アキレス腱反射	S1	−	−	−	−	−	±	+
肛門括約筋	S2, 3, 4	−	−	−	−	−	−	±
膀胱直腸機能		−	−	−	−	−	−	±

+:あり, −:なし

2 cm/週以上は明らかに異常で, 水頭症の悪化を意味する)。
- 頸部の過伸展, 過屈曲は禁止(Chiari 奇形の保護のため)。
- お尻をトントンしない。
- 腹臥位・ベッドは水平位で管理する。
- 抱っこ開始は早くても術後 1 週間以上とし, 脳外科とも相談して慎重に開始する。抱っこする際には, 創部が伸展して創部離開が起きないように行う。
- 尿カテーテルは少なくとも 1 週間は留置し, 脳外科と相談してから抜去する。
- 尿カテーテル抜去後, 導尿で 30 mL 以上の尿が貯まっていたら尿閉の可能性が高い。

表 4-52 計測項目

計測部位	項目
髄膜瘤	大きさ 縦（ ）cm×横（ ）cm 部位：胸部・腰部・仙骨部 髄液流出 あり・なし
大泉門	大きさ （ ）cm×（ ）cm 陥没・平坦・膨隆 緊満 あり・なし
小泉門	大きさ （ ）cm×（ ）cm 陥没・平坦・膨隆 緊満 あり・なし
矢状縫合	重積・離開（ ）mm
冠状縫合	重積・離開（ ）mm
鱗状縫合	重積・離開（ ）mm
人字縫合	重積・離開（ ）mm

4 術後ルーチン検査・記録
- 頭囲・骨縫合の所見。
- 尿検査（定性・培養）。
- 腎エコー：水腎，膀胱のエコー。
- Chiari 奇形の評価目的で SpO_2 ヒストグラムを記録しておく。

5 他科への依頼
- 泌尿器科：生後 1 週間以内に，二分脊椎の児が出生したことを連絡する。エコーでつねに full bladder を認める，水腎を認める，さらに有熱性尿路感染をきたすような場合は改めて泌尿器科に相談し，尿流動態検査を待たずに間歇的自己導尿を開始する。
- リハビリテーション科：生後 1 週間以内にリハビリテーションのオーダーを入れる。実際の訓練開始は創部の状態，シャント手術の状況により理学療法士と相談して決める。
- 整形外科：下肢の変形，脊椎の彎曲がある場合に，髄膜瘤と水頭症の手術後，全身状態が安定したタイミングで診察を依頼する。退院前から内反足のギプス巻きなどを開始することもある。下肢・脊椎の変形がなければ紹介は必須ではない。

6 Chiari 奇形の症状
- Chiari 奇形の症状に注意する。吸気時の喘鳴（声帯麻痺），無呼

吸・息止め発作，哺乳・嚥下障害，頸部過伸展，後弓反張，胃食道逆流（GER）現象，体重増加不良など．
- 画像的には，Chiari 奇形は二分脊椎のほぼ全例に認めるが，脳幹と下部脳神経の異常による臨床症状を認める例は 10〜20 人に約 1 人である．
- 無呼吸や息どめ発作を認める児は，その種類や頻度を評価する．
- Chiari 奇形の症状がある場合には，Chiari 奇形に対する減圧術を検討する．

7 家族支援

- 緊急時の対応やシャント感染，シャント不全の症状について説明する．
- 退院前に脳外科からシャント手帳を渡す．
- 二分脊椎症協会・水頭症協会などの家族会を紹介する．

6 血液・黄疸

a 黄疸

1 時系列にみた高ビリルビン血症の基礎疾患

1) 日齢0〜1に発症する黄疸
- 溶血性疾患〔新生児溶血性疾患・遺伝性球状赤血球症・グルコース-6-リン酸脱水素酵素（G6PD）欠損症など〕。

2) 日齢2〜5に発症する黄疸
- 多血症。
- 敗血症。
- 閉鎖性出血（頭血腫・くも膜下出血・帽状腱膜下出血・副腎出血）。
- 脱水。
- 排便障害による腸肝循環の増加〔母乳育児中で母乳摂取がうまくいっていない場合（breast-non-feeding jaundice），腸閉塞・Hirschsprung 病など経消化管栄養が不十分な場合〕。
- 遺伝性球状赤血球症，G6PD 欠損症，遺伝性ビリルビン代謝異常症（Gilbert 症候群，Crigler-Najjar 症候群），ガラクトース血症。
- 生理的黄疸（特発性黄疸）。
- 前述のうち，ガラクトース血症以外は I-Bil 優位。
- Gilbert 症候群は人口の約 6〜8％である[26]。

3) 遷延性黄疸（生後2週以降も認められる黄疸）
- I-Bil と D-Bil どちらが優位かで，表4-53 に示すように分けられる。

表4-53 遷延性黄疸の鑑別

間接ビリルビン（I-Bil）優位	直接ビリルビン（D-Bil）優位
・甲状腺機能低下症 ・母乳性（breast-milk jaundice） ・遺伝性ビリルビン代謝異常症	・胆道閉鎖，総胆管拡張症 ・新生児肝炎 ・代謝性疾患（チロシン血症Ⅰ型など） ・下垂体機能低下症 ・肝内胆汁うっ滞症（Alagille 症候群，Zellweger 症候群，Byler 病，新生児型シトリン欠損症） 　　　　　　　　　　　　　　　　　など

2 検査

- 母体血：血液型・不規則抗体・間接 Coombs。
- 児の血液：血液型・直接 Coombs・間接 Coombs・T-Bil・D-Bil・アンバウンドビリルビン (UB)。
- 血算，CRP，Alb，肝機能，末梢血塗抹標本，網状赤血球。
- 血液ガス分析で COHb。
- 頭部エコー，腹部エコー。

3 管理

- 出生数時間以内の Bil をチェックし，4 mg/dL を超えるなら治療を要する。
- 溶血性疾患のリスクがある場合，経皮ビリルビノメーターではなく，採血で確認する（皮下にビリルビン色素が沈着するのにタイムラグがあるため）。
- 黄疸の背後に隠されている基礎疾患の早期発見に努める。
- 腸肝循環を亢進させないよう早期に授乳を開始し，また排便を促す。
- 核黄疸リスク増強因子（アシドーシス・低体温・低蛋白血症・低血糖・感染症・呼吸障害・溶血性疾患）の除去。
- ただし，D-Bil が T-Bil の 10％以上を占める場合は UB が高値となるため，参考にならない。
- D-Bil が 2 mg/dL 以上，または T-Bil の 10％以上を占める場合は高直接ビリルビン血症とする。
- 治療適応を判断する際に，T-Bil から D-Bil を引く考え方は根拠がないとされている。
- ヘムから Bil の合成過程で CO が放出されるため，COHb が溶血性黄疸の指標となる。

4 治療

1) 光線療法

- 表 4-54[27]，図 4-20[28]に基準を示す。
- ただし，UB の保険算定は生後 2 週間以内のみ。
- 新生児溶血性疾患では，日齢 0 から光線療法を開始する。
- 輸液療法中であれば，投与水分量を 10〜20 mL/kg/日増量する。
- 図 4-20 の基準から 2〜3 mg/dL 低くなったら中止するが，リバウンドに注意し，12〜24 時間以内に Bil を再チェックする。

表 4-54 光線療法・交換輸血の治療のための新基準（神戸大学 2016）

	在胎週数 or 修正在胎週数	T-Bil 値の基準（mg/dL）						UB 値の基準（μg/dL）
		<24 hr	<48 hr	<72 hr	<96 hr	<120 hr	120 hr〜	
Low モード光線療法	22〜25 週	5	5	5	6	7	8	0.4
	26〜27 週	5	5	6	8	9	10	0.4
	28〜29 週	6	7	8	10	11	12	0.5
	30〜31 週	7	8	10	12	13	14	0.6
	32〜34 週	8	10	12	14	15	16	0.7
	35 週〜	10	12	14	16	17	18	0.8
High モード光線療法	22〜25 週	6	8	8	9	10	10	0.6
	26〜27 週	6	9	10	11	12	12	0.6
	28〜29 週	7	10	12	13	14	14	0.7
	30〜31 週	8	12	14	15	16	16	0.8
	32〜34 週	9	14	16	18	19	19	0.9
	35 週〜	11	16	18	20	22	22	1.0
交換輸血の適応基準値	22〜25 週	8	10	12	13	13	13	0.8
	26〜27 週	8	12	14	15	15	15	0.8
	28〜29 週	9	14	16	18	18	18	0.9
	30〜31 週	10	14	16	18	20	20	1.0
	32〜34 週	10	16	18	20	22	22	1.2
	35 週〜	12	18	20	22	25	25	1.5

※修正週数に従って，治療基準値が変わることに注意
hr：時間，UB：アンバウンドビリルビン
森岡一朗，他．早産児の黄疸管理：新しい管理方法と治療基準の考案（総説）．日本周産期・新生児医学会雑誌 2017；53：1-9[27]

2）交換輸血
- 溶血性黄疸（とくに抗 D 抗体）は，原則として適応である。

3）Alb 投与
- UB が上昇している場合は，Alb 1〜1.5 g/kg を 1〜2 時間かけて点滴静注する。

4）ガンマグロブリン療法
- ガンマグロブリン療法はピークの Bil 値を下げる効果はないため，生後早期に交換輸血基準を超えた例では交換輸血を選択する。

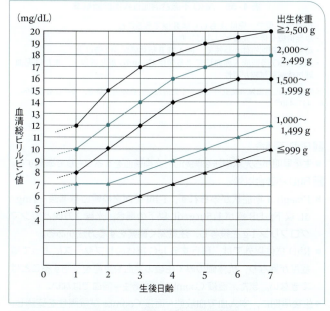

図 4-20 村田・井村の治療基準

注 1：日齢，出生体重から基準線を超えたときに光線療法を開始する。
注 2：下記の核黄疸発症の危険因子がある場合には 1 段低い基準線を超えたときに光線療法を考慮する。
　1. 周生期仮死（5 分後 Apgar スコア<3）
　2. 呼吸窮迫（$PaO_2 \leq 40$ mmHg が 2 時間以上持続）
　3. アシドーシス（pH≦7.15）
　4. 低体温（直腸温<35℃ が 1 時間以上持続）。
　5. 低蛋白血症（血清蛋白≦4.0 g/dL または血清アルブミン≦2.5 g/dL）
　6. 低血糖
　7. 溶血
　8. 敗血症を含む中枢神経系の異常徴候
注 3：中止基準；その日齢における開始基準よりも 2～3 mg/dL 低くなった場合に中止。

村田文也，他．新生児高ビリルビン血症の光線療法―臨床的諸問題．小児外科・内科 1973；5：301-311[28]）

b 新生児溶血性疾患

- 日本人で治療を要する新生児溶血性疾患は，抗 D→抗 E→抗 E+c→抗体 Diego の順に多い。

表 4-55　ABO 不適合溶血性疾患診断基準

- 母親が O 型で，児は A もしくは B 型であること。
- 早発黄疸を伴う間接ビリルビン血症。
- 母親の不規則抗体が陰性で，抗 A 抗 B 抗体価が 512 倍以上。
- 児と ABO 同型成人赤血球による間接 Coombs が 8 倍以上，または児血球抗体解離試験が陽性。

厚生省特発性造血障害調査研究班．小児溶血性貧血の全国調査．日小血会誌 1992；6：437-440[29)]

1 RhD 不適合

- 生後早期から光線療法を開始し，交換輸血をするつもりで準備する。

2 RhD 不適合以外

- Praagh Ⅰ期症状がみられず，T-Bil 値が交換輸血基準値+4mg/dL 以下，UB 値が 1.5 μg/dL 以下の場合，光線 2 方向とガンマグロブリン 1g を投与し，注意深く観察をする方法がある。
- RhD 抗体以外では，移行する IgG 抗体のサブクラスによって重症度が異なり，抗体価のみで生後の溶血や黄疸を予測することはできない。また，直接 Coombs 試験陽性＝溶血ではない。
- 生後早期に，本人血で血液型・直接 Coombs 試験陽性を確認し，Bil＞4mg/dL，Hb＜12g/dL，網状赤血球＞40〜50‰，赤芽球＞10/100 WBC，COHb＞1.4％などを指標に交換輸血を施行する。
- 胎児診断例では O 型の Rh 不適合型陰性血を，生後の診断例は ABO を合わせた Rh 不適合型陰性血を使用する。
- 交換輸血後，ガンマグロブリンを投与する。

3 ABO 不適合

- 母親が O 型で，児が A・B の組み合わせの場合，児の輸血前検査では表裏検査を必ず行い，裏検査で抗 A 抗 B 抗体が検出されたら以下の検査を行う。
  ①母体血清の抗 A 抗 B 抗体価を間接 Coombs 試験で測定する。
  ②児の血清の抗 A 抗 B 抗体価を間接 Coombs 試験で測定する。
  ③児の血球で抗体解離試験を行い，児の血球に結合した抗体価を測定する。
  ④児の血球で直接 Coombs 試験を行う。
- ほとんどは軽症である。
- ABO 不適合溶血性疾患の診断基準を**表 4-55**[29)]に示す。

C Down症候群に伴う一過性骨髄異常増殖症(TAM)

1 特徴
- Down症候群の約10%にみられる。
- 症状に乏しいことも多く、Down症候群では白血球数および血小板数と末梢血塗抹で芽球を確認する。

2 定義
- 末梢血で骨髄性芽球5%以上。

3 症状
- 肝脾腫、胸水・腹水・心嚢水貯留、出血症状、皮疹。

4 検査
- 血算で、芽球や白血球増多がみられる場合には、フローサイトメトリーで以下を確認する。
  ① 巨核芽球/巨核球(CD61, CD41, CD42)、幹細胞(CD34, CD117)、骨髄性(CD13, CD33)、およびnonlineage(CD4, CD7, CD56)抗原の陽性率が上昇。
  ② 血液凝固の増加〔トロンビン-アンチトロンビン複合体(TAT)を含む〕。
  ③ 肝線維化マーカー(ヒアルロン酸、IV型コラーゲンなど)の増加。

5 治療
- ほとんどが自然退縮するため、芽球の推移を観察するのが基本で

POINT TAM診療の注意点

- TAMでは血小板減少、凝固障害のためにスコア上は播種性血管内凝固(DIC)と診断されることが多い。しかし、TAMは巨核芽球系の異常のため、DICを伴わなくても血小板減少をきたす。同様に、肝不全があるとDICを伴わなくても血液凝固異常をきたす。TATが上昇していなければ(10 ng/mL未満)、DICは否定されるので、新鮮凍結血漿(FFP)輸血前に必ず確認する。
- ワンポイントの肝線維化マーカー値では肝臓の予後予測は困難であるが、経時的変化は有用である。
- FFPの輸血依存状態にある肝不全に対する少量シタラビン投与の有効性は、主要な文献(Children's Oncology Group Study・BFM study・日本の東海地区の研究)をみてもはっきりしない。

ある。
- 白血球 100,000/μL 以上で前述の症状がある場合には,少量シタラビン 1 mg/kg/回(35 週未満では 0.5 mg/kg/回)の 1〜7 日間投与を考慮する。治療の際は血液腫瘍科に相談する。
- 投与後に白血球数 20,000/μL 以下になれば,いったん治療を中止する。心嚢液貯留,肝障害の悪化の際には個別に治療を検討する。

6 予後
- 約 20% が 3〜4 歳までに急性骨髄性白血病(多くは M7)に移行するので,寛解後も血液検査で経過観察する。

d 胆汁うっ滞

- T-Bil 値が 5 mg/dL 以下の場合は D-Bil 値が 1 mg/dL 以上,T-Bil 値が 5 mg/dL 以上の場合では,D-Bil はそのうちの 20% 以上を閾値とする[30]。

1 鑑別診断
- 胆汁うっ滞の鑑別診断を表 4-56 に示す。

2 検査
- 血液検査(T-Bil,D-Bil,血算,AST,ALT,ALP,γGTP,総胆汁酸,総コレステロール,アンモニア,乳酸,ピルビン酸,凝固系検査など)。
- 十二指腸液検査。
- エコー検査(空腹時の胆嚢,総胆管の描出)。

表 4-56 胆汁うっ滞の鑑別診断

大きな鑑別	疾患
肝外胆管の異常	胆道閉鎖症,胆道拡張症
肝内胆管の異常	症候性肝内胆管減少症:Alagille 症候群 非症候性肝内胆管減少症
その他	進行性家族性肝内胆汁うっ滞症
代謝異常	シトリン欠損症,ガラクトース血症,α_1 アンチトリプシン欠乏症,先天性胆汁酸代謝異常症,など
いわゆる肝障害	新生児肝炎,経静脈栄養
感染症	TORCH,細菌感染症,など
染色体異常	18 トリソミー,21 トリソミー,など

表 4-57 新生児乳児胆汁うっ滞に対する経口ビタミン補充量の推奨

投与するビタミン	補充量
ビタミン A	5,000〜25,000 IU/日
ビタミン D	1,200〜8,000 IU/日（ビタミン D_2） もしくは 0.05〜0.2 μg/kg/日（活性型ビタミン D_3）
ビタミン E	25〜100 IU/kg/日（1 IU＝1 mg）
ビタミン K	PT-INR 1.2〜1.8　2.5 mg/日 INR＞1.8　5 mg/日

PT：プロトロンビン時間，INR：国際標準比
Shneider BL, et al：Efficacy of fat-soluble vitamin supplementation in infants with biliary atresia. Pediatrics 2012；130：e607-e614[31]

- 甲状腺刺激ホルモン（TSH），遊離トリヨードサイロニン（FT_3），遊離サイロキ（FT_4），$α_1$-アンチトリプシン。
- タンデムマス・スクリーニング，アミノ酸分析，尿中有機酸分析。
- 全身 X 線（脊椎，手関節）。
- サイトメガロウイルス（CMV）を含む肝炎関連ウイルスの検査。
- 胆道閉鎖症の発見が遅れないよう（生後 2 カ月以内の手術を要する），必ず外科と併診する。

3 栄養管理

- 経静脈栄養例では，①極少量でも経腸栄養を開始する，②アミノ酸投与量を減らす，③生後 1 カ月以上経腸栄養が確立しない場合は omegaven®（オメガ 3 系脂肪酸）の投与を考慮する（omegaven® は保険適用外）。
- 母乳栄養は原則継続し，体重増加不良の場合は胆汁に依存せずに吸収される中鎖脂肪酸（MCT）オイル，MCT ミルクの併用を考慮する。
- 新生児乳児胆汁うっ滞に対する経口ビタミン剤の補充量を表 4-57[31]に示す。
- なお，総合ビタミン剤（パンビタン®）0.5 g には，ビタミン A（レチノール）1,250 IU，ビタミン D（エルゴカルシフェロール：ビタミン D_2）：100 IU，ビタミン E（トコフェロール）0.5 mg が含有されており，ビタミン K は含有されていない。

- 胆汁うっ滞を認める場合，パンビタン®に加えてアルファロール®（0.5 μg/mL）を 0.2 mL（0.1 μg）/kg/日，トコフェロール酢酸エステル顆粒（200 mg/g）を 50 mg/日，ケイツー®シロップ（2 mg/mL）を 0.1〜1 mL（0.2〜2 mg）/日をめやすに内服。
- 投与量は胆汁うっ滞の程度に応じて増量する。
- ビタミンK欠乏は肝障害の程度と関係なく起こり得るので十分量を投与する。
- 胆汁排泄を認める場合には，ウルソデオキシコール酸（ウルソ®）15〜30 mg/kg/日を投与する。

e 胆道閉鎖症

- 黄疸，淡黄色〜灰白便，褐色尿が続く場合，胆汁うっ滞性肝疾患を疑う。胆道閉鎖症のみならず，感染性疾患，総胆管拡張症，新生児肝炎，シトリン欠損症による新生児肝内胆汁うっ滞（NICCD），Alagille 症候群，進行性家族性肝内胆汁うっ滞症（PFIC），CMV感染などの鑑別診断が重要である。
- 胆道閉鎖症は早期発見・早期手術（肝門部空腸吻合術）が重要であり，疑わしい場合は早めに外科に紹介する。
- 肝門部空腸吻合術後の黄疸消失率は，手術実施時期別にそれぞれ，生後 30 日以内で 73%，生後 60 日以内で 66%（胆道閉鎖症全国登録 1989〜2020 年）[32]。生後 120 日以降は減黄得られず肝移植を要することが多い。
- 胎便色は正常であるが，生後しばらくしてから徐々に黄疸や淡黄色便が顕在化することが多く，母子手帳の便色カードは早期発見の手掛かりとなる。便色カード 1〜3 番は早期に精査を要する。
- 胆汁うっ滞はビタミンKなど脂溶性ビタミンの消化吸収障害を起こすので，ビタミンを適切に補充し，脳出血の併発を防ぐことが重要である。
- 母乳栄養の場合，白色便がカロチンで着色され，わかりにくいことがあるので注意する。
- 生後，D-Bil≧1 mg/dL は要注意。
- 腹部エコー検査では，胆嚢サイズの推移と triangular cord sign（肝門部索状物塊）が有用である。
- 24 時間十二指腸液検査で，十二指腸液中総胆汁酸や Bil の定量的

測定を行う。
- 肝門部嚢胞として出生前診断される例（病型Ⅰ型，Ⅲ型など）もあり，先天性胆道拡張症との鑑別が必要となる。
- 早産児の胆道閉鎖は診断が難しいが，胆道造影や肝生検の適応・タイミングを個々に検討し，見逃しを防ぐ。

f 新生児肝不全

1 症状
- 黄疸，出血，紫斑，腹水，意識障害など。

2 検査所見
- 高ビリルビン血症。
- 高アンモニア血症。
- 凝固障害。
- AST，ALT 値の上昇。
- 低血糖（グルカゴンの枯渇，インスリン分解の障害）。

3 初期検査
- 血算，血液生化学一般，血液ガス，血液アンモニア・乳酸・ピルビン酸，血中ケトン体，遊離脂肪酸，血液凝固〔TAT，プラスミンα_2プラスミンインヒビター複合体（PIC）を含む〕，鉄，総鉄結合能（TIBC），フェリチン，血漿アミノ酸，尿中有機酸分析，タンデムマス・スクリーニング。
- 感染症関連（各種培養，ウイルス分離，各種ウイルスの IgM や PCR）。
- 血清や濾紙血を保存する。

4 鑑別が重要な疾患
- 新生児肝不全と鑑別が必要な代表的疾患を**表 4-58** に示す。

> *memo*
>
> フェリチンは非特異的な肝障害や炎症，溶血・輸血で上昇する。また，血清フェリチンレベルは肝外鉄沈着と相関しない。フェリチンが上昇する病態では，肝臓の MRI で鉄沈着を示唆する所見を示すことがある。フェリチン高値とトランスフェリン飽和度上昇以外の証拠を集積して診断するのが重要である。

表 4-58 新生児肝不全の代表的鑑別疾患（薬剤性・栄養性は除く）

大きな鑑別	疾患
代謝異常	ガラクトース血症 チロシン血症 先天性胆汁酸代謝異常
storage diseases	Niemann-Pick 病 糖原病
感染症	【原因ウイルス・菌】 単純ヘルペスウイルス パルボウイルス B19 エコーウイルス 9 アデノウイルス 風疹ウイルス *Treponema pallidum*（梅毒） トキソプラズマ サイトメガロウイルス
その他	新生児ヘモクロマトーシス 家族性血球貪食性リンパ組織球症 ミトコンドリア病 新生児ループス 一過性骨髄異常増殖 重症仮死

g 新生児ヘモクロマトーシス

1 特徴
- 腹水，浮腫，肝腫大が目立ち，AST・ALT に比して重度の凝固障害がみられる。前児で原因不明の新生児肝不全がみられた場合は，より疑わしい。

2 検査所見
- 血液検査：トランスフェリン飽和度（鉄/TIBC）高値，血清フェリチン値高値（おおむね>800 ng/mL），D-Bil 上昇，凝固能異常，低血糖，低アルブミン血症，血小板減少。
- 腹部 MRI で肝外組織（おもに膵臓，T2 低信号）への鉄沈着。
- 唾液腺生検：鉄沈着。
- 肝生検：広範な線維化。C5b-9 複合体の免疫染色が特異的な可能性。

3 治療

- ガンマグロブリン静注（IVIG）療法，交換輸血。重症例では肝移植。肝不全をきたし得る疾患を可能な限り除外し，肝移植可能な施設への搬送タイミングを逸しない。

h 貧血

1 先天性貧血

1）定義

- Hb＜13 g/dL。

2）原因

- 産生の抑制：慢性胎内感染（TORCH 症候群），TAM。
- 失血：臍帯・胎盤の損傷，前置胎盤，前置血管，胎盤早期剥離，早期臍帯血漿（帝王切開），胎児母体間輸血，双胎間輸血。
- 出血：頭蓋内出血，肺出血，副腎出血，肝被膜下出血，脾破裂，消化管出血，帽状腱膜下出血，先天性凝固異常。
- 溶血：血液型不適合，遺伝性溶血性疾患。

3）検査

- 血算，血液像，網状赤血球数，血清鉄，TIBC，フェリチン，血液ガス，IgM，直接 Coombs 試験，母体血中胎児 Hb 検査（正常は HbF＜1％），胎盤病理，頭部・腹部エコー。
- 急性失血では生後数時間は Hb 値が正常のこともあるため，生後 6〜8 時間で再検査が必要である。

4）急性失血と慢性失血の鑑別

- 急性失血と慢性失血の鑑別について，**表 4-59** に示す。

5）管理

- 酸素投与。
- 急性失血によるショック時は，照射赤血球液-LR「日赤」10〜20 mL/kg を 10〜15 分で急速輸血。失血が多量の場合には，心負荷に注意しながら照射赤血球液の投与を追加する。血液製剤は児と同型の赤血球液が望ましいが，緊急の際には O 型 Rh（−）血でもよい。赤血球液が届くまでは，まず生理食塩液 10〜20 mL/kg を 10〜15 分で急速輸液する（☞ p.123）。
- 慢性失血が疑われる場合でも，循環不良があれば照射赤血球液の急速輸血で治療を開始する。

表4-59 急性失血と慢性失血の鑑別

	急性失血	慢性失血
臨床症状	チアノーゼ 多呼吸 頻脈 血圧低下 末梢循環不全	蒼白 心拡大 胎児水腫
赤血球	正球性正色素症	小球性低色素症 有核赤血球および網状赤血球の増多
血清鉄	正常	低値
血清フェリチン	正常	低値

- 心負荷が強い場合は,フロセミド1 mg/kgを併用する。
- 心不全を合併し大量輸血に耐えられない場合は,交換輸血を考慮する。高度貧血(Hb<7 g/dL)では,照射赤血球液での部分交換輸血を考慮する(⇒ p.125)。
- 鉄欠乏性貧血の予防に,生後1カ月より鉄剤を投与する。クエン酸第一鉄(フェロミア®)顆粒またはピロリン酸第二鉄(インクレミン®)シロップを,鉄として2〜4 mg/kg/日。
- 輸血の適応基準を表4-60に示す。

2 未熟児貧血

1) 定義
- 未熟児でエリスロポエチン産生不良による生後1〜3カ月の貧血。

2) 症状
- 頻脈,哺乳不良,多呼吸,無呼吸,体重増加不良。

3) 管理
- 採血量を減らし,エポエチンアルファ(エスポー®)を予防投与する。輸血はできるだけ避けるが,Hb 8 g/dL未満または,Hb 8〜10 g/dLで貧血による症状を認める際には,照射赤血球液10〜20 mL/kgを輸血する。そのほか,呼吸障害を認める児は,状況

> *memo*
>
> 浮腫の程度にもよるが,早産児の慢性期の毛細血管採血(足底血)では,静脈血と比べてHbで約2 g/dL高い。貧血の評価は静脈血で行う。

表 4-60 NICU における輸血の適応基準

Hb (g/dL)	Ht (%)	
<13	<40	先天性心疾患を合併しチアノーゼや心不全を伴う
<12	<35	出生直後の急性出血,失血 気管挿管し呼吸器管理中
<10	<30	先天性慢性貧血 大手術時 CPAP や酸素投与中
<7	<20	未熟児貧血で酸素化不良・哺乳力低下・頻脈など症状が明らかなときのみ

Hb:ヘモグロビン,Ht:ヘマトクリット,CPAP:持続気道陽圧

に応じて適応を考慮する。
- 輸血の適応基準を表 4-60 に示す。

4) 予防
- 対象:在胎 34 週未満かつ出生体重 1,500 g 未満の輸血を要する可能性が高い児。
- 投与量:エポエチンアルファ 200 U/kg を週 2 回皮下注。
- 投与開始時期:日齢 7 以降で皮膚所見が安定後。
- 投与中止時期:Hb>10 g/dL(Ht>30%)または修正在胎 36 週。
- 重症感染症時はエポエチンアルファ・鉄剤投与を一時中止する。
- 副作用報告:一過性血小板増多・一過性好中球減少・高血圧,未熟児網膜症(ROP),乳児血管腫の増悪。

5) 治療
- 鉄の補充:ピロリン酸第二鉄シロップ(鉄 6 mg/mL)を,生後 3 週より 3 mg/kg/日,生後 4 週より 6 mg/kg/日。ただし,フェリチン高値(>300 ng/mL)の場合は投与しない。エポエチンアルファ終了後は,2~3 mg/kg/ 日に減量する。
- 鉄のみの評価はしない。
- フェリチン 100~300 ng/mL(ただし非特異的な肝障害でも上昇する),トランスフェリン飽和度>15%を目標にする。
- ビタミンの補充:生後 2 週よりビタミン E 20 mg/日(トコフェロール酢酸エステル顆粒)と葉酸 0.25 mg/日(パンビタン®末 0.5 g)。

i 多血症

1 定義
- 末梢静脈血で Ht 65％以上〔毛細血管採血（足底血）では高値を示すので不適当〕。血液粘稠度上昇により症状を呈する。

2 原因
- 胎盤輸血（双胎間輸血・母体胎児間輸血・臍帯切断遅延），胎盤機能不全〔small for gestational age（SGA）児・過期産児〕，糖尿病母体児。

3 症状
- 全身紅潮，多呼吸，チアノーゼ，心不全，易刺激性，嗜眠傾向，哺乳障害，低カルシウム血症，血小板減少，低血糖，黄疸，けいれん，イレウス，壊死性腸炎（NEC），腎機能障害，腎静脈血栓症，脳梗塞。

4 管理
- 無症状のものは，まず輸液を増量する。
- 症状がある場合には部分交換輸血を行う（☞ p.125）。

j 播種性血管内凝固（DIC）

1 原因
- 仮死，低酸素血症，感染症，大量出血，ショック，低体温，NEC，消化管穿孔。

2 症状
- 全身状態不良，皮下出血斑，臍や採血部位の止血困難，消化管出血，肺出血。

3 診断
- 新生児 DIC 診断基準（**表 4-61**）[33)]を参考にする。ただし，血小板・フィブリノゲン・プロトロンビン時間国際標準比（PT-INR）・フィブリノゲン・フィブリン分解産物（FDP）または D-dimer はいずれも，DIC の"結果"を反映するものである。DIC の本態である"凝固活性化状態"を知るためには TAT を確認する。また，臨床的に出血傾向があることも重要である（☞ p.273 も参照）。
- TAT は半減期が短い凝固活性化マーカーで，10 ng/mL 未満であれば DIC は否定的。

表 4-61 新生児播種性血管内凝固（新生児 DIC）診断基準

項目		出生体重	
		1,500 g 以上	1,500 g 未満
血小板数[*1]	$70×10^3/\mu L≦$ かつ 24 時間以内に 50%以上減少	【1 点】	【1 点】
	$50×10^3/\mu L≦$ $<70×10^3/\mu L$	【1 点】	【1 点】
	$<50×10^3/\mu L$	【1 点】	【2 点】
フィブリノゲン[*2]	$50 mg/dL≦$ $<100 mg/dL$	【1 点】	—
	$<50 mg/dL$	【2 点】	【1 点】
凝固能 (PT-INR)	$1.6≦$ <1.8	【1 点】	—
	$1.8≦$	【2 点】	【1 点】
線溶能[*3] (FDP あるいは D-dimer)	<基準値の 2.5 倍	【−1 点】	【−1 点】
	基準値の 2.5 倍≦ <10 倍	【1 点】	【2 点】
	基準値の 10 倍≦	【2 点】	【3 点】

付記事項

[*1] 血小板数：基礎疾患が骨髄抑制疾患など血小板減少を伴う疾患の場合には加点しない。

[*2] フィブリノゲン：基礎疾患が感染症の場合には加点しない。感染症の診断は小児・新生児 SIRS 基準などによる。

[*3] TAT/FM/SFMC は，トロンビン形成の分子マーカーとして，凝固亢進の早期診断に有用な指標である。

しかし，採血手技の影響をきわめて受けやすいことから，血小板数や D-dimer など他の凝固学的検査結果とあわせて評価する。

血管内留置カテーテルからの採血など採血時の組織因子の混入を否定できる検体では，TAT/FM/SFMC の 1 つ以上が異常高値の場合は，1 点のみを加算する。

なお，採血方法によらず，これらの測定値が基準値以内のときは DIC である可能性は低い。

PT-INR：プロトロンビン時間国際標準比，FDP：フィブリン・フィブリノゲン分解産物，SIRS：全身性炎症反応症候群，TAT：トロンビン-アンチトロンビン複合体，FM：フィブリンモノマー，SFMC：可溶性フィブリンモノマー複合体

日本産婦人科・新生児血液学会 新生児 DIC 診断・治療視診作成ワーキンググループ．新生児 DIC 診断・治療指針 2016 年版．http://www.jsognh.jp › society › guideline_2016（2022.4.6 アクセス）[33]

- PIC は線溶亢進マーカーで，採血手技の影響を受けにくい。基準値は $0.8\mu g/mL$ 未満だが，$2.0\mu g/mL$ までは正常児でもみられる。DIC の確定診断よりも，DIC で線溶亢進タイプであるかの判断に有用。

4 治療

- 基礎疾患の治療とアシドーシスの補正がもっとも重要であるが，同時に以下の治療も行う。

1) 抗凝固療法
- トロンボモデュリン（リコモジュリン®）：トロンビン合成阻害により抗凝固作用をもつ。380 IU/kg を 30 分以上かけて点滴静注。腎機能障害時には 130 IU/kg まで減量する。重篤な出血を合併した場合は禁忌。プロテイン C 活性が 20％未満，または不明の場合は FFP にて補充。

2) 補充療法
- 照射濃厚血小板-LR「日赤」10〜15 mL/kg 輸血。血小板数 50,000/mm³ 以上を目標に投与する。
- FFP 20 mL/kg。

k 新生児同種免疫性血小板減少症（NAIT）

1 定義・原因
- 生後 1 週以内の血小板減少時に，（感染や SGA，DIC とともに）鑑別する。
- 一般に，血小板＜50,000/μL が重度の血小板減少。
- ほとんどが，血小板特異抗原（HPA）に対する母体の同種抗体による。
- 日本の HPA 抗体の頻度は，5b＞4b＞3a＞5a＞CD36〔ヒト白血球抗原（HLA）に対する抗体が NAIT を引き起こすのかは懐疑的な意見が強い〕。

2 検査
- HPA 抗体検査（感度・特異度とも高くない）。
- 血小板交差適合試験：母血清と父または児の血小板による交差試験（児は大抵低値なので検査できない）で血小板に結合した抗体を測定する。
- 抗体価と児の血小板数は関連しない。

3 治療
- 生後数日以内で血小板＜30,000/μL ならば，適合血小板輸血。入手に時間を要するならランダム・ドナーの血小板輸血。脳出血や出血症状があるなら血小板＞50,000/μL を維持する。
- 自己免疫産生はないので生後数週で改善する。
- IVIG 療法も検討する（が質の高いエビデンスはない）。1 g/kg/日を 2〜3 日。血小板輸血や IVIG 療法でも改善しない重症の血

小板低下では，ステロイド投与を考慮する。

I 血栓症

1 リスク因子
- 中心静脈カテーテル，臍静脈カテーテル，仮死，敗血症，多血症，遺伝性血栓性素因（アンチトロンビン欠乏症，プロテインC欠損症，プロテインS欠損症など）。

2 症状
- 深部静脈血栓症：浮腫，チアノーゼ，上大静脈症候群。
- 肺塞栓：原因不明の右室拡大と右室圧上昇を伴う呼吸障害を認める場合に疑う。
- 腎静脈血栓症：血尿，血小板減少，腎腫大。
- 門脈血栓症：脾腫，消化管出血。

3 治療
- 低分子ヘパリン：ダルテパリン（フラグミン®）80〜100 U/kg/日を持続静注する[34]。
- 未分画ヘパリンよりも出血の副作用は少ないが，標準的なモニタリング方法はない。
- 血栓溶解（rt-PA）療法（アクチバシン®注）：静脈血栓では0.01〜0.03 mg/kg/時，動脈血栓では0.1〜0.5 mg/kg/時，6時間持続静注。ただし，出血のリスクが高く，当院での新生児に対する使用経験はない。

7 感染症

- 新生児期の感染症は臨床症状に乏しく,体温の異常・腹部膨満・自発運動/哺乳力の低下・チアノーゼ・肝脾腫などの非特異的なものが多い。

a 先天性・周産期感染症

- TORCH(トキソプラズマ・風疹・サイトメガロ・単純ヘルペスおよび梅毒)がおもなものである。
- TORCHのほかに,クラミジア,ヒト免疫不全ウイルス(HIV),ヒトT細胞白血病ウイルス1型(HTLV-1),B型・C型肝炎ウイルス(HBV・HCV),水痘帯状疱疹ウイルス,結核菌(*Mycobacterium tuberculosis*),エンテロウイルス,パルボウイルスB19,麻疹ウイルスなどがある。
- 症状から疑うべき先天性感染症を表4-62に示す。

表4-62 症状と疑うべき先天性感染症

症状	疑うべき先天性感染症
原因不明のSGA	トキソプラズマ,風疹,サイトメガロ,単純ヘルペス,梅毒
白内障・網脈絡膜炎	風疹,水痘,トキソプラズマ,サイトメガロ
先天性心奇形	風疹
心筋炎	コクサッキー
皮膚水疱・発疹・紫斑	風疹,水痘,梅毒,ヘルペス
中枢神経系(小頭症・石灰化)	風疹,水痘,トキソプラズマ,サイトメガロ,梅毒,ヘルペス
血小板減少	すべて
肝炎	風疹,トキソプラズマ,サイトメガロ,梅毒,ヘルペス,パルボB19,エンテロ
骨変化	風疹,水痘,サイトメガロ,梅毒
敗血症	水痘,サイトメガロ,梅毒,ヘルペス,エンテロ
胎児水腫	パルボB19,サイトメガロ
肺炎	水痘,サイトメガロ,梅毒,ヘルペス,麻疹

SGA:small for gestational age

1 先天性トキソプラズマ症

- 国立研究開発法人日本医療研究開発機構 成育疾患克服等総合研究事業「トキソプラズマ妊娠管理マニュアル第4版」を参考に診療する。

1) 症状

- けいれん，発熱，肝脾腫，黄疸，肺炎，貧血，網脈絡膜炎，水頭症。
- 感染児の90％は不顕性感染である。新生児期に無症状でも，幼年期～思春期に神経学的後遺症を残すことがある。長期的には，感染児の85％に網脈絡膜炎・聴覚障害・精神発達遅滞をきたした報告があり，精査が必要である。

2) 母体トキソプラズマ IgM 抗体陽性の場合の出生後の検査

- 胎盤病理。
- 血算と一般血液生化学検査（血小板減少，リンパ球増多，単球増多，好酸球増多，トランスアミナーゼ高値に着目する）。
- 臍帯血あるいは本人血のトキソプラズマ IgG 抗体（フォローアップ目的に採取する），IgM 抗体（ELISA）。
- 脳 MRI（放射線被曝の観点から脳 CT は施行しない）。
- 眼底検査。
- 以上で異常がみられる場合に，髄液検査（キサントクロミー，髄液細胞増多，蛋白濃度高値に着目）を追加する。
- 先天性感染と診断した場合には，専門医療機関へ紹介する。

2 先天性風疹感染症

- 「先天性風疹症候群（CRS）診療マニュアル」（日本周産期・新生児医学会・編）を参考に診療する。
- 母体の初感染のウイルス血症で児に移行する（28週まで）。妊娠初期（8～12週）の感染で高率に児に先天奇形を起こす。妊娠28週まで母体が無症状でも，児に難聴がみられることがある。
- 母体の感染時期の確認は重要である。

1) 症状

- 症状ならびに発現時期と頻度を**表4-63**[35]に示す。
- 骨 X 線所見：骨幹端の骨変化（セロリの軸様変化）。
- 遅発性症状：難聴，精神運動発達遅滞，糖尿病，甲状腺機能異常など。

表 4-63 先天性風疹症候群の症状ならびに発現時期と頻度

症状	頻度	発現時期	経過
小頭	27%	出生時	永久
低出生体重	23%	出生時	体重増加不良
肝脾腫	19%	出生時	一過性
血小板減少	17%	出生時	一過性
精神運動発達遅滞	13%	―	永久
脳脊髄炎	10%	出生時	一過性
透過性の骨病変	7%	出生時	一過性
網膜症	5%	出生時	永久
間質性肺炎	?	出生時	一過性
貧血（溶血性）	?	出生時	一過性
難聴	60%	乳児早期	永久
白内障	25%	乳児早期	永久
動脈管開存症	20%	乳児早期	永久
肺動脈狭窄（おもに末梢性）	12%	乳児早期	永久

Banatvala JE, et al. Rubella. lancet 2004；363：1127-1137[35]

2）診断
- 母体感染歴があり，児の所見からも疑うときには最寄りの保健所に相談し，確定検査を進める（5類感染症のため，7日以内に最寄りの保健所に届け出る）。
- 特異的 IgM 抗体（EIA；生後早期の感度 80%）。
- 風疹ウイルス PCR 検査による遺伝子の検出（感度が高い順：鼻咽頭ぬぐい液＞血液・尿）。

3）管理
- 先天性心疾患〔動脈管開存（PDA）・末梢性の肺動脈狭窄〕の診断と心不全の治療。
- 貧血の補正。
- 早期に眼科にコンサルトする（白内障の診断と早期治療）。
- 生後3カ月以降のPCR検査で，1カ月以上の間隔をあけて連続して2回風疹ウイルスが検出されていないことを確認できるまでは，原則隔離する。
- 母乳育児は可能。

- 母親が風疹に罹患した場合，発症前7日から後7日間は感染力がある。

3 先天性CMV感染症

- 国立研究開発法人日本医療研究開発機構 成育疾患克服等総合研究事業「サイトメガロウイルス妊娠管理マニュアル第2版」を参考に診療する。

1）新生児の症状
- 肝脾腫，黄疸，点状出血，紫斑，血小板減少，肺炎，小頭症，網脈絡膜炎，脳内石灰化，脳室上衣下嚢胞，下痢，胎児水腫。

2）診断
- 先天性と後天性を区別するために，生後3週以内の尿のCMV-DNA PCR（保険適用）。
- 血清学的診断：母体・新生児ともにCMV-IgM陰性でも否定できない。
- 尿CMV-DNA PCRで診断が確定したら，脳MRI，眼底検査，聴力検査（難聴はしばしば遅発性・進行性）を行う。

3）管理
- 貧血や血小板減少の補正。
- 人工呼吸器管理が必要なことがある（とくに肝脾腫が著明な場合に多い）。

4）治療
- 現時点（2022年8月）でバルガンシクロビル，ガンシクロビルに保険適用はない。
- これまでは，院内倫理委員会の承認を得て，ガンシクロビル（デノシン®）静脈投与6 mg/kg/回を1日2回，または内服バルガンシクロビル（バリキサ®）16 mg/kg/回を1日2回で，計6週間の治療を行っていた。現在は2020年2月に開始された医師主導治験「症候性先天性サイトメガロウイルス感染児を対象としたバルガンシクロビル塩酸塩ドライシロップの有効性および安全性を評価する多施設共同非盲検単群試験」のバルガンシクロビルドライシロップ16 mg/kg/回を1日2回で計6カ月投与するプロトコールを参考に，個別に院内倫理委員会の承認を得て治療している。
- 治療中は好中球減少に注意する。

4 後天性 CMV 感染症

1) 感染経路
- 輸血, 経母乳感染。
- 輸血を要する場合, 時間的に余裕があるときには CMV 抗体陰性血を使用する。

2) 診断
- 臨床症状:無症状の場合がほとんどであるが, 未熟な児で sepsis 様の症状を呈することがある。抗菌薬投与が無効な CRP 上昇, 低血糖, 胆汁うっ滞性肝障害, 腹部膨満などの腸炎症状を認める際には, CMV 感染を考慮する。

3) 治療
- 通常は経過観察と対症療法で改善する。重症の場合, ガンシクロビルの投与を考慮する。

5 新生児ヘルペスウイルス感染症

1) 感染経路
- 経産道感染, まれに水平感染。

2) 症状
- 表 4-64 に, 分類ごとの症状と特徴的な検査結果を示す。

3) 診断
- 水疱または咽頭ぬぐい液からのウイルス分離同定, または抗原検査 (FA 法)。抗原検査はウイルス分離に比べ感度は劣る。
- DNA 診断:PCR 法。
- 単純ヘルペスウイルス IgM (EIA 法) の上昇。ただし感度は低く (生後 1 週で約 10%, 生後 2〜6 週で約 25%), 有用ではない。

4) 治療
- 表 4-64 に示す症状が 1 つでもあり, 肝機能障害があれば迷わず

> *memo*
>
> 母親が CMV 陽性の場合, 高率に母乳中へ CMV が排出される (〜80%)。母乳中の CMV-DNA 量は分娩後 4〜6 週をピークに減少し, 分娩後 8 週以降はほぼ感度以下に低下する。児が 1,500 g 未満 / 32 週未満の場合, 症候性になりやすいという報告がある。凍結母乳を使用すると安全というエビデンスはない。現時点では早産・極低出生体重児に新鮮母乳を与えないという積極的なエビデンスはないといえる。

表 4-64 新生児ヘルペスウイルス感染症の症状と検査結果

	頻度	症状	HSV PCR 血液感度	HSV PCR 髄液感度	一般データ
表在型	45%	・水疱 ・結膜炎 ・口腔内潰瘍	75%	陰性	・正常
中枢型	30%	・けいれん ・意識障害 ・易刺激性 ・皮膚病変は 60～70%	65%	75～100%	・単核球増加。糖は正常～軽度低下。蛋白は軽度上昇 ・EEG は突発波あり ・多彩な脳病変
全身型	25%	・敗血症様 ・発熱 ・肝炎 ・呼吸障害 ・DIC ・皮膚病変 60～80% ・中枢神経症状合併 60～75%	100%	>90%	・AST，ALT 上昇 ・血小板減少

DIC：播種性血管内凝固，EEG：脳波

アシクロビル投与開始。
- 治療期間は最低 3 週間（アシクロビル 60 mg/kg を 1 日 3 回静注，3 週間。その後，アシクロビル 300 mg/m² を 1 日 3 回内服，6 カ月）。投与量・間隔は**付録 4-f-②**参照（☞ p. 379）。再発に注意する。

5）予防
- 分娩時，外陰部にヘルペス性病変のある場合は帝王切開を行う。外陰部に病変のない場合でも，初感染では発症してから 1 カ月以内，再発型では 1 週間以内ならば，破水する前に帝王切開とする。
- 母親が初感染の場合，経産道感染の確率は 50%。
- 母親の乳房に病変がない限り，母乳育児は可能。
- 性器ヘルペスの母親から経腟または，破水後 4 時間以降に帝王切開で出生した児は発症の可能性を考慮して 2 週間隔離。

6 B 型肝炎ウイルス（HBV）感染症

1）感染経路
- 経産道感染が圧倒的に多いが，まれに経母乳または経胎盤感染がある。

表4-65 HBs抗原とHBs抗体の検査結果ならびに，その対応

検査結果	対応
HBs抗原陰性かつHBs抗体≧10 mIU/mL	予防処置終了（予防成功と判断）
HBs抗原陰性かつHBs抗体＜10 mIU/mL	B型肝炎ワクチン追加接種
HBs抗原陽性	専門医療機関への紹介

日本小児科学会，他．B型肝炎ウイルス母子感染予防のための新しい指針．http://www.jpeds.or.jp/uploads/files/HBV20131218.pdf（2022.4.7アクセス）[36]

2）HBs抗原陽性母体から出生した児の扱い

- 沐浴により体表の母体血をよくぬぐい，24時間は感染扱いとする。その後は普通児と同様に扱う。
- 母乳は与えてよい。
- 保険適用の感染予防処置として，出生直後にHBグロブリンの筋肉注射とHBワクチンの皮下注射を行うことを出生前に説明しておく。
- 出生直後（12時間以内だが可能な限り早く），HBグロブリン1 mL（200単位）を2カ所に分けて筋肉注射し，HBワクチン0.25 mLを皮下注射する。
- 生後1カ月と生後6カ月にHBワクチン0.25 mL皮下注射。
- 生後9〜12カ月をめやすに，HBs抗原とHBs抗体検査を実施する（表4-65）[36]。詳細は「B型肝炎ウイルス母子感染予防のための新しい指針」を参照。

7 C型肝炎ウイルス（HCV）感染症

1）感染経路

- HCV抗体陽性妊婦のうち70%がHCV-RNA陽性で，その約10%に母子感染が起こる。
- リスクファクター：①妊婦のHIV感染合併，②HCV-RNA量高値（10^6 RNA copies/mL以上）。
- HCV-RNA量高値例において，予定帝王切開は経腟分娩・緊急帝王切開に比べHCV母子感染率を低下させる可能性があるが，帝王切開を推奨するほどのエビデンスもない。

2）児の管理とフォローアップ

- 母乳は原則禁止しない。
- 生後 3～4 カ月で，児の AST，ALT，HCV-RNA 定量を検査する。HCV-RNA 検出の場合には，生後 6 カ月以降，半年ごとに AST，ALT，HCV-RNA 定量，HCV 抗体を検査し，感染持続の有無を確認する。HCV-RNA が検出されない場合でも，乳児期に陽転化することがあるので数回の検査を行い，生後 15 カ月以降に HCV 抗体（移行抗体）が陰性化するのを確認する。
- 母子感染例の約 30％で 3 歳頃までに血中 HCV-RNA が自然に消失するため，原則として 3 歳までは治療を行わない。
- キャリア化した例や肝機能異常例は感染免疫科に紹介する。

8 ヒト T 細胞白血病ウイルス 1 型（HTLV-1）感染症

- 3 カ月を超えて母乳栄養をした場合の母子感染率は約 18％であるが，完全人工栄養であっても母乳以外の感染経路で約 3％が母子感染を起こす。
- 短期母乳栄養（生後 90 日未満）と完全人工栄養で母子感染率に差はない。
- 妊婦の HTLV-1 抗体スクリーニング（PA 法・ELIZA 法）陽性の場合でも，偽陽性の可能性があるため，確認試験（WB 法）を行う。可能なら，陽性妊婦を HTLV-1 研究協力施設に紹介し，PCR 検査の施行や授乳方法の選択に際して専門的な支援を依頼し，告知，成人 T 細胞白血病・リンパ腫（ATL）の説明，栄養方法の選択による感染率について最新の情報を提供し，栄養方法について母親自身が決定できるよう支援する。
- 早産児の場合は免疫能が低く，母体からの抗体移行が少ないため経母乳感染が成立しやすいが，児が超低出生体重児の場合は壊死性腸炎（NEC）のリスクが高いため，少なくとも生後 1 カ月は冷凍母乳を与える。
- 母子感染の有無を評価するには 3 歳以降に抗体検査を行い，陽性の場合は WB 法により確認する。
- 詳細は「HTLV-1 母子感染予防対策マニュアル」を参照。

9 先天性・周産期水痘

1) 先天性の胎児発症水痘

- 母親が妊娠 8〜28 週（おもに 20 週まで）に感染した場合に起こり得る。胎児への感染リスクは，感染が妊娠 20 週前で約 2％，13 週前に発生した場合は 1％未満である。
- 妊娠中の母体帯状疱疹の発症では基本的に問題にならない。
- 症状：胎児発育不全（FGR），皮膚の瘢痕，筋肉や骨の低形成，眼球異常（白内障，脈絡網膜炎，小眼球など）・大脳皮質低形成。
- 臨床診断が基本。アクティブな皮膚病変はなく，病変部からの水痘・帯状疱疹ウイルス（VZV）-DNA の PCR はできない。また，持続感染しないので生後の VZV-IgM の陽性率は低く，血液 PCR も同様である。VZV-IgG の経時的変化（総 IgG 同様に低下する）からの判断も困難である。
- 管理：妊娠初期の感染による奇形例では，治療および隔離はしない。

2) 先天性の新生児発症水痘

- 分娩の 21 日前までに母体が水痘を発症すると，新生児水痘を 25〜50％で発症する。
- 分娩前 5 日から分娩後 2 日の間に母体に水痘皮疹が出現すると重症化し，児の死亡率は約 30％である。
- 新生児水痘の児に生後 4 日以内に皮疹が出現することはまれで，生後 5〜10 日に約 20％の児に出現する。
- 症状：発熱，全身に水疱性皮疹，肺炎，肝炎，脳炎・髄膜炎。
- 検査：新生児水痘の診断には，PCR（皮疹のスワブや擦過検体）が感度・特異度とも高い（ただし保険収載なし。皮疹の蛍光抗体による抗原検査は保険収載があるが，感度は劣る）。ウイルス分離は感度が低い。血清 VZV-IgM（EIA）は偽陽性も起こり得る。
- 管理：母親に分娩前 5 日から分娩後 2 日以内に皮疹が出た場合は，

> *memo*
>
> - Varicella-zoster immune globulin（VZIG）は日本では入手できないが，ガンマグロブリンに含まれる水痘抗体価は約 128 EIA 価で，200 mg/kg 投与すれば免疫不全の小児では発症予防が期待されている。
> - アシクロビルは感染細胞にのみ効果を示す。そのため，発症の予防効果は定かではない。

児に静注用ガンマグロブリン 200〜500 mg/kg を点滴静注することで，重症度の低下が見込まれる。
- 治療：アシクロビル 10 mg/kg/回，8 時間ごと 10 日間，1 時間点滴静注。

3）水痘・帯状疱疹水平感染コントロール
- 入院中の児が水痘患者に曝露された，または，帯状疱疹発症者と直接，濃厚接触した場合のガンマグロブリン投与の適応は以下のとおり。
  ① 入院中の早産児（在胎 28 週以降）で，母体の水痘罹患歴が不明，もしくは血液検査で VZV 抗体がない場合。
  ② 入院中の早産児（在胎 28 週未満または出生体重 1,000 g 以下：母体の水痘罹患歴，VZV 抗体の有無にかかわらず）。
- 隔離が必要な児は以下のとおり。
  ① 出生時に水痘の皮疹がある。
  ② 周産期に水痘を発症した母体から出生した児（母体の水痘皮疹が痂皮化して児に感染がないなら解除）。
- 母親が感染性の病変をもつ間は，直接授乳を中断する必要がある。搾母乳は与えることができる。
- アシクロビルは，授乳禁忌ではない。

10 周産期 HIV 感染症
- 以下の文献を参照のこと。
  ①「HIV 感染妊娠に関する診療ガイドライン（第 2 版）」[37]
  ②「HIV 母子感染予防対策マニュアル 第 9 版」[38]

11 先天麻疹

1）妊婦麻疹
- 妊婦が麻疹に罹患すると，自身が重症化するだけでなく，流・早産のリスクが高い（17〜38％）。未罹患妊婦が麻疹罹患患者に接触した場合は，ガンマグロブリン投与を考慮する。

2）先天麻疹
- 定義：出生後 10 日以内に発症した麻疹（経胎盤感染）。
- 母親が分娩 4 日前から分娩後 5 日までに発症した場合，児への抗体移行が十分でないため，児が麻疹を発症するリスクが高い。母親が発症してから 14 日以上経過して分娩に至った場合の先天麻

疹の報告はない（潜伏期間は 10〜14 日）。
- 母親が分娩前後で麻疹を発症した場合，ただちに母児分離し，筋注用ガンマグロブリン（グロブリン筋注）0.25 mL/kg（37.5 mg/kg）→（0.3 mL/kg=45 mg/kg），またはガンマグロブリン静注（IVIG）療法（400 mg/kg）を行い，1 週間観察する。症状は非定型的でカタル症状に乏しく，高熱もまれ。二次性の肺炎に注意する。

3）母親が麻疹を発症したとき
- 母親に対して発疹発現後 4 日間（発疹が色素沈着に至るまで），空気感染予防策をとる。
- 分娩前後に母親が麻疹を発症したときは，母児ともに発疹出現後 96 時間まで隔離する。児の発症がなければガンマグロブリン投与を行い，母親と別に隔離する（生後 28 日まで発症しないか観察する）。
- 搾母乳を与えることは可（発疹出現後 48 時間以内に，母乳中に分泌型 IgA が分泌され始める）。

b 全身重症感染症（敗血症・髄膜炎）

1 リスク因子
- カテーテル留置，気管挿管，低栄養，手術後，ステロイド投与。

2 症状
- 活気不良，不機嫌，体温不安定，皮膚色不良，腹部膨満，胃残の増加，無呼吸，原因不明の高血糖または低血糖，急な呼吸状態の悪化，発疹，黄疸増強など。

3 治療（付録 4-e；p.373，付録 4-f-①；p.376〜378）
- CRP 陽性なら血液・髄液・痰・尿などの培養を行い，抗菌薬投与を開始する。
- 髄膜炎の可能性が否定できない場合には，抗菌薬の投与量を髄膜炎に準じて増量する。
- 初期治療は常在菌の感受性をみて行う。
- 重症感染症ではガンマグロブリン 500〜1,000 mg/kg を 4〜6 時間，点滴静注。
- Hb 10 g/dL 以下では赤血球輸血（RBC 10 mL/kg を 3〜4 時間）を行う。

- 播種性血管内凝固（DIC）の治療は *p. 283* 参照。
- DIC，硬性浮腫，血小板減少，白血球減少（好中球減少）などが増悪する場合は，交換輸血を検討する（☞ *p. 125*）。
- ただし，重症感染症に対する交換輸血の報告は 1980 年代以降少なく，その有効性は明らかではない。

C 真菌感染症

1 先天性カンジダ感染症

1）リスク因子
- 経腟分娩，母体長期抗菌薬投与，母体ステロイド投与，母体糖尿病など。

2）症状
- *Candida glabrata* 感染では母体感染症状に乏しい。
- 臍帯のカンジダ結節を確認する（*C. glabrata* など non-*albicans Candida* による感染症ではみられないことが多い）。
- 母体腟培養陽性で，児に出生時から皮疹や呼吸障害を認める場合は強く疑い，治療を開始する。

3）治療
- 早産児では，アムホテリシン B（アムビゾーム® 2.5～5.0 mg/kg/日もしくはファンギゾン® 0.5～1.5 mg/kg/日）を投与する。
- 一般的にカンジダ感染症では，フルコナゾールが有効。ただし，*C. glabrata* と *C. krusei* には感受性が低い。ミカファンギンも有効であるが，*C. parapsilosis* と *C. guilliermondii* に対しては感受性が低い。

2 後天性全身カンジダ感染症

1）リスク因子
- 1 週間以上の抗菌薬投与，中心静脈カテーテルやドレーンなどの留置，開腹術後，ステロイド投与，経静脈栄養，超早産児（とくに在胎 25 週未満）。

2）症状
- 原因不明の高血糖，血小板減少，皮膚の紅潮，びらんなどがあれば，CRP が高値でなくても疑う。
- 新生児では中枢神経系カンジダ症の発生率が高く，カンジダ血症を認めた場合は脳髄膜炎の可能性を考える。

表 4-66　カンジダの感受性の一般的なパターン

真菌種	アムホテリシン B	フルコナゾール	ボリコナゾール	ミカファンギン
Candida albicans	S	S	S	S
Candida tropicalis	S	S	S	S
Candida parapsilosis	S	S	S	S〜R
Candida glabrata	S〜I	S-DD〜R	S-DD〜R	S
Candida krusei	S〜I	R	S-DD〜R	S
Candida lusitaniae	S〜R	S	S	S

S：感性，I：中間感性，R：耐性，S-DD：用量依存的

- β-D グルカンは絶対値での診断は困難であるが，経時的変化は治療効果判定に有用である。ただし，ガンマグロブリン投与やガーゼの貼付によっても上昇するため，注意を要する。

3）治療（**付録 4-f-③**；p.379〜380）
- 治療期間は 3 週間以上。
- カンジダ血症を認める場合には，血管内留置カテーテルを抜去する。
- カンジダ血症に対する推奨治療期間は，血液から *Candida* 属の消失が確認され，カンジダ血症による症状の消失後 2 週間である。
- 抗真菌薬を選択する際には，感受性を考慮する（**表 4-66**）。

③ アスペルギルス感染症

1）症状
- 皮膚の白苔，次いで黒色の壊死性病変を認め，急速に広範囲に拡大する。
- 消化管に感染した場合は，広範な消化管壊死をきたす。

2）治療
- アムビゾーム®もしくはファンギゾン®が第 1 選択。重症例に関してはミカファンギンを併用する。
- 前述の治療で改善がみられない場合は，ボリコナゾール（ブイフェンド®）の投与を考慮する。ボリコナゾールの新生児投与量は確立されていないため，治療薬物モニタリング（TDM）を必ず行う（目標トラフ値 1〜4 μg/mL）。
- ボリコナゾール 3〜4 mg/kg/回，12 時間ごとで開始し，トラフ値が 4 μg/mL を超えないよう注意する。トラフ値が 1 μg/mL 未

表 4-67 抗真菌薬の臓器移行性

臓器	腎・尿路	髄液	眼
アムホテリシン B	◎	△	△
アムホテリシン B リポソーム製剤	×	—	—
ホスフルコナゾール	◎	○	○
ボリコナゾール	○	○	○
ミカファンギン	×	×	×

◎:よく移行する,○:移行する,—:データがない,×:ほとんど移行しない

満で,治療効果がない場合には増量も可。肝機能障害に注意。2週間は経静脈投与,以降は可能であれば内服に変更可。

- 抗真菌薬の臓器移行性を**表 4-67** に示す。

8 消化器・外科疾患

a 哺乳障害

1 原因と評価
- 哺乳障害をきたす原因と、その評価方法を表 4-68 に示す。

2 管理
- 重症新生児仮死で出生後、人工呼吸器を離脱しバイタルサインが安定していても、哺乳意欲がみられないことがある。その場合、生後 1～2 週で哺乳が改善してくることが多い。
- 慢性肺疾患（CLD）や心不全症例では、在宅経管栄養を要するような哺乳障害がみられることがある。
- 哺乳障害が続く場合や口腔過敏がみられる場合は、摂食のリハビリテーションを依頼する。
- 上気道狭窄のある児では、腹臥位で授乳すると飲めることがある。
- 原因が明らかになり哺乳障害が長期化しそうな場合は、家族への経管栄養注入指導を早期に開始する。
- 哺乳瓶からの哺乳はできるが、乳房からの直接授乳がうまくいかない場合は、母乳分泌量の確認、適切な授乳姿勢と吸着ができているかどうかを確認する。

表 4-68 哺乳障害をきたす原因とその評価方法

原因	評価方法
感染症	
低血糖	
基礎疾患	染色体、遺伝子検査、など
軟口蓋、後鼻孔閉鎖・狭窄、喉頭軟化、気管軟化、血管輪など	口腔内の診察、頸部側面の X 線、上気道・気管ファイバー
うっ血性心不全	胸部 X 線、心エコー、NT-proBNP
嚥下障害	嚥下造影、上気道ファイバー

NT-proBNP：ヒト脳性 Na 利尿ペプチド前駆体 N 端フラグメント

表 4-69 嘔吐の原因と発症時期

発症時期	原因
新生児早期	適応障害,食道閉鎖,上部消化管閉鎖・狭窄,下部消化管閉鎖・狭窄,腸回転異常,胎便病,Hirschsprung 病,胃食道逆流,ミルクアレルギー,胃軸捻転,敗血症,先天代謝異常,電解質異常
新生児後期	肥厚性幽門狭窄症,腸回転異常,鼠径ヘルニア嵌頓,胃食道逆流

b 嘔吐

1 原因
- 嘔吐の原因と発症時期を**表 4-69** に示す。

2 診断
- 腹部 X 線(臥位):胃吸引の前に撮影し,ガスの分布・腸管の拡張・気腹像・石灰化などに注意し,外科的疾患を鑑別する(⇒ p.44)。なお,撮影の際には骨盤内ガスの有無に注意する。
- 感染症の検索。
- 血液ガス・生化学など。
- 胆汁性嘔吐の場合,まずは外科疾患を考える。

3 管理
- 最低 24 時間は経口禁。鎮吐薬は使用しない。
- 胃洗浄は原則行わない。
- 胃内吸引(間歇的・持続的)。
- 便の排泄が悪ければ,グリセリン浣腸(2〜5 mL/kg)を行う。
- 輸液は脱水の程度・電解質・血液ガス分析を参考に行う。
- 外科疾患・代謝疾患が否定されれば,腹部膨満の減少・胃吸引量の減少を確認し,授乳を再開する。

c 吐血・下血

- 中腸軸捻転に伴う吐血と下血が緊急性の高い鑑別疾患である。これを念頭において,以下の鑑別を進める。

1 母体血の嚥下による
- 前置胎盤や常位胎盤早期剝離による血性羊水,母体乳頭の出血誤飲。
- 診断:いずれもアプトテストで鑑別する(**付録 3-b**,⇒ p.362)。

- 乳房・乳頭の傷は見た目でははっきりしないことがほとんどで、傷がないことで否定はできない。

2 出血性素因による

1）ビタミンK欠乏性出血症
- 重症例ではプロトロンビン時間（PT）のみならず、活性化部分トロンボプラスチン時間（APTT）も延長する。PIVKA-Ⅱの上昇もみられる。
- 治療：メナテトレノン（ケイツー®N）2mgを静注。効果まで数時間を要する。活動性の出血がある場合は新鮮凍結血漿（FFP）10 mL/kgを輸血する。
- 中腸軸捻転でも二次的な凝固障害を起こし得る。出血で説明のできない全身状態、代謝性アシドーシスがある場合には"ビタミンK欠乏"以外の原因も考える。

2）血小板減少性疾患
- 新生児同種免疫性血小板減少症（NAIT, ☞P.284），Down症候群に伴う一過性骨髄異常増殖症（TAM, ☞P.273）などの染色体異常でも血小板減少はみられる。

3 消化器疾患による
- 急性胃粘膜病変、胃十二指腸潰瘍、壊死性腸炎（NEC），腸回転異常（☞p.312）などの原因（とくに中腸軸捻転）を除外してから確定診断とする。
- 生後48時間、とくに24時間以内に発症する。
- 鮮血性の下血は伴わない。
- 急性胃粘膜病変に対しては、治療はファモチジン（ガスター®）0.5 mg/kgを1日1回静注。
- 鑑別診断としては、①乳児消化管アレルギーと、②リンパ濾胞増殖症、があげられる。
  ①乳児消化管アレルギー：器質的疾患を除外し、末梢血好酸球、便の好酸球を参考に診断する。
  ②リンパ濾胞増殖症：広義のアレルギーであるが、乳児消化管アレルギーと同様に器質的疾患を除外する。

4 医原性
- 胃管や吸引チューブ挿入・吸引による外傷。

d 壊死性腸炎（NEC）

1 リスク因子

- 腸管の未熟性，腸管の飢餓，腸管の虚血〔新生児仮死，動脈管開存症（PDA），先天性心疾患など〕，十二指腸チューブ挿入，腸管粘膜の損傷（浣腸などの薬剤の注腸），腸管感染，人工栄養，臍動脈カテーテル，交換輸血，多血症。

2 診断

- 嘔吐（胆汁様胃吸引量の増加）・腹部膨満・血便が3主徴。早産児では正期産児に比べて血便の出現は少ない。
- 腹部腫瘤，腹壁抵抗，腹壁の色調に注意。
- 無呼吸，徐脈，体温不安定など，敗血症に類似の症状をとることもある。
- 診断は3主徴と画像所見（表4-70）が決め手。とくに腹部エコーで腹水と門脈内ガスは有用。

3 管理

- 確定診断ができなくとも，3主徴のうち2つあればNECに準じて対処する。
- 絶食のうえ胃吸引による減圧を行う。
- 血液培養を採取する。
- 血液凝固障害と貧血を補正する。
- エンピリカルにメロペネム（+バンコマイシン）を開始する。抗菌薬使用中は，予防的にアムホテリシンB（アムビゾーム®）を併用する。

表4-70 壊死性腸炎（NEC）の画像所見

- NEC疑い：腸管壁肥厚および拡張像，固定ループ
- NEC確定：腸管壁内気腫像（泡沫状・線状）・門脈内ガス像・腹水（腸管壁内気腫像は，見慣れないと"便秘"と間違うことがあるので注意）
- 病勢が進行すると消化管穿孔。腹腔内遊離ガスの検出にcross-table lateralを撮影する
- 白血球の増加または減少・CRP強陽性・血小板減少・代謝性アシドーシスを伴うものは重症
- 早産児は回腸末端から上行結腸，正期産児は結腸脾弯曲部（SMAとIMAの間の分水嶺）に好発する

SMA：上腸間膜動脈，IMA：下腸間膜動脈

表 4-71 omegaven®投与方法（院内倫理委員会の承認を得たプロトコル）

	投与量
開始 1 週目	0.5 g/kg/日（週 3 日）
開始 2 週目	1 g/kg/日（週 3 日）
開始 3 週目以降	1 g/kg/日（週 5 日）

いずれも 24 時間持続投与。

- 腸管拡張像があれば 6〜12 時間ごとに腹部 X 線を撮り，固定ループを確認する。

4 手術の適応

- 穿孔例は緊急手術。全身状態が不良な場合や，出血症状がある場合には一期的根治術は行わず，まずはドレナージを選択する場合もある。
- 腹壁の抵抗・発赤・腫瘤触知する症例では，腹膜炎・腸管の全層壊死（full-thickness necrosis）を起こしており，手術の適応である。

5 経腸栄養の再開時期

- NEC 疑い例では，イレウスの改善後最低 3 日は待つ。
- NEC 確診例では，イレウスの改善後最低 7 日は待つ。
- 新鮮母乳で開始する。
- 重症例では，非穿孔例でも腸管狭窄をきたすことがある。

6 栄養管理

- 長期絶食，中心静脈栄養では，腸管不全合併肝障害（IFALD）を起こし得る。
- IFALD に対する静注用オメガ 3 系脂肪酸製剤（omegaven®，Fresenius Kabi 社，ドイツ）はいまだ保険未承認である。超低出生体重児で 4 週間以上の絶食が見込まれる場合，家族が希望すれば予防的に投与する（表 4-71，当院では倫理委員会の承認を得ている。薬剤の購入は患者負担）。

7 予防

- 超早産児では，生後 24 時間以内から新鮮母乳による超早期授乳を開始する。
- 早産児の NEC は腸内細菌叢の異常による過剰な免疫応答が一因と考えられており，生後 24 時間以内からのプロバイオティクス投

表 4-72 新生児の壊死性腸炎（NEC）の修正 Bell 病期分類基準

病期	NEC の分類	全身の徴候	腹部徴候	放射線所見
ⅠA	NEC 疑い	体温不安定，無呼吸，徐脈，嗜眠	残乳増加，軽度腹部膨満，嘔吐，便潜血陽性	正常または軽度の腸管拡張 軽度のイレウス
ⅠB	NEC 疑い	ⅠAと同様	肉眼的血便	同上
ⅡA	NEC 確診 軽症	ⅠAと同様	Ⅰと同様 腸管雑音の消失 ± 腹部圧痛	腸管拡張 イレウス 腸管壁内気腫
ⅡB	NEC 確診 中等症	ⅡAと同様 軽度の代謝性アシドーシス，血小板減少症	ⅡAと同様 明らかな腹部圧痛 ± 腹部蜂窩織炎または右下腹部腫瘤	ⅡAと同様 ± 門脈内ガス ± 腹水
ⅢA	進行した NEC 重症 小腸穿孔なし	ⅡBと同様 低血圧，徐脈，重症無呼吸，混合性アシドーシス，DIC，好中球減少	ⅡBと同様 腹膜炎所見，明らかな腹部圧痛，腹部膨満	ⅡAと同様 明らかな腹水
ⅢB	進行した NEC 重症 小腸穿孔	ⅢAと同様	ⅢAと同様	ⅢAと同様 気腹

DIC：播種性血管内凝固

Neu J. Necrotizing enterocolitis: the search for a unifying pathogenic theory leading to prevention. Pediatr Clin North Am 1996；43：409-432[39)]

与を行う。
- 肺血流増多に伴う体血流減少の可能性のある先天性心疾患の場合，過度な水分制限や利尿薬投与は慎重に行う。心拍出量増加を目的とした強心薬投与・心臓外科手術も検討する。
- NEC の病型分類は，修正 Bell 病期分類を参考にする（表 4-72）[39)]。

e 胎便病

1 定義
- 妊娠高血圧症候群を伴う small for gestational age（SGA）の超低出生体重児に合併することが多く，子宮内での慢性腸管虚血により胎便が粘稠となり，回腸末端部でイレウスをきたす。

2 症状と検査

- 当初,胎便が排泄されるが,途中から便が出なくなり,生後 24 時間頃より腹部膨満と腸管拡張が出現する。
- NEC と異なり全身状態は良好で,腹壁の硬化や変色はみられない。
- X 線では腹部全体の拡張ガスと固定ループがみられる。

3 予防と治療

- 消化管の蠕動を維持する〔低カリウム血症（K<3.0 mEq/L）や低リン血症（P<4.0 mg/dL）の補正〕。循環動態が安定したら腹臥位にする。
- 早期に母乳栄養を開始する。
- 循環管理目的で鎮静を行う超早産児では,鎮静薬を減量しはじめたら 25％グリセリン浣腸（2〜5 mL/kg を 6〜8 時間ごと）を開始する。血行動態が安定している SGA の超低出生体重児では,生後 24 時間以内に浣腸を開始する。

1）ガストログラフイン®の胃内予防投与

- ガストログラフイン®の誤嚥による肺水腫のリスクが高いことから,原則的に予防使用は控える。
- 適応は以下をすべて満たし,リスク・ベネフィットを家族に説明したうえで施行する。
  ①注腸造影のための透視室への移動が侵襲的,かつ注腸による穿孔・腸炎のリスクが高い。
  ②SGA。
  ③在胎 30 週未満,かつ出生体重 700 g 未満。
  ④母体が妊娠高血圧症候群。
- 胃内投与は,血行動態が安定し,鎮静薬減量を開始する前に行う（日齢 3〜5 がめやす）。
- 5 倍希釈ガストログラフイン® 2〜3 mL/kg を,観察下にゆっくり手押しで胃内に注入する。胃内投与前（胃管の位置確認）と終了 3〜4 時間,8〜12 時間後に X 線を確認。
- 8〜12 時間後も胃内に停滞する場合には回収する。
- 注意事項は,①鎮静と併用する,②消化管閉鎖や NEC では禁忌である。小児外科医と相談してから施行する,③消化管拡張が目立つ場合には,嘔吐のリスクがあるので胃内投与はしない,④投与後は,肺炎・甲状腺機能低下に注意する。

2）ガストログラフイン®注腸

- 外科医に依頼し，診断と治療を兼ねて行う。
- 透視下に，5倍希釈したガストログラフイン®を注腸する。
- 施行前に1回だけセフメタゾールを予防投与する。
- 鎮静したほうが造影剤はスムーズに入る。モルヒネは蠕動を抑制するので，チオペンタール（ラボナール®）2〜4 mg/kgを使用する。
- 胎便を排泄させながら，最終的には拡張腸管まで造影剤を入れることが望ましいが，過度の抵抗がある場合には無理せず中止し，翌日以降に再度必要かどうかを検討する。
- 注腸が効果的なら，12〜24時間後に大量の胎便が排泄される。
- 注腸後は輸液量を多めにし，脱水を予防する。
- 甲状腺機能低下にも注意する。
- 繰り返すガストログラフイン®注腸によっても腸閉塞が持続する場合には，開腹手術にて胎便除去および腸瘻造設を行う。

f 消化管異常

1 食道閉鎖

- 胎児期に，羊水過多と胃泡が見えにくいことで発見されることが多い。著しい胎児発育不全（FGR）を伴う場合は，なんらかの基礎疾患を疑う。まれだが，腎異形成などによる羊水過少症例では，羊水過多がなくても胃泡を認めない場合，本症の合併を考える。
- 生直後より口から泡沫様唾液があふれ，胃チューブが4〜5 cm以上入らない。
- 10 Fr（ゴム・ネラトン）X線不透過カテーテルを経口的に盲端に押しあててX線を撮り，口側の食道盲端の位置と胃以降の消化管内ガスの有無を確認する（細い栄養チューブによる"コイルアップ"は，盲端の位置確認には不適）。
- 食道造影は禁忌。
- 誤嚥予防に口腔内を持続吸引する。
- 呼吸障害がみられ気管挿管する場合には加圧を最小限にし，気管食道瘻（TEF）から胃へのガスの流入を減らす努力をし，手術（TEFの閉塞）を急ぐのが重要である。
- C型（図4-21）では胃食道逆流（GER）により胃液が気道に逆

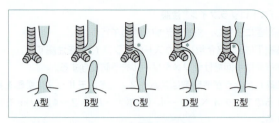

図 4-21　食道閉鎖の病型分類

*気管食道瘻

　　流するので，腹部を押さえない。
- 気管支ファイバーは，TEF の位置や左右気管支の分岐の確認，Fogarty カテーテル挿入による TEF 閉鎖に有用である。
- C 型では可能な限り一期的根治手術を行うが，ギャップが長い場合は食道延長術を行い二期的に根治する。超低出生体重児の場合は TEF の結紮切離ないし，腹部食道バンディングおよび胃瘻造設にとどめる場合がある。また，A 型は原則として胃瘻造設を先行させ，食道延長を経て根治する。
- 先天性心疾患の合併が多いので，術前に右側大動脈弓を含む先天性心疾患（とくに両大血管右室起始や Fallot 四徴症）の有無を確認し，手術のタイミングや開胸部位を検討する（右側大動脈弓の診断：大動脈弓の第一分枝が左側 neck vessel である）。
- 術後は縫合部保護のため，少なくとも 2〜3 日間は鎮静・筋弛緩下で呼吸管理する。頸部のねじれや過伸展をさせないよう，体位を固定する。食道ステントチューブとして留置した胃管は縫合部確認のための造影までは抜去しない。吸引チューブ先端が吻合部に当たらないように，口腔内持続吸引をする。
- 術後は GER による吻合部狭窄を予防するために，ファモチジンかエソメプラゾール（ネキシウム®）を投与する。
- 術後 1 週目で食道造影を行い，縫合不全のないことを確認し，経管栄養を開始する（造影後も食道ステントチューブは残しておく）。
- 術後 2 週目に再度，食道造影を施行し，狭窄がないことを確認して経口哺乳を開始する（2 回目の食道造影後に，栄養の注入が必要なければ食道ステントチューブは抜去可）。
- 哺乳開始後も GER，気管軟化に注意する。

- 術中と抜管前に気管・気管支をファイバーで観察し，脆弱性を確認する。

2 十二指腸閉鎖

- 胎児期には羊水過多，ダブルバブルサインで発見される。ただし，食道閉鎖と十二指腸閉鎖合併例，あるいはY字胆管例ではダブルバブルサインは明らかではないことがある。十二指腸閉鎖があると，小腸多発閉鎖や結腸閉鎖が見逃されやすいため，術中に観察する。
- 十二指腸閉鎖の1/3に，21トリソミーが合併する。
- 5%に臍帯潰瘍を合併し，胎児期に潰瘍から出血して死亡することがある（十二指腸閉鎖の8割がVater乳頭部より遠位部で閉鎖している）。血性羊水・先天貧血があれば，胎盤と臍帯の病理検査を行う。
- 出生後診断例では，哺乳開始前に嘔吐が出現する。
- 仰臥位X線，エコーの拡張部位で閉塞部位を推測する。消化管ガスがY字胆管を経由し，十二指腸より遠位部に観察されることがある。単純写真で閉塞像がはっきりしない（狭窄を疑う）場合には，上部消化管造影を行う。
- 胃管による減圧と輸液で，待機的に手術する。
- 術後も胃の減圧に努める。

3 空腸閉鎖

- 胎児期には羊水過多，トリプルバブルサインで発見される
- 出生後診断例では，哺乳開始前に胆汁性嘔吐が出現する。
- 注腸造影はmicrocolonの確認，腸回転異常・腸捻転・結腸閉塞の鑑別に役立つ。
- 約20〜25%に臍帯潰瘍を合併する。
- 胃管による十分な減圧と絶食で，待機的に手術する。
- 吻合消化管の口径差があり，術後の消化が確立するまで時間のかかることが多いため，transanastomotic tubeを術中に留置し，栄養ルートとすると有用である。

4 下部消化管（回腸・大腸）閉鎖

- 羊水過多を伴わないことが多い。
- 哺乳開始後，腹部膨満・胆汁性嘔吐で発症する。胎便が出ても閉鎖（や狭窄）を否定できない。

- 仰臥位X線では拡張腸管が多く,骨盤腔内ガスがみられない。注腸造影はmicrocolonの確認,胎便栓やミルクカードの有無,Hirschsprung病類縁疾患の鑑別などに有用であるが,確定診断に至らないこともある。
- 手術までは絶食で,胃管を入れて可能な限り減圧を行う。上部消化管閉鎖と異なり,胃管による有効な減圧はできないので早期手術が望ましい。24時間を過ぎると穿孔のリスクが高まる。

5 鎖肛を含む直腸肛門奇形

- 鎖肛は,肛門括約筋との位置関係から低位,中間位,高位に病型分類する。後2者には人工肛門造設が必要。
- 男児で会陰部から便の排出する瘻孔があれば低位,尿に胎便が混ざれば中間位・高位である。
- 女児では尿道・腟・瘻孔が別々(3孔)なら低位,1孔・2孔なら中間位・高位のことが多い。1孔はcloacaである。
- 肛門の位置がやや前方にずれている場合には,肛門皮膚瘻を疑い診察する。
- perineal groove(後交連から肛門前縁にわたる赤色の湿潤した上皮を有する溝)がある場合には,低位鎖肛の合併を鑑別する。
- 瘻孔のないものは生後24時間前後に骨盤高位cross table lateralや倒立像撮影(インバートグラム)を行い,低位か高位かを診断する。
- 生後早期のエコーは病型の推定に役立つ。
- 24時間を過ぎると穿孔の可能性がある。手術までは絶食で,胃管を入れて減圧を行う。
- 新生児期に,低位ではカットバックや会陰式根治術,中間位・高位では人工肛門造設を行う。高位の根治術は生後5〜6カ月で行う。
- 脊髄(とくに脊髄係留症候群)や椎体の異常を伴うことがあるため,X線の確認と脊髄エコー検査を行う。Currarino 3徴〔仙骨奇形,仙骨前腫瘤(髄膜瘤や奇形腫),直腸肛門奇形〕やVATER/VACTERL連合も念頭におく。
- cloacaを含めたまれな奇形では,水腟・水子宮,あるいは尿路閉塞にも注意を払う。

6 胎便性腹膜炎

- 胎内で消化管穿孔をきたすと,胎児エコーでは腹部の嚢胞性腫瘤

- 腹水・石灰化として発見される。自然治癒も多い。
- 胎児水腫をきたすことがある。
- 原因としては，下部消化管閉鎖・胎便性イレウスがある。
- 単純X線では，拡張した腸管・腹壁・陰嚢の石灰化を認める（男児では陰嚢まで入れて撮影する）。注腸造影でmicrocolonを確認。
- 腸管の癒着が強い場合は，まず腹腔ドレナージや腸管減圧を行い，2〜3週間待って手術する。
- 生後早期の癒着剥離を伴う長時間手術の場合，循環不全や播種性血管内凝固（DIC）を合併することがある。

7 Hirschsprung 病

- 胎便排泄が24時間以上と遅れ，腹部膨満・嘔吐がある。単純X線では腹部全体の腸管拡張が強いわりには，骨盤腔内ガスがないのが特徴。肛門刺激やチューブ挿入で爆発的な排便・排ガスがみられる。
- 便が生臭く，灰色または血性のときは結腸炎を疑う。敗血症・穿孔を合併しやすい。洗腸・浣腸をくり返し，結腸炎・イレウスを治療する。
- 注腸造影（直前の浣腸は中止する）・直腸粘膜生検や直腸内圧検査を行い，診断を確定する。
- 80%の症例は，定期的な浣腸ガス抜きでイレウス症状が消失して哺乳可能となる。無神経節腸管が長いタイプ（長節型や全結腸型など）は，人工肛門造設や経肛門チューブ留置などの処置が必要。
- 短節型に対する一期的根治手術は生後1カ月，体重3 kg以上で施行可能。

8 消化管穿孔

- 早産児では胃カテーテル損傷による胃破裂。
- 早産児で仮死と経鼻持続気道陽圧（経鼻CPAP）に伴い小腸穿孔がみられることがある。
- 未熟児PDAの薬剤〔インドメタシン（インダシン®）やイブプロフェン（イブリーフ®）〕投与後の小腸穿孔。
- 超早産児ではNEC，まれに胎便病。
- 先天性心疾患例では結腸の虚血・壊死・穿孔に注意。
- 症状は，腹部膨満，腹壁色の悪化，胆汁性胃残，胃管からの吸引

ガスの増加がみられる。
- 腹部 X 線正面や cross table lateral 撮影で free air を検出する。
- 胃管挿入，持続または頻回吸引。血液培養を行い，予防的に抗菌薬を投与する。
- とくに早産児では凝固障害をきたすので，術前から FFP を準備・投与する。
- 全身状態が不良なら，術前から人工呼吸器管理とする。
- 開腹手術で穿孔部の処置を行う（病変部切除と一期的吻合あるいは腸瘻造設）。全身状態が不良で手術に耐えられない場合，NICU で腹腔ドレナージ処置により呼吸・循環が安定してから開腹手術。

9 腸捻転
- 腹部膨満が強く，腹部を触ると嫌がり下血が多いとき，腹水があるとき，著しいアシドーシスを示すときは腸管の血行障害が進行し，大量壊死の可能性がある。

1）腸回転異常症を伴う（いわゆる中腸軸捻転）
- 突然，胆汁性嘔吐で発症する。いつでも起こり得るが，日齢 2〜7 に多い。発症初期には腹部膨満はあっても軽く，ないこともある。血便がみられることがある。壊死が進むと皮膚色・全身状態不良となり，腹部膨満が強くなる。
- 血液検査では，貧血，血液凝固障害や代謝性アシドーシスがみられる。
- 腹部 X 線では腸管ガスは少なく，胃泡が大きい。捻転から時間が経過すると，腹部全体に腸管浮腫・拡張がみられる。
- 腹部エコーでは，上腸間膜動脈（SMA）と上腸間膜静脈（SMV）の逆位（SMV が SMA の左にくる SMV rotation sign）や，SMV と十二指腸と空腸が SMA の周りを回転している（whirlpool sign）像がみられる。
- 捻転から時間が経過すると，壁が厚く蠕動のみられない拡張腸管と腹水がみられ，消化管ガスと血流障害のため whirlpool sign はみえない。
- 上部消化管造影所見は，十二指腸の C ループの形成がない，小腸が脊椎の右側に描出され corkscrew sign が得られるなどがある。注腸造影では回盲部が脊椎の左に描出される。

2）腸回転異常症を伴わない

- 特徴的な画像所見に乏しく，診断はより困難。一番の手がかりは胆汁性嘔吐である。貧血が加わると，より強く考慮する。
- 症状は腸回転異常症を伴うものと同様（胆汁性嘔吐）。胎児期の発症では，胎動の減少と突然の消化管拡張が特徴。
- 血液検査では，壊死が進むと貧血や代謝性アシドーシスがみられる。
- 腹部 X 線では限局性に腸管拡張する。
- 腹部エコーでは，腹水と消化管の closed loop や腸内容の to and fro を伴う拡張腸管がみられる。

3）治療

- 腸管の拡張が軸捻転−血行障害を増強する。胃管で持続または頻回吸引を行う。
- 早期診断，緊急手術を行う。

10 肥厚性幽門狭窄症

- 臨床症状に加え，エコー短軸での doughnut sign があればさらに確定的である。エコーでの幽門筋長や幽門筋層厚を測定する（正期産で幽門筋層厚 4 mm，幽門筋長 14 mm 以上がめやす）。
- 脱水，低ナトリウム・低クロール血症，代謝性アルカローシス，低栄養の著しい重症例ほど，時間をかけて術前の輸液療法を十分に行う。

11 鼠径ヘルニア

- 新生児・早産児ほど頻度が高い。しかし，この時期のものは自然治癒の傾向も強いため，嵌頓を起こさなければ手術は 6 カ月以降で行う。
- 早産児はイレウス症状で発症するため，イレウスの原因診断の際には必ず鼠径部まで含めて X 線を撮り，鼠径部にガス像がないか確認する。
- ヘルニアが出ても機嫌がよく，哺乳良好なら押し込む必要はない。ヘルニアが出て不機嫌・哺乳不良・嘔吐があるなら大至急整復する。入院中に嵌頓する例では，入院中に手術を行う。

g 腹壁異常（臍帯ヘルニア・腹壁破裂など）

- 腹壁異常の胎児診断のアルゴリズムを図 4-22 に示す。

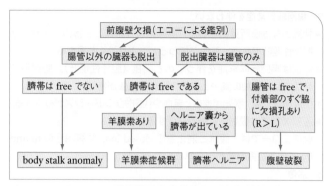

図 4-22 腹壁異常の胎児診断のアルゴリズム

1 腹壁破裂

- 胎児診断例では正期産の自然分娩を目指すが，胎児機能不全（NRFS）のため後期早産かつ帝王切開で出生することが多い。
- 欠損部は臍の右（90%は右），または左にごく小さな欠損口を有する。ヘルニア囊はない。腸管合併症以外の合併奇形は少ない。
- 体温・体液の喪失が起こりやすい。脱出腸管を体幹ごとラップフィルムで被い，腸間膜血管がヘルニア門で屈曲・捻転しないように注意しながら，保温して搬送する。一方で，ラジアント・ウォーマーの放射熱による臓器障害にも注意する。脱出臓器が空気に触れると，腸管の浮腫をきたす。
- 臍帯を丸めて欠損孔に被せる sutureless 閉鎖法に備えて，臍帯は 10 cm 以上残す。
- 腸管拡張を防ぐため，胃管で持続または頻回吸引し，嚥下した空気が腸管に進まないようにする。
- 消化管還納に備えて，術前に浣腸をしておく。
- 術前より抗菌薬投与を行い，循環が安定したらただちに手術を行う。
- 呼吸管理を要する例は，啼泣を避けるため術前から鎮静を行う。
- 術後の腹部コンパートメント症候群（abdominal compartment syndrome）に注意する。術中に膀胱内圧をモニターし，一期的閉鎖かサイロ造設かを検討する。
- 三方活栓付きの尿バッグ（アルファ採尿バッグ，小児用精密尿量計付 100 mL ボトル）と通常の血圧測定モニターキットを組み合

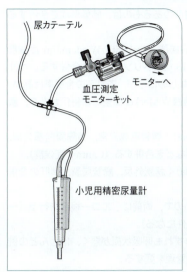

図 4-23 膀胱内圧測定方法

わせる（図 4-23）。膀胱内がある程度の液体で満ちていないと測定できない。膀胱内の尿が少ないときには，生理食塩液を注入して測定する。
- 還納後に膀胱内圧が 15 mmHg を超えるときには一期的閉鎖を目指さず，まず wound retractor を用いたサイロを造設したのち，二期的な閉鎖を行う場合もある。術後は閉腹創に張力をかけないよう鎮静し，必要に応じて筋弛緩のうえ呼吸管理する。
- サイロでは徐々にヘルニア内容を還納し，数日以内に閉鎖処置を行う。還納が不良な場合には筋弛緩を行う。
- 腸間膜のリンパ液が胎内で羊水中に流失するため，IgG が低値のことが多い。術後感染時にはガンマグロブリン投与を考慮する（ルーチンで予防投与はしていない）。
- 脱出臓器が長期に羊水にさらされていると腸管運動機能回復に時間がかかるので，中心静脈栄養を行う。

2 臍帯ヘルニア
- 腹部中心に欠損があり，ヘルニア嚢を有し，ヘルニアの中央から臍帯が出る。

- 巨大臍帯ヘルニアで脊椎彎曲のあるものは，肺低形成を合併することが多い。
- 一般に，10〜30％に奇形症候群（Beckwith-Wiedemann 症候群など）・染色体異常（13・18・21 トリソミー）を合併する。ヘルニア門 5 cm 未満・肝脱出なしのほうが，これらの合併率は高い。臍帯内ヘルニアで臍腸管遺残や Meckel 憩室の合併例があり，臍帯結紮の際には注意する。
- 臍上部型（upper celosomia）：胸骨形成異常，横隔膜前部欠損，横隔膜部心嚢欠損，心奇形などを合併する（Cantrell 症候群）。
- 臍下部型（lower celosomia）：膀胱外反，膀胱腸裂，鎖肛の合併が多い。
- 先天性心疾患を伴いやすいので，術前に心エコー検査を行う（一期的閉鎖を行うか否かの条件になる）。
- 腹壁破裂，臍帯ヘルニアいずれも呼吸状態が悪く，ほとんどの例で生後早期から人工呼吸器管理を要する。
- 臍帯ヘルニアのサックは，時間経過で細菌感染，破裂を起こしやすくなるので清潔に愛護的に取り扱う。
- 巨大臍帯ヘルニアは二期的手術となることが多い。ヘルニア嚢は温存したまま，サイロ造設術を行う。ドレッシングにより痂皮化・上皮化を図る場合もある。
- 1 週間程度でサイロ縫縮（ヘルニア内容還納）をすすめる。還納が不良な場合には，筋弛緩を行う。
- 術前後の管理は腹壁破裂に準じる（☞ p. 314）。
- 二期的手術では，縫縮とともに呼吸障害が増強しやすい。
- 腸管運動機能回復には時間がかかるので，中心静脈栄養を行う。

3 前腹壁欠損（body stalk anomaly・臍帯欠損）

- 臍帯ヘルニアや腹壁破裂とは別の疾患で，肺低形成が強く，生命予後は不良である[40]。

h 先天性横隔膜ヘルニア（CDH）

- 90％は左側ヘルニア（そのうち 90％は Bochdalek 孔ヘルニア）。
- 約 30％に合併奇形を伴う。約 15％に，生命に重大な影響を及ぼす重症心奇形や 13 トリソミー，18 トリソミー，Cornelia de Lange 症候群，Pallister-Killian 症候群などを合併する。

表 4-73 神奈川県立こども医療センターの分類（川滝）

神奈川こどもの分類（川滝）		北野分類
Grade 1	胃泡は腹腔内にとどまる	Group I
Grade 2	胃泡が胸腔内に挙上するが，肝臓は腹腔にとどまる	Group I
Grade 3	胃泡が胸腔内に挙上し，かつ，肝臓の左葉のごく一部が胸腔内に挙上する	Group II
Grade 4	胃泡が胸腔内に挙上し，かつ，肝臓が胸腔内に挙上する	Group III
Grade 5	肝臓が胸腔内に挙上し，かつ，高度の羊水過多による母体の症状緩和のために羊水排液が必要	Group III

川滝元良，他．横隔膜ヘルニア（CDH）の重症度分類と治療戦略．日周産期・新生児会誌 2009；45：19-21[41)]

- 肺低形成の程度と，（肺低形成の程度が軽いときに）基礎疾患が予後に関与する。

1 症状と診断

- 出生前：縦隔偏位を契機に診断されることが多い。
- 出生後：重症例は出生直後からのチアノーゼ，呼吸障害，新生児遷延性肺高血圧症（PPHN），腹部陥没と胸部膨隆を呈する。
- X線で胸部に消化管ガス像と縦隔偏位を認める。
- 出生前重症度評価は以下で行う。

① observed/expected lung-to-head ratio (O/E LHR)

軽症 35～45％，中等症 25～35％，重症＜25％
observed LHR の定義＝［健側肺の長径×短径（mm）/頭周囲長（mm）］×100

② 肺胸郭断面積比（LT比）

LT比＝健側肺断面積（m^2）/胸郭断面積（m^2）
0.08 以下ハイリスク

③ liver up：胸腔の高さの 1/3 以上肝臓が嵌入
④ 羊水過多の有無
⑤ 川滝分類（表 4-73）[41)]
⑥ 北野の肝胃重症度分類（Group I〜III）と左 CDH での胃泡の位置の定義（Grade 0〜3）（表 4-74，図 4-24）[42, 43)]

表 4-74 北野の肝胃重症度分類

	liver up	胃の嵌入
Group Ⅰ	なし	
Group Ⅱ	あり	Grade 0～2
Group Ⅲ	あり	Grade 3（胃 1/2 以上が右胸腔内へ）

liver up：胸腔の高さの 1/3 以上肝臓が嵌入した場合と定義する。
【胃の嵌入の程度】
Grade 0：胃は腹腔内にとどまる
Grade 1：胃は胸腔内だが右胸腔内には入らない
Grade 2：胃は右胸腔内に入るが 1/2 未満
Grade 3：胃の 1/2 以上が右胸腔内
Kitano Y, et al. Re-evaluation of stomach position as a simple prognostic factor in fetal left congenital diaphragmatic hernia: a multicenter survey in Japan. Ultrasound Obstet Gynecol 2011；37：277-282[42]／北野良博, 他．胎児左横隔膜ヘルニアにおける胃右胸腔内脱出の意義．日周産期・新生児会誌 2010；46：1123-1126[43]

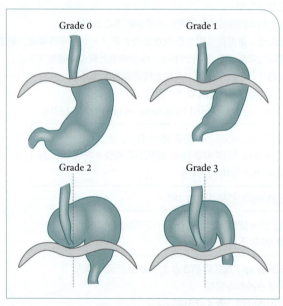

図 4-24　北野分類

Kitano Y, et al. Re-evaluation of stomach position as a simple prognostic factor in fetal left congenital diaphragmatic hernia: a multicenter survey in Japan. Ultrasound Obstet Gynecol 2011；37：277-282[42]／北野良博, 他．胎児左横隔膜ヘルニアにおける胃右胸腔内脱出の意義．日周産期・新生児会誌 2010；46：1123-1126[43]

表 4-75　蘇生前準備物品

- 点滴準備：末梢点滴（10% ブドウ糖液）
- 薬剤：10 倍希釈塩酸モルヒネ（0.1 mg/kg）×2，ミダゾラム（0.1〜0.2 mg/kg），10 倍希釈ベクロニウム（0.05〜0.1 mg/kg），2 倍希釈炭酸水素 Na 10 mL を数本，ソル・コーテフ®（ヒドロコルチゾン；5 mg/kg）
- 呼吸器：HFO（HummingVue），NO 回路を組み込めるように準備
- iNO（アイノフロー®）：NO 20 ppm で手動バギングできるように準備
- 脱気用の比較的太い胃管（7 Fr）
- 早産週数では人工肺サーファクタント（マイクロバブルで確認後）
- 上下肢 SpO_2 モニター

HFO：高頻度振動人工換気，NO：一酸化窒素，iNO：一酸化窒素吸入療法

2 治療

1）分娩方法

- 基本は自然分娩〔帝王切開による新生児一過性多呼吸（TTN）のリスクを低減する〕。

2）蘇生の方針

- 生後，消化管内に空気が入らないように，マスクバギングは行わず即座に気管挿管を行う。末梢点滴ラインを確保し，鎮静薬と肺血流を維持するためアルカリ化目的で炭酸水素 Na（メイロン®）を投与する。
- 表 4-75 に示す物品を蘇生室へ持参できるよう準備する。重症度に合わせて選択。

3）蘇生の流れ

- すぐに気管挿管する（マスクバギングは禁忌）。
- 上下肢で SpO_2 をモニターする。
- 末梢静脈ラインを確保し，モルヒネ，ミダゾラム，ベクロニウム，ヒドロコルチゾン（ソル・コーテフ®）を静注する。酸素化が不良なら炭酸水素 Na も投与する。
- 太い胃管（7 Fr）を挿入し，間歇的に吸引する。
- 呼吸窮迫症候群（RDS）で肺サーファクタント（サーファクテン®）投与する際には，気胸を予防するために事前に鎮静薬と筋弛緩薬を投与する。

4）術前

- NO 吸入療法：胎児診断で CDH が中等症以上の場合は，蘇生時から 20 ppm で継続する。軽症例でもチアノーゼが持続する場合

（FiO₂ 1.0 で SpO₂ 95%未満）には行う。
- 人工呼吸器の初期設定：高頻度振動人工換気（HFO；HummingVue）で開始する。平均気道内圧（MAP）13〜15 cmH₂O。ストロークボリューム（SV）20〜40 mL。FiO₂ 1.0。加湿器チャンバー 40℃，口元±0℃。
- 肺高血圧の急性増悪（いわゆる flip flop）を予防するために，モルヒネ 20〜25 μg/kg/時，ミダゾラム 0.05〜0.1 mg/kg/時で鎮静する。
- 筋弛緩薬はルーチンで投与しないが，多呼吸や陥没呼吸が続く場合には気胸予防目的にベクロニウムを 0.1 mg/kg で静注し，有効性を確認する。有効ならばベクロニウムを 0.05〜0.1 mg/kg/時で持続投与する。
- ミニマルハンドリングを励行するが，気管吸引や心エコー，呼吸機能など必要な検査は手際よく施行する。場合によっては，事前に鎮静薬を追加する（チオペンタール 2〜5 mg/kg）。
- アルカリ化を保つ〔pH＞7.40 で塩基過剰（BE）は少なくてもプラスを維持する〕。
- 高い右室圧に対抗するために昇圧（ドパミンとドブタミンを 5 γ 前後で調節）や容量負荷を施行する。
- 容量負荷を要する場合には，浮腫予防のために FFP を持続投与する。
- カテコラミン製剤に反応が悪い場合に，ヒドロコルチゾン 2〜5 mg/kg の 2 回目を考慮する。
- oxygenation index（OI），肺胞気動脈血酸素分圧較差（AaDO₂）を経時的に評価する。
- 体外式膜型人工肺（ECMO）：術前から NO 吸入療法を含めた内科的治療に抵抗性の症例には行っていない。

> *memo*
> - 以前は筋弛緩薬を極力使用しなかったが，軽症例での気胸が生後早期にしばしば発生したため，陥没呼吸が目立つ場合には，筋弛緩薬を使用するようになり気胸は減少した。蘇生時にも用意している。
> - 時間外での蘇生は，新生児科医師 2 名と NICU 看護師 1 名，助産師 1 名で対応している。

表 4-76 先天性横隔膜ヘルニア児に用いる肺血管拡張薬の用法・用量

一般名	商品名	用法・用量
アルプロスタジル	パルクス®	効果が早いので術前に使用する。2～5 ng/kg/分から開始。ただし, 動脈管が右左短絡の場合には効果は低い。
エポプロステノール	フローラン®	投与初期は効果が乏しく, 術前には使用していない。術後肺高血圧のコントロールが難しい場合に, 低血圧に注意しながら少量から使用する。
シルデナフィル	レバチオ®	少量から注腸し, 効果・血圧低下の程度を評価しながら漸増。静注薬を優先している (投与量, 投与方法の詳細は**表 4-20** (*p.204*) 参照。

- 肺血管拡張薬の静脈内投与は**表 4-76** を参照。

5) 手術

- 軽症例：生後 24 時間以降で呼吸循環が安定したら手術する。
- 中等症および重症例：上肢 SpO$_2$<80%では手術適応外, 80～90%は呼吸循環のトレンド次第で時期を決定する。日齢 3～5 に行う。ただし, 日齢 7 を超えないようにする。
- 原則, 開腹手術であるが, 適応を満たす場合 (**表 4-77**) には胸腔鏡手術を行う。
- 重症例で, 消化管還納に伴い呼吸・循環状態が悪化する場合には, 腹壁をパッチ閉鎖する。
- 胸腔鏡手術を検討する場合は, 術前に 1 時間, 手術体位 (健側を下にした体位) でバイタルサインに変化がないか確認する。

6) 術後

- 術後早期の呼吸状態の悪化：腹圧上昇, (術中の輸液に伴う) 肺

> *memo*
>
> - 比較的軽症の胎児診断で, 生後 1～2 日に呼吸状態の悪化を認め, HFO の設定条件を上げたり NO 吸入濃度を上げたりしても改善しない場合には, 呼吸機能検査を行っている。気道抵抗が高い場合 (>400 cmH$_2$O·kg/L/秒) には, 間歇的強制換気 (IMV) の低い設定でも維持可能な場合が散見される。
> - 動脈ラインの確保部位は決めていない (取れるところで確保する)。

表 4-77　胸腔鏡手術の適応

以下 6 項目を満たす場合
①在胎 34 週以上かつ出生体重 2,000 g 以上 ②川滝分類 Grade1〜3 ③呼吸循環が安定（臨床的に PPHN が改善） ④OI＜4 ⑤生後 24 時間以上経過 ⑥複雑心奇形や奇形症候群は除く

OI：oxygenation index，PPHN：新生児遷延性肺高血圧
開腹に比べ手術時間は長いので，将来のイレウスを予防するメリットが短期予後を上回る場合に行う。

水腫，（移動や侵襲に伴う）肺高血圧の悪化を鑑別する。
- 肺血管拡張薬の静脈内投与（表 4-76）：とくに術前の効果は乏しいので，NO 吸入療法を最優先している。重症例では血圧や心エコーから慎重に適応を検討する。
- 経腸栄養：呼吸や循環が安定したのちに，胃管から開始する（ルーチンに十二指腸チューブは留置しない）。
- X 線で患側肺が広がり呼吸状態が改善した頃に，左室の適応障害と想定される病態でショックに陥ることがある。鎮静薬減量時には心エコーやヒト脳性 Na 利尿ペプチド前駆体 N 端フラグメント（NT-proBNP）で評価し，悪化する場合には再度，鎮静する。
- 急性増悪時には横隔膜ヘルニアの再発を疑う。再発は術後早期に限らない。
- NO の減量は *p. 201〜203* を参照。

i　先天性嚢胞性肺疾患

- 先天性嚢胞性肺疾患：おもに先天性肺気道奇形（CPAM），肺分画症，気管支閉鎖症の 3 つを鑑別する。
- CPAM の病理組織学的な分類を表 4-78[44〜46)]に示す。

1 出生前管理
- 母体の禁忌（入れ墨や閉所恐怖症など）がなければ，妊娠 30 週で胎児 MRI を撮影する。Stocker 分類の type2 の CPAM と肺分画症と気管支閉鎖症の区別は難しい。
- 胎児期の評価：[CPAM volume ratio（CVR）＝腫瘍長径 (cm) × 短径 (cm) × 高さ (cm) × 0.52/頭囲 (cm)]で，CVR が 1.6 以上の

表4-78 先天性肺気道奇形（CPAM）の病理組織学的な分類（Stocker分類）

分類	Type 0	Type 1	Type 2	Type 3	Type 4
囊胞最大径（cm）	0.5	0.5〜10	0.5〜2.0	0.3〜0.5	7
内皮	Ciliated, pseudostratified columnar	Cuboidal cells, flattened, columnar	Ciliated, cuboidal, ciliated, pseudostratified	Ciliated, cuboidal, columnar	Type1 & 2 alveolar lining cells
muscular wall thickness（mm）	100〜500	100〜300	50〜100	0〜50	25〜100
粘液細胞	全例あり	33％にあり	なし	なし	なし
軟骨	全例あり	5〜10％にあり	なし	なし	まれ
骨格筋	なし	なし	5％にあり	なし	なし

Stocker JT, et al. Congenital cystic adenomatoid malformation of the lung. Classification and morphologic spectrum. Hum Pathol 1977；8：155-171[44]／Stocker JT. Congenital and developmental diseases. Dail DH, et al (eds), Pulmonary Pathology, 2nd ed, Springer-Verlag, 1994[45]／Stocker JT. Congenital pulmonary airway malformation：A new name for and an expanded classification of congenital cystic adenomatoid malformation of the lung. Histopathology 2002；41 (Suppl 2)：424-430[46]

場合には，胎児水腫の発症を予測する。

- macrocystic type：胎児水腫や羊水過多のリスクが高い。胎児期の急速な増大は少ないが，一方で縮小は期待できない。胎児水腫を合併する場合には，囊胞穿刺もしくは囊胞-羊水腔シャントを考慮する。ほぼ全例で新生児期の手術を要する。
- microcystic type：胎児水腫や羊水過多を伴うこともある（大きな囊胞タイプより頻度は低い）。妊娠20〜26週に急速に増大するが，その後の縮小が期待できるので妊娠期間の延長に努める。
- 体循環からのfeeding arteryの有無は，肺分画症の診断の参考になる。

2 出生後管理

- 胸部X線（2方向），胸部MRIやCTで診断するが，生直後には困難な場合がある。
- 呼吸障害がある場合には，新生児期に手術を行う。症状がなけれ

ば，半年以降に計画的に手術をする（胸腔鏡手術が第1選択）。
- macrocystic type では，陽圧換気により air trapping を起こし，拡張した囊胞が正常肺や心・血管を圧迫する可能性がある。そのため，術中分離肺換気（3 Fr Fogarty カテーテル）を行うことがある。
- microcystic type でも陽圧換気を行うと病巣が比較的緩徐に膨張するので，緊急手術は必要ないが，経時的に正常肺への圧排所見がみられたら手術をする。

j 腹部腫瘤

- 胎児エコーで発見されやすい順に述べる。

1 腎尿路奇形
- 水腎症および多囊胞性異形成腎は p.326 参照。

1）常染色体劣性多発性囊胞腎（ARPKD）
- 1/4万〜1/5万と頻度は低い。両側性の腎腫大で，エコー上は腎実質の均一なエコー輝度の上昇が特徴。出生前・新生児期発症例では羊水過少がみられ，肺低形成を伴い，多くは致死的である。

2）巨大膀胱
- 後部尿道弁（筋肉柱が目立つ），megacystis-microcolon intestinal hypoperistalsis syndrome（拡張のみで筋肉の肥厚なく，尿の性状は正常），prune belly 症候群（弛緩した腹壁，膀胱の拡大，停留精巣，水腎または腎異形成），urorectal septum malformation syndrome（陰茎様構造をもつ ambiguous genitalia，尿道および腟の開口部の欠如，鎖肛，腎・膀胱奇形など）などでみられる。

2 卵巣囊腫
- 女児で，他の臓器と関連がない囊胞性腹腔内腫瘤の場合に疑う。
- エコー上，単純性（単発囊胞）で直径 5 cm 以下の場合は経過観察する。5 cm 以上の単純性囊胞・複雑性（多囊胞・固形部分の存在・鏡面形成）で生後に縮小傾向がない，または腹部症状がある場合は外科的介入（穿刺吸引・切除）を考慮する。

3 囊胞型胎便性腹膜炎
- p.310 を参照。

4 肝・胆道系疾患
- 単純性囊胞，総胆管拡張，まれに肝腫瘍（血管腫，神経芽細胞腫，肝芽腫，mesenchymal hamartoma of the liver）。そのほか，

表 4-79 血清α-フェトプロテイン（AFP）正常上限のめやす

生後週数	血清 AFP
生後 2 週	<200,000 ng/mL
生後 2〜4 週	<5,000〜20,000 ng/mL
生後 4〜8 週	<1,000〜5,000 ng/mL
生後 8〜12 週	<500〜1,000 ng/mL

門脈内に留置された臍静脈カテーテル輸液の血管外漏出（エコーでの不均一な高輝度病変）。
- 肝腫瘍が疑われる場合は，胎盤の迅速病理診断，腹部エコー・MRI，尿中バニールマンデル酸（VMA），ホモバニリン酸（HVA），血清神経特異エノラーゼ（NSE），α-フェトプロテイン（AFP）の測定などを行い，早急に外科・腫瘍科にコンサルトする。
- 血清 AFP の正常上限のめやすを表 4-79 に示す。

5 副腎疾患
- 出血：腎上部の腫瘤で，エコー輝度は出血の時期によって上昇から低下と変化する。経過とともに退縮する。
- 神経芽腫：腎上部の腫瘤で，エコー輝度はさまざま。経過とともに増大する。
- 新生児期の正常上限のめやす：血清 NSE 50 ng/mL，尿中 VMA 10 μg/mg·Cr，尿中 HVA 20 μg/mg·Cr。

6 女性生殖器疾患
- 水子宮腟症・総排泄腔遺残，OHVIRA 症候群。

7 重複腸管
- 回腸末端がもっとも多い。腸間膜嚢腫と鑑別が必要。

8 リンパ管腫
- 結腸間膜，小腸間膜，大網・小網付近，後腹膜など部位はさまざま。
- 当院小児がんセンターホームページ「リンパ管腫/リンパ管奇形」を参照。

k 泌尿生殖器疾患

1 水腎症
- 原因として腎盂尿管移行部狭窄がもっとも多く，次いで膀胱尿管

逆流（VUR），尿管遠位端の閉塞性疾患（尿管瘤，巨大尿管），尿道閉塞疾患（後部尿道弁など）の順となる。
- 腎盂尿管移行部狭窄では尿管の拡張はない。
- 尿管の拡張を伴う場合は尿管膀胱移行部狭窄（巨大尿管）や尿管瘤を考え，膀胱の拡張を伴う場合は後部尿道弁など下部尿路閉塞疾患を疑う。
- 重複腎盂の完全型では，尿管瘤（膀胱内尿管が囊腫状に拡張）と尿管拡張が特徴。下方腎盂からの尿管はVUR，上方腎盂からの尿管は尿管瘤を合併しやすく，いずれも水腎症の原因である。
- VURは水腎症の程度との関連は低く，胎児水腎症の10〜15％に合併する。
- 胎児水腎症を評価する際に現在広く用いられているのは，腎盂前後径（APD）である。APD 15 mm以上では自然軽快の可能性は低い。
- 生後の利尿低下で水腎症の程度が軽度になるので，利尿が安定した日齢3以降にエコーを施行する。2回目のエコーは生後1カ月で行う。
- 新生児期以降のエコーでの水腎形態評価は，腎盂拡張，腎杯拡張，腎実質の厚さをもとにGrade 1〜4の4段階に分けるSociety for Fetal Urology（SFU）分類を用いる（**表4-80**）[47]。
- 新生児期にSFU Grade 3〜4を呈する高度水腎症，明らかな尿管拡張や膀胱拡張を伴う水腎症については泌尿器科に連絡し，排尿時膀胱尿道造影（VCUG）の早期施行，尿路感染症予防のための抗菌薬投与の必要性を検討する。
- 無症状の片側水腎症は，高度であっても分腎機能が保たれていることが多く，新生児期は経過観察とする。
- 両側の高度水腎症，単腎例，後部尿道弁など膀胱以下の閉塞性疾患では総腎機能低下をきたすリスクがあり，早期評価を行い閉塞解除の必要性について検討する。

2 多囊胞性異形成腎（MCDK）

- 片側性の腎の先天異常で，大小不同の多発囊胞を伴う。
- 対側腎は代償性の腫大を認める。もし腫大がない場合には，対側腎の異常を考える。
- MCDKは無機能であり，対側腎の約2割にVURを合併するので，

表 4-80 水腎症の Society for Fetal Urology (SFU) 分類

Grade	腎エコー	所見
1		軽度の腎盂拡張のみ
2		腎盂拡張と数個の腎杯拡張
3		腎盂拡張とすべての腎杯拡張を認めるが，腎実質は正常の厚さを保つ
4		Grade 3 に加えて，腎実質の菲薄化を伴う

Fernbach SK, et al. Ultrasound grading of hydronephrosis: introduction to the system used by the Society for Fetal Urology. Pediatr Radiol 1993;23:478-480[47]

尿路感染症のリスクが高い。退院時には尿路感染のリスクについて説明する。
- 良性の経過で，大きさは縮小傾向，40%は自然消退するが，ごくまれに増大傾向のものがある。高血圧症，悪性腫瘍との関連性は否定的。
- 腎機能予後は対側腎の腎機能による。羊水正常ならば，出生時に腎不全はないと考える。
- 胎児診断で MCDK を疑った場合は，出生後のエコーで確認し，生後 2～3 カ月までに泌尿器科に紹介する。

3 脊髄髄膜瘤・二分脊椎の尿路管理
- 脊髄髄膜瘤患児は生涯にわたり排泄管理が重要となり，新生児～乳児期から清潔間歇導尿法（CIC），抗コリン薬投与の必要性を検討しなければならない。
- エコーによる初期評価で先天性の腎異常や水腎症の有無を確認し，一般検尿とエコーは週 1 回フォローアップする。沈渣で膿尿・細菌尿を認めれば尿培養を施行する。
- 仰臥位がとれるようになったら，エコーを用いて膀胱がつねに full bladder になっていないかどうかを確認する。

表4-81 Testicular Workup for Ischemia and Suspected Torsion (TWIST) Scoring System

	あり	なし
精巣の腫大	2	0
精巣の硬結	2	0
精巣挙筋反射の消失	1	0
悪心・嘔吐	1	0
精巣の挙上	1	0
合計	7点中___点	

Barbosa JA, et al. Development and initial validation of a scoring system to diagnose testicular torsion in children. J Urol 2013;189:1859-1864[48]

- エコーでつねに full bladder を認める，水腎を認める，さらに有熱性尿路感染をきたすような場合は泌尿器科に連絡し，尿流動態検査を待たずに CIC を開始する。
- CIC 開始時は尿路感染症予防のためにセファクロル（ケフラール®）10 mg/kg/日 分1 の予防投与を行う。
- 尿流動態検査は泌尿器科にて，生後6〜8週以降に透視下で行う。

4 精索捻転

- 主症状は，圧痛，発赤を伴う精巣の硬結である。
- ドプラエコーで精巣血流の有無を確認し，対側精巣と比較するが，診断に苦慮することも多い。
- 臨床的に使用されているのは Testicular Workup for Ischemia and Suspected Torsion (TWIST) Scoring System（表4-81）[48]で，2点以下は低リスク，5点以上は高リスクである。
- 出生前発症では手術による救済は期待できない。
- 出生時の捻転が否定され，のちに発症した新生児捻転の救済率は 20〜40% であり，泌尿器科にコンサルトする。
- 手術適応は，発症後経過時間，画像診断，全身麻酔のリスクをもとに判断する。
- 新生児では鞘膜外捻転であり，対側捻転の発症率は低く，対側固定術は必須ではない。

9 内分泌・代謝

a 晚期循環不全

1 症状
- 前駆症状のない乏尿と活気の低下,皮膚色の悪化(軽度蒼白)。

2 診断
- 新生児内分泌研究会の診断基準(**表4-82**)[49]を参照。
- 敗血症や消化管穿孔,脳室内出血(IVH)などの除外は必須であり,血液,エコー,X線検査を速やかに施行する。
- エコーの特徴は,腎動脈や前大脳動脈における拡張期血流の低下や逆流である。

3 管理
- ヒドロコルチゾン(ソル・コーテフ®)2 mg/kg/回を6~8時間ごとに繰り返し,血圧や尿量の安定化が十分に得られてから漸減する。
- ヒドロコルチゾンが有効ならば,約4時間で利尿と血圧が回復する。投与から4時間前後で反応が乏しい場合には追加投与する。
- 乏尿の際には,容量負荷(生理食塩液10 mL/kgを1~2時間)も考慮する。
- 発症時にも経腸栄養は順調に進むことが多いが,ステロイド投与中には壊死性腸炎(NEC)や易感染性に注意する。

b 先天代謝異常

- 新生児の先天代謝異常は高度の多臓器不全として急激に発症する場合がある。
- not doing well,意識障害,哺乳不良,呼吸異常,心不全,肺出血,けいれんなど非特異的な症状で発症する。

memo

当施設では,晚期循環不全はほとんどみられない。Naの補充にも特別な注意を払っていない。

表 4-82 新生児晩期循環不全診断基準

Ⅰ. 生後数日以上を経過し,
Ⅱ. 呼吸循環動態が落ち着いた時期が存在したのち,
Ⅲ. 明らかな原因なく,
Ⅳ. 突然以下のエピソードのいずれか1つ(血圧低下もしくは尿量減少)を認め,
Ⅴ. 昇圧治療を要した例

- エピソードとは
  1. 繰り返し測定した血圧がそれまでのおおよそ80%未満
  2. 尿量減少(下記のいずれか)
     a) 8時間の尿量が半量未満
     b) 8時間の尿量が1 mL/kg/時 未満
     c) 4時間排尿が確認できない(ただし尿閉は除外する)
- 明らかな原因とは
  失血, 敗血症, 症候性PDA, IVH, NECなど循環動態に影響を及ぼすと考えられる病態をさす

- 参考所見
  1) 胸部X線所見:肺水腫様変化
  2) Na<130 mEq/L または Na値5 mEq/L以上の急激な低下
  3) K>5.5 mEq/L
  4) 15 g/kg/日 (または1.5%/日) を超える体重増加

PDA:動脈管開存, IVH:脳室内出血, NEC:壊死性腸炎
小山典久. 新生児晩期循環不全(急性期離脱後循環不全). 新生児内分泌ハンドブック, 新生児内分泌研究会(編著), メディカ出版, 39-47, 2008[49]

表 4-83 先天代謝異常の鑑別

	*新生児肝不全	有機酸代謝異常	尿素回路異常	糖代謝障害	脂肪酸代謝異常	ミトコンドリア病	ペルオキシソーム病	ライソゾーム病
代謝性アシドーシス	±	++	−	±	±〜+	±	−	−
高アンモニア血症	±	+	++	−	±	−	−	−
低血糖	+	±	−	+	+	±	−	−
乳酸アシドーシス	+	±	−	+	±	++	−	−

*p.277参照。

- 高アンモニア血症, ミトコンドリア呼吸鎖異常は出生当日から発症することがある(表4-83)。
- 糖, 蛋白, 脂肪の分解にかかわる中間代謝性疾患では, 生後2日

表 4-84 先天代謝異常を疑った場合の検査

	検査項目
1. 血液検査	・血液検査一般(血液ガス,血算,血液凝固,電解質,血糖)に加え, ・ケトン体分画(3-ヒドロキシ酪酸,アセト酢酸),遊離脂肪酸,アンモニア,乳酸,ピルビン酸,中性脂肪 ・タンデムマス,アシルカルニチン分析 ・アミノ酸分析 ・可能なら(後日検査に備えて)血清を保存する
2. 尿検査	・色,臭いを確認 ・一般的な検査(ケトン体,糖,蛋白,pH) ・尿中有機酸分析(保険適用)もしくは尿中メタボローム解析(一部保険適用外) ・尿中アミノ酸分析
3. そのほかの検査	・眼科診察 ・心エコー(心筋症の確認) ・脳 MRI ・髄液検査(乳酸,ピルビン酸,アミノ酸分析) ・極長鎖脂肪酸(ペルオキシソーム病を疑う場合)

以降に発症することが多い。

- 先天性代謝異常を疑った場合は以下のように診療を進める。
  ① 初期対応:呼吸性アシドーシスも合併した混合性アシドーシスのことも多く,必要があれば気管挿管を行い,鎮静して人工呼吸器管理を導入する。
  ② 表4-84に示す検査を進めつつ,10%ブドウ糖の点滴を 150 mL/kg/日〔ブドウ糖投与速度(GIR)8〜10mg/kg/分〕で開始する。

1 有機酸代謝異常症

- アニオンギャップ開大性の代謝性アシドーシス,高アンモニア血症,ケトーシスで疑う。

> **memo**
>
> ・アニオンギャップ=$Na^+ - (Cl^- + HCO_3^-)$(正常 10〜14)
> ・ケトーシス:血中 3-ヒドロキシ酪酸 > 1,000 μmol/L や遊離脂肪酸/3-ヒドロキシ酪酸比 > 2〜3
> ・高インスリン性低血糖では,血中ケトン体や遊離脂肪酸の測定が定着しているが,それ以外では抜けがちである。

1) 検査(治療開始前)
- 原因となる酸を確定する。
- 血液検査:乳酸,遊離脂肪酸,アミノ酸分析,アシルカルニチン分析。
- 尿検査:ケトン体,有機酸分析(ないしメタボローム解析)。

2) 治療
- 絶食(蛋白負荷の制限)。
- 10〜15%ブドウ糖ベースの点滴開始(150 mL/kg/日=GIR 8〜10 mg/kg/分)。高血糖になる場合,インスリン投与を併用する。体蛋白の異化亢進を抑えるため,糖質で十分なエネルギーを補充する。
- 代謝性アシドーシスの補正。pH>7.2, pCO$_2$>20 mmHg, HCO$_3^-$>10 mEq/L を目標に行う。
- メイロン®(7%炭酸水素Na;HCO$_3^-$として1 mL=0.84 mEq)。過剰な補正を避けるため,ハーフ補正を行う。

> 炭酸水素Na:BE×BW(kg)×0.3×1/2(mEq)
> =メイロン®(7%):BE×BW(kg)×0.18(mL)
> 注射用水で2倍希釈して,ゆっくり静注する。
> BE:塩基過剰,BW:体重

- レボカルニチン投与(エルカルチン®FF静注1,000 mg/5 mL)50 mg/kgを1日3回ゆっくり静注する(有機酸のカルニチン抱合による代謝を促進するため)。
- ビタミン反応性有機酸血症を考慮し,診断がつくまで水溶性ビタミンを経静脈的に連日投与する(表4-85,表4-86;静注薬が得られない場合には内服)。

memo

ヘマトクリット毛細管にはヘパリンアンモニウム処理されているものがあり,検体処理で混入すると偽性高値を起こすことがある。組織液中のアンモニア濃度は10倍高いので,毛細血管採血(足底血)は評価に向かない。アンモニアは偽高値を取りやすいため,検体採取条件に注意する。検体の長期室温放置,採血時の長時間のうっ血,溶血,採血器具の汚染などでアンモニアの偽高値をきたす。

表 4-85 有機酸代謝異常症に対する初期治療(ビタミン類)

一般名	商品名	1日あたり投与量
ビタミン B_1(チアミン)	メタボリン®G 注射液(10 mg/1 mL)	100 mg
	ビタメジン®静注用(1 vial 中 100 mg)	
ビタミン B_2(リボフラビン)	ビスラーゼ®(10 mg/1 mL)	100 mg
ビタミン B_{12}(ヒドロキシまたはシアノコバラミン)	ビタメジン®静注用(1 vial 中 1 mg)	1〜2 mg
ビタミン C(アスコルビン酸)	アスコルビン酸注射液(500 mg/2 mL)	500〜3,000 mg
ビタミン H(ビオチン)	ビオチン注(1 mg/2 mL)	5〜10 mg
ビタミン E(トコフェロール)	トコフェロール酢酸エステル顆粒 20%	30 mg
カルニチン	エルカルチン®FF 静注(1,000 mg/5 mL)	50 mg/kg
補酵素 Q_{10}	ノイキノン®顆粒 1%	5 mg/kg
	ユビデカレノン顆粒 1%	

表 4-86 体重 3,000 g で表 4-85 のビタミン添加を満たす初期輸液(中心静脈のメイン)と内服の例

投与経路	
点滴	10%ブドウ糖液 170 mL 50%ブドウ糖液 20 mL ビスラーゼ®(10 mg/1 mL)10 mL ビタメジン®静注用 1 vial アスコルビン酸注射液(500 mg/2 mL)2 mL ビタジェクト®0.5 vial,5 mL 8 mL/時(64 mL/kg),糖濃度 13%,GIR 5.8 mg/kg/分
内服	ビオチン散 1 回 5 mg を 2 回(10 mg/日) 補酵素 Q_{10}(ノイキノン®顆粒 1%,ユビデカレノン顆粒 1%) 1 回 7.5 mg を 2 回(15 mg/日) トコフェロール酢酸エステル顆粒 15 mg を 2 回(30 mg/日)

糖や電解質や脂質は他のラインで調整する。
GIR:ブドウ糖投与速度

表 4-87 高アンモニア血症

アンモニア値	判断と対応
110 μmol/L (190 μg/dL) 未満	異常とはいえない
180 μmol/L (305 μg/dL) 未満	一般状態が悪いと起こり得る
200 μmol/L (340 μg/dL) 以上	代謝性疾患を考え,代謝専門医にコンサルトする
500 μmol/L 以上	緊急血液透析を行う

NH_3 μmol/L = μg/dL × 0.59（測定単位に注意する）

2 高アンモニア血症

- 高アンモニア血症の基準値を表 4-87 に示す。

1）原因

- 尿素回路異常症,それ以外の代謝性疾患（有機酸代謝異常症など）,重度の肝障害,門脈体循環シャントによる一過性高アンモニア血症など。

2）検査（治療開始前）

- 血液検査：アミノ酸分析,アシルカルニチン分析（濾紙血でも可）。
- 尿検査：アミノ酸分析,有機酸分析。

3）治療

- 高アンモニア血症：有機酸代謝異常症または尿素回路異常症を念頭において初期治療を行う。
- 尿素回路異常症とはっきりするまで,有機酸代謝異常症の治療も並行するのが原則。
- メイン点滴とビタミンの内服は前述の有機酸代謝異常症と同様（表 4-85,表 4-86）。

> **memo**
>
> 高アンモニア血症＋代謝性アシドーシス（pH<7.2,アニオンギャップ>20 mEq/L,アンモニア≒200～400 μg/dL）では,有機酸代謝異常症・ケトン体代謝異常症を疑う。アシドーシスのない高アンモニア血症（アンモニア 400 μg/dL 以上のことが多い）では尿素回路異常症を疑うが,著明な高アンモニア血症では有機酸代謝異常症と尿素回路異常症は区別しにくい。

表4-88 乳酸の正常値

	乳酸値
血液	<2.1 mmol/L（<19 mg/dL）
髄液	<1.8 mmol/L（<16 mg/dL）

乳酸 mmol/L＝mg/dL×0.11（測定単位に注意する）

- 絶食（蛋白負荷の制限）。
- 10％ブドウ糖で点滴開始（150 mL/kg/日＝GIR 8〜10 mg/kg/分）。高血糖になる場合，インスリン投与を併用する。体蛋白の異化亢進を抑えるため，糖質で十分なエネルギーを補充する。
- 塩酸アルギニン（アルギU®注）500 mg（2.5 mL）/kgを1〜2時間で投与〔その後，250 mg（1.25 mL）/kg/日を持続投与〕。
- 安息香酸Na注（院内製剤）250 mg/kgを1〜2時間で投与。
- フェニル酪酸Na（ブフェニール®顆粒）100 mg/kgを1日3回内服。
- レボカルニチン50 mg/kgを1日3回緩徐に静注する（安息香酸Naと結合して尿中に排泄されてしまうので，有機酸代謝異常症ではなくても補充は必要）。
- カルグルミン酸製剤（カーバグル®）100 mg/kg，1日2回内服を考慮〔N-アセチルグルタミン酸合成酵素（NAGS）欠損症に有効。確定診断前の"診断的治療の目的"で投与〕。
- アンモニア500 μmol/L以上なら緊急透析。200〜500 μmol/Lでも意識障害が強い場合や塩酸アルギニンのloadingに反応しない場合には，血液浄化療法（血液透析，血液濾過透析）を行う。

3 乳酸アシドーシス

- 乳酸の正常値を表4-88に示す。

> *memo*
>
> - 安息香酸Naと安息香酸Naカフェイン（アンナカ）を間違わないようにする。
> - 高アンモニア血症による意識障害の期間が長いほど，精神遅滞および嚥下・摂食障害をきたす頻度が高くなるので，アンモニア<500 μmol/Lであっても，初期の薬物治療に反応しない高アンモニア血症に対しては，血液浄化療法（血液透析，血液濾過透析）を考慮する。なお，交換輸血は無効で，腹膜透析は効率が劣るので血液透析を第1選択とする。

表 4-89 ミトコンドリア病の診断のための検体

検体	採取量	処理方法
肝臓, 心臓, 骨格筋	5 mm 角を数個	ホルマリン処理せず, それぞれをチューブに分け, −80°Cで凍結保存
皮膚	5 mm の生検パンチ	真皮を含む層まで清潔操作で採取。培養液または生理食塩水で満たした容器に保存し, 凍結せずに速やかに専門機関に発送(皮膚線維芽細胞作製)
濾紙血		乾燥させ, −20°Cで保存
血液, 尿	0.5 mL 以上	−20°Cで保存
全血	EDTA またはヘパリン加血 0.5 mL 以上	4°Cで保存

EDTA:エチレンジアミン四酢酸

- ①組織還流不全(心不全, ショック, 重度の貧血, ミトコンドリア機能障害), ②好気性障害(代謝性疾患, 肝不全, けいれん), の大きく2つに分けて鑑別する。
- その他, 駆血や激しい啼泣, 検体の常温放置でも上昇するので注意。
- 具体的な鑑別疾患:周産期仮死, ミトコンドリア病, 有機酸代謝異常症, 新生児肝不全, 脂肪酸代謝異常症, 糖原病I型(まれ)。

1) 検査(表 4-89)

- 血液検査:乳酸, ピルビン酸, アミノ酸分析, アシルカルニチン分析(濾紙血), ケトン体(3-ヒドロキシ酪酸, アセト酢酸), 遊離脂肪酸。
- 尿検査:有機酸分析, ケトン体。
- 髄液検査ができるなら, 髄液の乳酸, ピルビン酸, アミノ酸分析。

2) 緊急検査で得られる情報に基づく鑑別診断

- 高乳酸血症+高アンモニア血症+ケトーシスあり:有機酸代謝異常症。
- 高乳酸血症+血糖正常 or 低血糖+ケトーシスあり:ミトコンドリ

> *memo*
> - 乳酸正常=ミトコンドリア病の否定ではない(約2割のミトコンドリア病では乳酸は正常である)。
> - 通常の生理的な反応では, 低血糖とケトーシスの際に乳酸は糖新生に動員されるので, 高乳酸血症はきたさない。

ア病。
- 高乳酸血症＋低血糖＋ケトーシスなし：脂肪酸代謝異常症。

3）ミトコンドリア病を示唆する所見
- 乳酸/ピルビン酸比の上昇を伴う（多くの場合 20 以上）。
- 乳酸/ピルビン酸比が 10 前後であれば，ピルビン酸脱水素酵素複合体欠損症を疑う。新生児期発症では，けいれん，意識障害，嘔吐，脳室拡大，上衣下嚢胞がみられる。
- 血中アラニンの上昇（代謝の流れ：乳酸→ピルビン酸→アミノ基転移でアラニン→ピルビン酸→グルコースのため）。

4）ミトコンドリア病の初期治療
- 低血糖の補正は必要であるが，過剰な糖は（TCA サイクルの補酵素を障害するため）害になる。
- 代謝性アシドーシスの補正。pH>7.2, pCO_2>20 mmHg, HCO_3^->10 mEq/L を目標に行う。
- 経口または経腸からの脂質投与を考慮する（表 4-90，表 4-91）。

C 糖尿病母体児

- 教科書にはさまざまな合併症が記載されているが，母体血糖コントロールが良好な場合，生後のおもな問題は低血糖である。
- コントロール不良母体も含めたおもな合併症としては，①低血糖，②呼吸窮迫症候群（RDS），③肥大型心筋症，④低カルシウム・低マグネシウム血症，⑤多血，高ビリルビン血症，があげられる。

1 妊娠糖尿病（GDM）の診断基準と母体コントロールのめやす
- 妊娠中の正常値：HbA1c 4.4～5.7%，グリコアルブミン 11.5～15.7%。
- GDM の診断基準を表 4-92 に示す。

2 管理（各項目参照）
- 母体が血糖コントロールされていても，生後 3～6 時間，12 時間，24 時間，48 時間に児の血糖測定を行う。血糖 50 mg/dL 未満では介入する。

表4-90 ミトコンドリアレスキュー薬

一般名	商品名	1日あたり投与量
ビタミン B₁（チアミン）	メタボリン®G 注射液（10 mg/1 mL）	100 mg
	ビタメジン®静注用（1 vial 中 100 mg）	
ビタミン B₂（リボフラビン）	ビスラーゼ®（10 mg/1 mL）	100 mg
ビタミン C（アスコルビン酸）	アスコルビン酸注射液（500 mg/2 mL）	500〜3,000 mg
ビタミン H（ビオチン）	ビオチン注（1 mg/2 mL）	10 mg/kg
ビタミン E（トコフェロール）	トコフェロール酢酸エステル顆粒 20%	30 mg
補酵素 Q₁₀	ノイキノン®顆粒 1%	10〜30 mg/kg
	ユビデカレノン顆粒 1%	

表4-91 体重3,000gで表4-90のビタミン添加を満たす初期輸液（中心静脈のメイン）と内服の例

投与経路	
静注	5%ブドウ糖液 185 mL ビタメジン®静注用 1 vial ビスラーゼ®（10 mg/1 mL）10 mL アスコルビン酸注射液（500 mg/2 mL）2 mL エルカルチン®FF 静注（1,000 mg/5 mL）1 mL ビタジェクト®0.5 vial 5 mL 8 mL/時（64 mL/kg），糖濃度 4.6%，GIR 2.0 mg/kg/時
内服	ビオチン散 1回 15 mg を 2回（30 mg/日） 補酵素 Q₁₀（ノイキノン®顆粒 1%，ユビデカレノン顆粒 1%） 　1回 30 mg を 2回（60 mg/日） トコフェロール酢酸エステル顆粒 15 mg を 2回（30 mg/日）

糖や電解質や脂質は他のラインで調整する。
GIR：ブドウ糖投与速度

d 甲状腺機能異常

1 甲状腺機能低下症

- 先天性甲状腺機能低下症（原発性・中枢性）と，一過性甲状腺機能低下症（低出生体重児，抗甲状腺薬の経胎盤移行，ヨード過剰，まれに母体甲状腺受容体への抑制抗体の移行）に分類される。

表 4-92 妊娠糖尿病の診断基準

	診断基準
妊娠糖尿病（GDM）	75 gOGTT で次の基準の1点以上を満たした場合に診断する。 ・空腹時血糖値≧92 mg/dL（5.1 mmol/L） ・1時間値≧180 mg/dL（10.0 mmol/L） ・2時間値≧153 mg/dL（8.5 mmol/L）
妊娠中の明らかな糖尿病（overt diabetes in pregnancy）	以下のいずれかを満たした場合に診断する。 ・空腹時血糖値≧126 mg/dL ・HbA1c 値≧6.5%

OGTT：経口ブドウ糖負荷試験

- とくに NICU では，早産かつ small for gestational age（SGA）児の生後1カ月頃に一過性の甲状腺機能低下がしばしばみられる。
- Down 症候群児はハイリスク（成人での甲状腺機能低下有病率：3〜54%）である。

1）症状

- 生後早期には症状に乏しい。新生児マススクリーニングを含めた血液検査によって診断される。無治療の場合には，遷延性黄疸（I-Bil），便秘，臍ヘルニア，体重増加不良，皮膚乾燥，活気不良，巨舌，嗄声，四肢冷感，浮腫，小泉門開大，甲状腺腫がみられる。長期的には難聴，知的障害，低身長をきたす。
- 早産かつ SGA 児では，症状がはっきりしないことが多い。

2）検査

- 甲状腺刺激ホルモン（TSH），遊離トリヨードサイロニン（FT$_3$），遊離サイロキシン（FT$_4$）。
- TSH サージの影響を考慮して，原則として日齢4以降に評価する。
- 早産児や全身状態の不安定な児では，non-thyroidal illness と中枢性甲状腺機能低下症の鑑別は困難なので，1〜2週ごとに繰り返し検査する。
- ステロイド，ドパミン，オクトレオチド投与数日以内では，一過性に TSH の低下がみられるので，投与開始から期間をあけて評価する。

3）治療

- レボチロキシン（チラーヂン®S）内服が必要かどうかを，小児内分泌専門医にコンサルトして決める。

- 正期産児：血清 TSH≧30 μIU/mL または TSH≧15 μIU/mL かつ FT$_4$<1.5 ng/dL の場合は，レボチロキシン 10 μg/kg/日で治療開始する。
- 早産児：TSH≧15 μIU/mL，または TSH<15 μIU/mL でも甲状腺機能低下症状を認める場合には内分泌専門医と相談のうえ，レボチロキシンを 5〜10 μg/kg/日で開始することを考慮する。
- レボチロキシン開始後は，安定するまで 1〜2 週ごとに TSH，FT$_3$，FT$_4$ を検査する。

2 甲状腺機能亢進症

- ほとんどは，TSH 受容体抗体（TRAb）の移行による新生児 Basedow 病である。

1) 症状

- 頻脈（>160 bpm），肝脾腫，血小板減少，眼球突出，骨年齢促進，頭蓋骨早期癒合，体重増加不良，心筋肥大など。早産，仮死を伴う場合には新生児遷延性肺高血圧（PPHN）を発症することがある。

2) 検査

- 母体の TRAb>5 IU/L[※13]（第 3 世代），TSH 刺激性受容体抗体（TSAb）>500%の場合は，とくに新生児 Basedow 病に注意が必要。
- 出生後：臍帯血による TSH，FT$_3$，FT$_4$，TSAb。日齢 4〜5 に

> **memo**
>
> 母体橋本病では，サイログロブリン抗体や甲状腺ペルオキシダーゼ抗体の抗体価にかかわらず，基本的に児に問題が起こることはない。ただし，（広義の橋本病である）自己免疫性萎縮性甲状腺炎では，阻害型 TSH 受容体抗体（TSBAb）が経胎盤移行することで児に甲状腺機能低下症を起こすことがあり得る。TSBAb は研究検査項目で依頼可能である。ただし，TRAb は細胞活性に関係ないので，TSBAb が陽性の際にも TRAb は陽性になる。いずれにしても，日齢 4〜5 に TSH，FT$_3$，FT$_4$ のみ検査している。

[※13] 2017 年の大規模研究では，妊娠中の母体の最大 TRAb 5.9 IU/L（第 2 世代）をカットオフ値にすると，新生児の甲状腺機能亢進症の診断の感度 100%，特異度 82%と報告されている。本書では，第 2 世代と第 3 世代の回帰式を参考に，第 3 世代 TRAb で 5 IU/L にした。

表 4-93　新生児の甲状腺機能亢進症に対する治療薬の用法・用量

	薬剤	用法・用量	作用機序など
抗甲状腺薬	チアマゾール（メルカゾール®）	0.25〜1.0 mg/kg/日（分2〜3回）	甲状腺ホルモンの合成阻害なので、効果発現まで数日かかる。治療後 FT_4 低下に続いて TSH が上昇してきたら、減量 or 中止する。
β遮断薬	プロプラノロール（インデラル®）	1〜2 mg/kg/日（分3回）	大部分の甲状腺機能亢進による循環器症状は、交感神経反応に親密に関係している。抗甲状腺薬に比べて、β遮断薬は速やかに（1〜2時間以内に）甲状腺機能亢進症状を消失させる。
ヨウ素	ヨウ化カリウム	3〜4 mg/kg/日内服	ヨウ素は抗甲状腺薬投与から数時間をあけて投与すべきとの意見もあるが、ヨウ素自体にも有機化抑制作用があり、効果発現が早いので、抗甲状腺薬と同時の開始で問題ない。
ステロイド	ヒドロコルチゾン（ソル・コーテフ®）	2 mg/kg	甲状腺ホルモンの分泌抑制、$T_4 \rightarrow T_3$ への変換抑制、相対的副腎不全に対して用いる。

FT_4：遊離サイロキシン、TSH：甲状腺刺激ホルモン、T_4：サイロキシン、T_3：トリヨードサイロニン

TSH, FT_3, FT_4。
- 症状がある場合には心エコー検査。
- 大腿骨遠位骨端核は通常、在胎36週までに発生し、手根骨のうち有頭骨、有鉤骨は修正2〜3カ月頃に発生する。すなわち、正期産児で出生時に大腿骨遠位骨端核（−）なら骨年齢遅延、手根骨（＋）なら骨年齢促進が疑われる。

3）治療
- 症候性なら抗甲状腺薬とβ遮断薬を開始する。不応の場合はヨウ素も投与する（甲状腺機能亢進症状が強い場合、最初からヨウ素を併用する）。心不全がみられる場合はステロイドを追加する。
- 治療に用いる薬剤の用法・用量を表4-93に示す。

e 未熟児骨減少症

1 原因
- いわゆる未熟児くる病は，CaとPの不十分な摂取と吸収が原因であるが，ビタミンD不足も考慮するべきである。
- 妊娠後半（ピークは34週前後）にCaとPは母体から胎児へ移行する。Caは最大100〜130 mg/kg/日，Pは60〜70 mg/kg/日移行するが，早産児はその時期を経ないで出生することで起こる。
- リスク因子：SGA，経腸栄養量が少ない，長期のループ利尿薬投与，長期のステロイド投与，NECなどの消化管外科介入後の胆汁うっ滞，腎不全。

2 診断
- X線検査：長管骨骨端（前腕遠位端）に杯状変形・刷状変形，重症例では肋骨などに病的骨折像がみられる。
- 血液検査
  - ①低リン血症（<約4 mg/dL）。
  - ②高アルカリホスファターゼ血症：国際臨床化学連合（IFCC）法で500〜600 U/L以上〔従来の日本臨床化学会（JSCC）法で1,500 U/L以上〕。ただし，（補酵素である）亜鉛欠乏の際には上昇しない。
  - ③25-ヒドロキシビタミンD（<20 ng/mL）：ビタミンD欠乏の合併を鑑別する。

3 管理および予防法（出生体重1,500 g未満）

1) 生後1〜2週
- 高カリウム血症のリスクがなくなったら，維持輸液をフィジオ®35ベースにして，Pを0.5〜1 mmol/kg入れる（フィジオ®35は100 mLあたり2 mmolのPを含む）。

2) 生後2週頃以降
- 経管栄養が100 mL/kg/日以上になったら，内服に変更する。リン酸Na補正液（0.5 mmol，15.5 mg=mL；院内製剤）を1 mL/kg内服。
- CaとPの投与量を概算する。
- ビタミンD欠乏では，アルファカルシドール（アルファロール®）0.05〜0.1 μg/kg/日を投与する。

- 米国小児科学会（AAP）で推奨されるビタミン D の補充量は 200〜400 IU/日である。パンビタン®0.5 g には 100 IU，ビタジェクト®A 液 5 mL 中には 400 IU 含まれる。活性型ビタミン D（アルファロール®）に質の高いエビデンスはない。

4 モニター

- 血清 Ca, P, ALP, Cr を 1〜2 週に 1 回。
- 尿中 Ca, P, Cr を週 1〜2 回。
- 尿細管リン再吸収率（%TRP）＝$\{1-(尿 P × 血清 Cr / 血清 P × 尿 Cr)\} × 100$（%）
- 手関節 X 線を生後 2〜3 カ月から月 1 回。

POINT　Ca と P の必要量

母乳中のビタミン D は 1.5 IU/100 mL 程度である。

推奨最低ラインかつ Ca(mg)/P(mg)＝1.6 で概算すると，Ca 120 mg，P 75 mg/kg/日である。フル強化母乳 120 mL/kg/日＋リン酸 Na 補正液 1 mL（0.5 mmol）/kg/日の投与で，Ca 約 122 mg，P 80(63.6＋15.5)mg/kg/日となり，推奨最低ラインを満たす。一方，母乳のみの場合は 200 mL/kg/日でも Ca 64 mg，P 26 mg/kg/日，また普通ミルクでも 200 mL/kg/日で Ca 98 mg，P 54 mg/kg/日と，添加なしに推奨量を満たすのは難しい（表）。

表　母乳・調製粉乳・強化母乳などに含まれる Ca と P

成分（100 mL あたり）	Ca（mg）	P（mg）
普通ミルク調乳液 13%[*1]	49	27
低出生体重児用ミルク 15%[*2]	74	49
母乳（100 mL）[*3]	32	13
強化母乳-1（100 mL）[*4]	102	53
強化母乳-2（100 mL）[*5]	132	73
エレンタール®P 15%	65	50
推奨量 理想的な Ca/P 比：1.5〜1.7（mg/mg）	120〜200 mg/kg/日	60〜140 mg/kg/日

[*1]：ドライミルクはぐぐみ（森永），[*2]：GP-P（森永），[*3]：日本食品標準成分表 2010，[*4, *5]：HMS-1, HMS-2（森永）

5 管理目標

- 血清 P ≧5 mg/dL，%TRP＜95%。
- 尿 Ca/Cr 比＜0.5。

6 慢性期の管理

- 超早産児では Ca と P の補充の観点から，入院中あるいは体重 2 kg を超えるまでは可能なかぎり強化母乳を続ける。退院1〜2週間前には中止して，評価する。
- 退院後の P 欠乏には，ホスリボン®配合顆粒を投与する。1包に P 100 mg（約 3.2 mmol）を含む。P の過剰は二次性副甲状腺機能亢進症や異所性石灰化のリスクのため，漫然と継続しない。
- ビタミン D の補充には，市販薬の森下仁丹 Baby D®1滴2μg（＝80 IU），Baby D200®1滴 5μg（＝200 IU）がある。
- 日光浴：ガラス越しではビタミン D 産生作用はない。1日量を満たす横浜での日光浴時間のめやすは，夏5分，冬 40 分（地球環境研究センター「ビタミン D 生成・紅斑紫外線量情報」に各地の値が掲載されている）。日焼け止めクリームの使用に注意する（とくに，SPF 値の高いものは使用しない）。

> **POINT 低リン血症や尿 Ca/Cr 高値への対応**
>
> ① 低リン血症（P＜4mg/dL），%TRP＜90%，尿 Ca/Cr＜0.5
>   Ca（and/or）ビタミン D を補充する。この場合には，25-ヒドロキシビタミン D_3 と iPTH を検査する。自験例からのめやすとして，ビタミン D 欠乏は 25-ヒドロキシビタミン D_3＜12ng/mL，副甲状腺機能亢進は iPTH＞80〜100pg/mL。
>
> ② 低リン血症（P＜4mg/dL），%TRP＞95%，尿 Ca/Cr＞0.5
>   P 補充をする。
>
> ③ P 正常（P＞5〜6mg/dL），%TRP＜90%，尿 Ca/Cr＞0.5
>   ビタミン D を補充する。
>
> ◆ ①のケースに血清 P と ALP 値から P の補充量を増やしても，むしろ%TRP が低下するだけで，骨の脱灰（＝副甲状腺機能亢進）は進む。
> ◆ 血清 1,25-ジヒドロキシビタミン D 値では，ビタミン D の過剰も欠乏も判断できないため注意する。
> ◆ ビタミン D の欠乏は 25-ヒドロキシビタミン D（CLEIA 法）で評価する（保険適用あり）。

10 その他

a 未熟児網膜症（ROP）

- 早産児は，網膜血管形成が完了していない状態で出生する。生後の高酸素血症で血管内皮細胞増殖因子（VEGF）産生が低下し，血管形成がいったん途絶する。その後，網膜の生理的な酸素需要増加や酸素投与減少によりVEGF産生が異常亢進し，血管異常増殖が起こることから，ROPを発症する。
- リスク因子として，在胎週数が早い，出生体重が小さい，PaO_2上昇などがあげられる。

1 予防
- SpO_2 95％以上はPaO_2が指数関数的に高いので，十分注意する。在胎週数28週未満の早産児は，修正36週までSpO_2 88〜95％（修正37週以降は95％以上）を目標に管理する。

2 眼底検査
- 対象：在胎34週未満，出生体重1,800g未満。
- 開始時期：在胎28週未満は修正30週から，28週以降は生後2〜3週から開始。
- 散瞳にはカプト点眼薬を用いる（☞p.12）。
- 超低出生体重児では，眼底検査後数時間にわたって無呼吸・徐脈のリスクがある。晩期循環不全の発症にも注意する。

3 網膜症の分類
- 国際分類を**表4-94**[50]，**図4-25**[51]に示す。

4 管理
- 一般に，Type I ROPが治療適応（**表4-95**）[52]。レーザー光凝固治療または，抗VEGF薬硝子体注射（ルセンティス®；ラニビズマブ）で治療する。
- 治療時は基本的に挿管呼吸管理・点滴ルートを確保する。鎮静は塩酸モルヒネ50〜100μg/kg/回，ベクロニウム0.05〜0.1mg/kg/回，チオペンタール（ラボナール®）3mg/kg/回を適宜組み合わせて静注する。
- 再挿管に伴う誤嚥性肺炎のリスクがあるので，メチシリン耐性黄

表 4-94 未熟児網膜症（ROP）国際分類

Stage 1	境界線（demarcation line）
Stage 2	隆起（ridge）
Stage 3	網膜外線維血管性増殖を伴う隆起（ridge with extraretinal fibrovascular proliferation）
Stage 4 4A 4B	網膜剝離（partial retinal detachment） 中心窩外網膜剝離（excludes the macula） 中心窩を含む部分的網膜剝離（includes the macula）
Stage 5	全網膜剝離（total retinal detachment）
AP-ROP	（aggressive posterior ROP：劇症後極型未熟児網膜症） 網膜血管の発育が著しく未熟で、早期に治療をしなければ速やかに網膜全剝離に至るもの

※ Plus disease：網膜動静脈の拡張や蛇行・硝子体混濁・虹彩の充血・瞳孔の散大不良（急速に網膜剝離に進行し得る重症 ROP）

Chiang MF, et al. international Classification of Retinopathy of Prematurity, Third Edition. Ophthalmology 2021；128：e51-e68[50]）

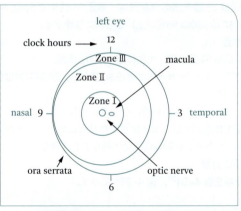

図 4-25 未熟児網膜症（ROP）国際分類の位置および範囲
International Committee for the Classification of Retinopathy of Prematurity. The International Classification of Retinopathy of Prematurity revisited. Arch Ophthalmol 2005；123：991-999[51]）

色ブドウ球菌（MRSA）保菌児の場合は手術前にバンコマイシン静注が望ましい。それ以外はセファゾリン。
- 治療中，カプト点眼薬を追加点眼する場合も，鼻根部をおさえる。
- 術後数日間は鎮静が効いて，呼吸管理を要することがある。とく

表 4-95　未熟児網膜症（ROP）Type I の治療適応

Zone I	すべての plus disease
Zone I	stage 3
Zone II	stage 2 or stage 3 plus disease

Early Treatment For Retinopathy Of Prematurity Cooperative Group. Revised indications for the treatment of retinopathy of prematurity: results of the early treatment for retinopathy of prematurity randomized trial. Arch Ophthalmol 2003；121：1684-1694[52]

に慢性肺疾患（CLD）では，高い換気条件を要することがあるので注意する。
- 重症 ROP に対しては，早期硝子体手術が適応されることがある。眼科医と連携を深め，搬送に備えて児の全身状態の安定を図る。

b　分娩損傷

1 分娩麻痺

1）顔面神経麻痺
- リスク因子は鉗子分娩。啼泣時の顔面非対称を認めるが，生後数カ月で自然治癒する。
- 口角症状のみを認め改善しない場合は，口角下制筋低形成の可能性を考える。
- 両側性あるいは外転神経麻痺，内反足を伴う場合は Moebius 症候群を疑う。

2）横隔神経麻痺
- C3-C5 神経根損傷。リスク因子は巨大児，肩甲難産。通常，片側性で右側が多い。X線で片側の横隔膜挙上を認める。
- エコー検査で，心窩部横断面より左右の横隔膜の動きを比べる。X線透視検査を行うと，胸郭の奇異性運動が認められる。横隔膜弛緩症との鑑別には側胸部縦断面より観察し，局所的な動きがない場合は弛緩症である。
- 自然に治癒するものも多いが，呼吸困難が強い場合は横隔膜縫縮術を考慮する。

3）腕神経叢麻痺
- リスク因子は骨盤位分娩，肩甲難産。多くは数日～数週間で回復する。疑われる場合には整形外科を受診し，良肢位で安静を保

ち，生後数週間経過したら理学療法を開始する。

- 上位型腕神経叢麻痺（Erb の麻痺）：C5・C6 神経根損傷は腕神経叢麻痺の 50% を占める。C7 神経根損傷を合併する場合がある。上肢の挙上ができず，上腕内転・肘関節伸展・前腕回内位となる。C7 まで損傷すると手関節屈曲位となる。5% で横隔神経麻痺の合併を認める。
- 全腕神経叢麻痺：C5 から T1 までの神経根損傷。上肢全体の麻痺と指の屈曲障害を認める。
- 下位型腕神経叢麻痺（Klumpke の麻痺）：C7・C8・Th1 神経根損傷。先天性の下位型のみの麻痺はまれで，全腕神経叢麻痺で出生し，上位神経根回復後に下位神経根麻痺が残存した場合が多い。肩関節や肘関節は動かせるが，手関節と手指が麻痺し，鷲手・手関節尺側偏位となる。把握反射が消失する。Horner 症候群を示すこともある。

2 骨折

- 鎖骨・上腕骨骨幹・大腿骨骨幹部の順で多い。
- 鎖骨骨折は上肢の動きに左右差を認める。一般に整復や固定は不要で，患側上肢の動きが最小限になるよう配慮する。沐浴や抱っこは可能。鎖骨離開が強い場合は整形外科を併診する。筋性斜頸・腕神経叢麻痺などを合併することがある。
- 上腕骨・大腿骨骨折は固定や牽引が必要であり，早期に整形外科を併診する。

3 頭部の分娩損傷

1）頭血腫

- 骨膜下血腫で骨縫合を越えない（表 4-96，図 4-26）。
- 生後 1～2 日ではっきりしてきて，波動が触れるようになる。2～3 カ月で自然吸収。
- 遷延性黄疸の原因となる。
- 原則，穿刺は行わない。

2）帽状腱膜下血腫

- 帽状腱膜と骨膜との間の血腫で（表 4-96，図 4-26），骨縫合を越えてびまん性に腫脹。
- 吸引分娩，鉗子分娩はとくにハイリスク。
- 重症新生児仮死に播種性血管内凝固（DIC）と帽状腱膜下血腫を

表 4-96　頭血腫・帽状腱膜下血腫・産瘤の鑑別

鑑別疾患	特徴
頭血腫	硬い，緊満あり 縫合を越えない 失血は軽度 生後 1〜2 日で増大 2〜3 カ月残存する 黄疸の原因となる
帽状腱膜下血腫	硬く，大きく拡がる 縫合を越える 出血性ショックになり得る 生後 24 時間くらいまで増大 出血が頭部全体，眼瞼，耳介後部に及ぶ 耳が立ったり，暗紫色に変色する
産瘤	軟らかい，押すと凹む 縫合を越える 失血は軽度 分娩直後がもっとも大きい 治療の必要なし

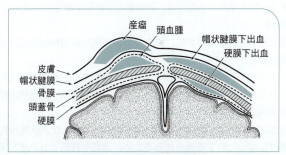

図 4-26　頭部の構造と産瘤

伴うと，相乗効果で止血が困難になる。

- 出生直後は目立たないが，分娩後 12〜24 時間の経過で出血が拡がり，頭蓋全体が腫脹する。急激な貧血の進行により，全身蒼白，頻脈，多呼吸，過敏で甲高い泣き声，傾眠傾向などの出血性ショックの症状や DIC を合併することがある。
- 耳介後部が腫脹し，耳が前方に立っている所見がみられる場合もある。

- 耳介後部や前額，眼瞼の皮膚の変色がみられるのは通常，日齢1以降であり，発症早期には認められない。
- 重症度の把握として，頭囲拡大と貧血の評価が重要。
- 重症黄疸の発症に注意。
- 帽状腱膜下血腫の改善後にプロトロンビン時間（PT），活性化部分トロンボプラスチン時間（APTT）を確認し，血友病のスクリーニングを行う。

3）頭蓋骨骨折

- 線状骨折：頭血腫や硬膜下出血などを伴うことがある。多くの場合，無症状で，無治療で治癒する。
- 陥没骨折：鉗子分娩によって外傷性に生じることが多い。脳挫傷がないか，CTやMRIで評価する。頭蓋の形態をなおし，脳の圧迫を防ぐために外科的な介入を行うこともあるが，介入を行わず経過観察した場合と予後がどのように変わるかについては議論がある。
- まれではあるが，男児の場合にMenkes病も鑑別疾患として考慮する。新生児期の表現型は，診断の手がかりになりにくい。

4 斜頸

- 奇形性・先天性のほかに，胎内姿勢や分娩時の頭部回旋に伴うものがある。
- 約80％は筋性斜頸で，胸鎖乳突筋内血腫が生じ，頸部腫瘤として認められる。頸部が患側に傾き，顔面が健側を向く。自然治癒率は90％。
- 斜頸のなかには，脳神経・頸神経損傷を伴ったり，直接授乳の妨げになったりする場合があるため，適切な評価とリハビリテーションを進め，授乳の支援をする。

> **memo**
>
> 頭蓋癆（craniotabes）は，母体・胎児のビタミンD欠乏により起こる限局性の頭蓋骨軟化であり，触診ではピンポン球を押したときのような感覚で跳ね返される。発見時には骨がはっきり触れなくても，数日単位で骨はしっかりしてくる。頭蓋骨骨折と間違わない。

文 献

1) 新生児臨床研究ネットワーク. 周産期母子医療センターネットワークデータベース解析報告, 2018年在胎期間別 http://plaza.umin.ac.jp/nrndata/syukei.htm (2022.6.3 アクセス)
2) 野口聡子, 他. 在胎23-25週の児の発達予後と就学状況. 日周産期・新生児会誌 2019; 55: 907-912
3) Toyoshima K, et al. Tailor-made circulatory management based on the stress—velocity relationship in preterm infants. J Formos Med Assoc 2013; 112: 510-517
4) 豊島勝昭, 他. Stress-Velocity 関係を指標として循環管理した在胎23, 24週の超早産児の検討. 日周産期・新生児医学会誌 2005; 41: 535-542
5) Ikeda T, et al. Changes in the perfusion waveform of the internal cerebral vein and intraventricular hemorrhage in the acute management of extremely low-birth-weight infants. Eur J Pediatr 2015; 174: 331-338
6) Tanaka K, et al. Changes in Internal Cerebral Vein Pulsation and Intraventricular Hemorrhage in Extremely Preterm Infants. Am J Perinatol 2022 [Online ahead of print]
7) Bomsel F. Radiologic study of hyaline membrane disease: 110 cases. J Radiol Electrol Med Nucl 1970; 51: 259-268
8) 藤村正哲 (監), 田村正徳, 他 (編). 新生児慢性肺疾患の定義と診断. 科学的根拠に基づいた新生児慢性肺疾患の診療指針, 改訂2版, メディカ出版, 5, 2010
9) Brunton LL, et al. Goodman & Gilman's The Pharmacological Basis of Therapeutics. 11th ed, McGraw-Hill, 1027, 2005
10) Askenazi D, et al. Acute Kidney Injury and Chronic Kidney Disease. Gleason CA, et al (eds), Avery's Diseases of the Newborn, 10th ed, 1280-1300.e5, 2018
11) Bateman DA, et al. Serum creatinine concentration in very-low-birth-weight infants from birth to 34-36 wk postmenstrual age. Pediatr Res 2015; 77: 696-702
12) Selewski DT, et al. Neonatal Acute Kidney Injury. Peadiatrics 2015; 136: e463-e473
13) Büttiker V, et al. Chylothorax in children: guidelines for diagnosis and management. Chest 1999; 116: 682-687
14) Shibasaki J, et al. Evaluation of lymphatic dysplasia in patients with congenital pleural effusion and ascites using indocyanine green lymphography. J Pediatr 2014; 164: 1116-1120
15) 田村正徳 (監), 岩田欧介 (編). 2015 CoSTR に基づいた新生児低体温療法実践マニュアル. 東京医学社, 2016
16) Sarnat HB, et al. Neonatal encephalopathy following fetal distress. A clinical and electroencephalographic study. Arch Neurol 1976; 33: 696-705
17) Shankaran S, et al. Outcomes of safety and effectiveness in a multicenter randomized, controlled trial of whole-body hypothermia for neonatal hypoxic-ischemic encephalopathy. Pediatrics 2008; 122: e791-e798
18) Prempunpong C, et al. Prospective research on infants with mild encephalopathy: the PRIME study. J Perinatol 2018; 38: 80-85
19) Pierrat V, et al. Ultrasound diagnosis and neurodevelopmental outcome of local-

ised and extensive cystic periventricular leucomalacia. Arch Dis Child Fetal Neonatal Ed 2001；84：F151-F156
20) Woodward LJ, et al. Neotanal MRI to predict neurodevelopmental outcomes in preterm infants. N Engl J Med 2006；355：685-694
21) Kidokoro H, et al. New MR imaging assessment tool to define brain abnormalities in very preterm infants at term. AJNR Am J Neuroradiol 2013；34：2208-2214
22) Conde-Agudelo A, et al. Antenatal magnesium sulfate for the prevention of cerebral palsy in preterm infants less than 34 weeks' gestation: a systematic review and metaanalysis. Am J Obstet Gynecol 2009；200：595-609
23) Hirtz DG, et al. Antenatal magnesium and cerebral palsy in preterm infants. J Pediatr 2015；167：834-839. e3
24) Slaughter LA, et al. Pharmacological treatment of neonatal seizures : a systematic review. J Child Neurol 2013；28：351-364
25) Levene MI. Measurement of the growth of the lateral ventricles in preterm infants with real-time ultrasound. Arch Dis Child 1981；56：900-904
26) 丸尾良浩．非溶血性疾患―母乳性黄疸と体質性黄疸．周産期医学 2019；49：217-221
27) 森岡一朗，他．早産児の黄疸管理：新しい管理方法と治療基準の考案．日周産期・新生児会誌 2017；53：1-9
28) 村田文也，他．新生児高ビリルビン血症の光線療法―臨床的諸問題．小児外科・内科 1973；5：301-311
29) 厚生省特発性造血障害調査研究班．小児溶血性貧血の全国調査．日小血会誌 1992；6：437-440
30) Fawaz R, et al. Guideline for the Evaluation of Cholestatic Jaundice in Infants: Joint Recommendations of the North American Society for Pediatric Gastroenterology, Hepatology, and Nutrition and the European Society for Pediatric Gastroenterology, Hepatology, and Nutrition. J Pediatr Gastroenterol Nutr 2017；64：154-168
31) Shneider BL, et al. Efficacy of fat-soluble vitamin supplementation in infants with biliary atresia. Pediatrics 2012；130：e607-e614
32) 日本胆道閉鎖症研究会・胆道閉鎖症全国登録事務局．胆道閉鎖症全国登録 2020年集計結果．日小外会誌 2020；58：201-207
33) 日本産婦人科・新生児血液学会 新生児DIC診断・治療指針作成ワーキンググループ．新生児DIC診断・治療指針 2016年版．http://www.jsognh.jp/common/files/society/2017/guideline_2016.pdf（2022.8.19 アクセス）
34) Monagle P, et al. Antithrombotic therapy in neonates and children: antithrombotic therapy and prevention of thrombosis, 9th ed : American College of Chest Physicians Evidence-Based Clinical Practice Guidelines. Chest 2012；141（2 Suppl）：e737S-e801S
35) Banatvala JE, et al. Rubella. Lancet 2004；363：1127-1137
36) 日本小児科学会，他．B型肝炎ウイルス母子感染予防のための新しい指針．http://www.jpeds.or.jp/uploads/files/HBV20131218.pdf（2022.4.7アクセス）
37) 令和2年度厚生労働科学研究費補助金エイズ対策政策研究事業「HIV感染者の妊娠・出産・予後に関する疫学的・コホート的調査研究と情報の普及啓発法の開発ならびに診療体制の整備と均てん化に関する研究」班分担研究「HIV感染妊婦に関する診療ガイドラインとHIV母子感染予防対策マニュアルの改訂」班（研究代表者：喜多恒和，研究分担者：山田里佳），日本産婦人科感染症学会・監．HIV感染妊婦に関する診療ガイドライン．第2版，2021

38) 令和3年度厚生労働科学研究費補助金エイズ対策政策研究事業「HIV感染者の妊娠・出産・予後に関するコホート調査を含む疫学研究と情報の普及啓発方法の開発ならびに診療体制の整備と均てん化のための研究」班（研究代表者：喜多恒和），分担研究「HIV感染妊娠に関する診療ガイドラインとHIV母子感染予防対策マニュアルの改訂」班（研究分担者：山田里佳），HIV母子感染予防対策マニュアル．第9版，2022

39) Neu J. Necrotizing enterocolitis: the search for a unifying pathogenic theory leading to prevention. Pediatr Clin North Am 1996；43：409-432

40) 大山牧子．肺低形成を合併した重症な前腹壁欠損症例の鑑別，その2，—的確な診断のためには胎盤の病理組織学的検索が必須である—．日本新生児会誌 1998；34：521-526

41) 川滝元良，他．横隔膜ヘルニア（CDH）の重症度分類と治療戦略．日周産期・新生児会誌 2009；45：19-21

42) Kitano Y, et al. Re-evaluation of stomach position as a simple prognostic factor in fetal left congenital diaphragmatic hernia: a multicenter survey in Japan. Ultrasound Obstet Gynecol 2011；37：277-282

43) 北野良博，他．胎児左横隔膜ヘルニアにおける胃右胸腔内脱出の意義．日周産期・新生児会誌 2010；46：1123-1126

44) Stocker JT, et al. Congenital cystic adenomatoid malformation of the lung. Classification and morphologic spectrum. Hum Pathol 1977；8：155-171

45) Stocker JT. Congenital and developmental diseases. Dail DH, et al (eds)，Pulmonary Pathology, 2nd ed，Springer-Verlag, 1994

46) Stocker JT. Congenital pulmonary airway malformation：A new name for and an expanded classification of congenital cystic adenomatoid malformation of the lung. Histopathology 2002；41 (Suppl 2)：424-430

47) Fernbach SK, et al. Ultrasound grading of hydronephrosis：introduction to the system used by the Society for Fetal Urology. Pediatr Radiol 1993；23：478-480

48) Barbosa JA, et al. Development and initial validation of a scoring system to diagnose testicular torsion in children. J Urol 2013；189：1859-1864

49) 小山典久．新生児晩期循環不全（急性期離脱後循環不全）．新生児内分泌研究会（編著），新生児内分泌ハンドブック，メディカ出版，39-47，2008

50) Chiang MF, et al. international Classification of Retinopathy of Prematurity, Third Edition. Ophthalmology 2021；128：e51-e68

51) International Committee for the Classification of Retinopathy of Prematurity. The International Classification of Retinopathy of Prematurity revisited. Arch Ophthalmol 2005；123：991-999

52) Early Treatment For Retinopathy Of Prematurity Cooperative Group. Revised indications for the treatment of retinopathy of prematurity: results of the early treatment for retinopathy of prematurity randomized trial. Arch Ophthalmol 2003；121：1684-1694

📖 参考文献

・Bonsante F, et al. Initial amino acid intake influences phosphorus and calcium homeostasis in preterm infants–it is time to change the composition of the early parenteral nutrition. PLoS One 2013；8：e72880
・Mizumoto H, et al. Refeeding syndrome in a small-for-dates micro-preemie receiving

- early parenteral nutrition. Pediatr Int 2012；54：715-717
- Shimokaze T, et al. Acute effect of hydrocortisone for respiratory deterioration in preterm infants: Oxygenation, ventilation, vital signs, and electrolytes. Early Hum Dev 2021；154：105320
- Kimura S, et al. Using airway resistance measurement to determine when to switch ventilator modes in congenital diaphragmatic hernia: a case report. BMC Pediatr 2020；20：365
- 平成26-28年度厚生労働科学研究費補助金難治性疾患等政策研究事業（難治性疾患政策研究事業）「難治性血管腫・血管奇形・リンパ管腫・リンパ管腫症および関連疾患についての調査研究」班．血管腫・血管奇形・リンパ管奇形診療ガイドライン2017．第2版，2017
- Tomotaki S, et al. Association between cord blood cystatin C levels and early mortality of neonates with congenital abnormalities of the kidney and urinary tract: a single-center, retrospective cohort study. Pediatr Nephrol 2017；32：2089-2095
- Selewski DT, et al. Neonatal acute kidney injury. Pediatrics 2015；136：e463-e473
- Ichiyama M, et al. Age-specific onset and distribution of the natural anticoagulant deficiency in pediatric thromboembolism. Pediatric Res 2016；79：81-86
- Huang AH, et al. Spontaneous superficial parenchymal and leptomeningeal hemorrhage in term neonates. AJNR Am J Neuroradiol 2004；25：469-475
- 宇津木玲奈，他．正期産児における表在脳実質性軟髄膜出血の画像所見と臨床像．小児の脳神経 2021；46：1-7
- 小形 勉，他．サイトメガロウイルス―新生児．周産期医学 2021；51：390-392
- Britt W. Cytomegalovirus. Wilson CB et al (eds), Remington and Klein's Infectious Diseases of the Fetus and Newborn Infant, 8th ed, Saunders, 724-781, 2014
- Kim JH, et al. Human Milk. Wilson CB et al (eds), Remington and Klein's Infectious Diseases of the Fetus and Newborn Infant, 8th ed, Saunders, 189-213, 2014
- 庵原俊昭．水痘の現状と対策（2012年8月15日放送）．感染症TODAY http://medical.radionikkei.jp/kansenshotoday_pdf/kansenshotoday-120815.pdf（2022.8.19アクセス）
- Crowe JE, et al. Prevention of Fetal and Early Life Infections Through Maternal―Neonatal Immunization. Wilson CB et al (eds), Remington and Klein's Infectious Diseases of the Fetus and Newborn Infant, 8th ed, Saunders, 1203-1227, 2014
- Aradhya AS, et al. Double volume exchange transfusion in severe neonatal sepsis. Indian J Pediatr 2016；83：107-113
- Gunes T, et al. Exchange transfusion or intravenous immunoglobulin therapy as an adjunct to antibiotics for neonatal sepsis in developing countries: a pilot study. Ann Trop Paediatr 2006；26：39-42
- 高橋幸博．新生児メレナ．小児科診療 2018；81 (Suppl)：985-987
- 北島博之，他．NICUにおける劇症壊死性腸炎に関する全国アンケート調査報告．日周産期・新生児会誌 2014；50：679
- Neu J. Necrotizing enterocolitis: the search for a unifying pathogenic theory leading to prevention. Pediatr Clin North Am 1996；43：409-432
- 大澤俊亮，他．腸閉鎖症（十二指腸閉鎖，小腸閉鎖）．小児外科 2021；53：158-163
- 原田和明，他．低位鎖肛を合併したperineal grooveの6例．日小外会誌 2021；57：3-9
- Kitano Y, et al. Re-evaluation of stomach position as a simple prognostic factor in fetal left congenital diaphragmatic hernia: a multicenter survey in Japan. Ultrasound

- Obstet Gynecol 2011；37：277-282
- Kimura S, et al. Using airway resistance measurement to determine when to switch ventilator modes in congenital diaphragmatic hernia: a case report. BMC Pediatr 2020；20：365
- 岸上　真，他．胎児診断された先天性囊胞性肺疾患の囊胞径別の臨床経過．日周産期・新生児医会誌 2016；52：631
- Sago H, et al. Congenital Cystic Lung Disease：Comprehensive Understanding of its Diagnosis and Treatment from Fetus to Childhood. Springer, 2020
- Tsuchida Y, et al. Evaluation of alpha-fetoprotein in early infancy. J Pediatr Surg 1978；13：155-162
- 安田真之．新生児仮死／NSE, S-100β, UCHL1, CK-BB．周産期医学 2016；46：1377-1381
- 田島早苗，他．GC/MS 法を用いた健常新生児の尿中 HVA/VMA 比の検討．日マス・スクリーニング会誌 2017；27：200
- Fritsch P, et al. "Wait and see" strategy in localized neuroblastoma in infants: an option not only for cases detected by mass screening. Pediatr Blood Cancer 2004；43：679-682
- 日本小児泌尿器科学会学術委員会（編）．小児先天性水腎症（腎盂尿管移行部通過障害）診療手引き 2016．日小児泌会誌 2016；25：1-76
- 郷原絢子，他．水腎症・腎盂拡大．周産期医学 2020；50：217-220
- Liu DB, et al. Hydronephrosis: prenatal and postnatal evaluation and management. Clin Perinatol 2014；41：661-678
- Barbosa JA, et al. Development and initial validation of a scoring system to diagnose testicular torsion in children. J Urol 2013；189：1859-1864
- 近藤秀仁，他．ミトコンドリア病の臨床検査．小児科診療 2019；82：441-446
- 村山　圭，ミトコンドリア病の診断システム．小児科診療 2019；82：447-455
- 村山　圭，他．ミトコンドリア病．小児科臨床 2020；73：731-736
- 伏見拓矢．ミトコンドリア異常症とシトリン欠損症．小児内科 2019；51：1031-1035
- 新宅治夫．有機酸代謝疾患．小児科臨床 2018；71：941-946
- American Diabetes Association. 14. Management of diabetes in pregnancy: Standards of Medical Care in Diabetes—2020. Diabetes Care 2020；43 (Suppl 1)：S183-S192
- Banigé M, et al. Study of the factors leading to fetal and neonatal dysthyroidism in children of patients with Graves disease. J Endocr Soc 2017；1：751-761
- 吉村　弘，他．抗 TSH レセプターヒトモノクローナル抗体（M22）を用いた電気化学発光免疫測定法（ECLIA）による抗 TSH レセプター抗体（TRAb）全自動測定試薬の基礎的，臨床的性能評価．医学と薬学 2008；59：1111-1120
- Shimokaze T, et al. TSH suppression after intravenous glucocorticosteroid administration in preterm infants. J Pediatr Endocrinol Metab 2012；25：853-857
- Surks MI, et al. Drugs and thyroid function. N Engl J Med 1995；333：1688-1694
- Matsuura N, et al. Transient hypothyroidism in infants born to mothers with chronic thyroiditis—a nationwide study of twenty-three cases. Tje Transient Hypothyroidism Study Group. Endocrinol Jpn 1990；37：369-379
- Brown RS, et al. Incidence of transient congenital hypothyroidism due to maternal thyrotropin receptor-blocking antibodies in over one million babies. J Clin Endocrinol Metab 1996；81：1147-1151
- 金本巨哲．甲状腺クリーゼ．月刊薬事 2020；62：2521-2526

- 新宅治夫. 未熟児くる病. 小児科診療 2014；77 (Suppl)：958-960
- Moreira A, et al. Parathyroid hormone levels in neonates with suspected osteopenia. J Paediatr Child Health 2013；49：E12-E16
- Bonsante F, et al. Initial amino acid intake influences phosphorus and calcium homeostasis in preterm infants—it is time to change the composition of the early parenteral nutrition. PLoS One 2013；8：e72880
- Abrams SA. Calcium and vitamin D requirements of enterally fed preterm infants. Pediatrics 2013；131：e1676-e1683
- Rautava S. Nutritional care of preterm infants: Scientific basis and practical guidelines. Koletzko B, et al (eds), Karger, 2014
- Abrams SA. Calcium and vitamin D requirements of enterally fed preterm infants. Pediatrics 2013；131：e1676-e1683
- Munns CF, et al. Global consensus recommendations on prevention and management of nutritional rickets. Horm Res Paediatr 2016；85：83-106
- 地球環境研究センター. ビタミンD生成・紅斑紫外線量情報 https://db.cger.nies.go.jp/dataset/uv_vitaminD/ja/ （2022.8.19アクセス）

付録

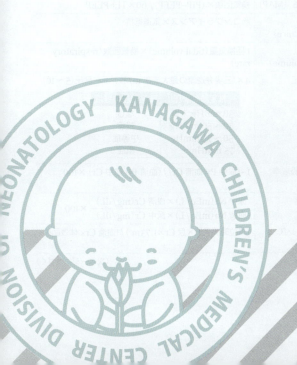

付録

1 公式集

ventilatory index (VI)	$MAP \times FiO_2 / PaO_2$
oxygenation index (OI)	$MAP \times FiO_2 \times 100 / PaO_2$

OI	判定
<5.3	軽症
≧10	重症
≧40	ECMO 適応

肺胞気動脈血酸素分圧較差（$AaDO_2$）	$713 \times FiO_2 - (PaCO_2 + PaO_2) /$ 呼吸商 呼吸商＝0.8 と仮定

$AaDO_2$	判定
>610	ECMO 適応
≦400	酸素減量を検討

平均気道内圧（MAP）	換気回数 × (PIP−PEEP) / 60 × Ti + PEEP
時定数 (time constance)	肺コンプライアンス × 気道抵抗
分時換気量 (minutes volume)	1 回換気量 (tidal volume) × 換気回数 (respiratory rate)
推定肺動脈圧 (mmHg)	4 × (三尖弁逆流の最大流速 m/秒)^2 + 右房圧 (5〜10)

推定肺動脈圧	肺高血圧の程度
30 mmHg 未満	なし
30〜50 mmHg	軽症
50〜75 mmHg	中等症
75 mmHg〜	重症

尿細管 P 再吸収率（%TRP）	$1 - ($尿中 $P \times$ 血清 $Cr) / ($血清 $P \times$ 尿中 $Cr) \times 100$
Na 排泄分画（FE_{Na}）	$\dfrac{\text{尿中 Na(mEq/L)} \times \text{血清 Cr(mg/dL)}}{\text{血清 Na(mEq/L)} \times \text{尿中 Cr(mg/dL)}} \times 100$
Cr クリアランス (Ccr)	(単位時間尿量 × 尿 $Cr \times 1.73 m^2$) / (血清 $Cr \times$ 体表面積)

（次ページにつづく）

ブドウ糖投与速度 (GIR；mg/kg/分)	糖濃度(%)×輸液流速(mL/時)÷(60分/時)÷(体重, kg)×10
非蛋白エネルギー/ 窒素比（NPC/N比）	$\dfrac{糖質のエネルギー(kcal)+脂肪のエネルギー(kcal)}{蛋白質(g)\times 0.16}$ 目標 300〜400 糖質 4 kcal/g，脂肪 9 kcal/g プレアミン®-P の窒素量 1.175 g/100 mL プレアミン®-P の NPC/N 比 $=\dfrac{(4\times 糖投与量(g))+(9\times 脂肪投与量(g))}{プレアミン®\text{-P}投与量(mL)\times 0.01175 g}$
抵抗係数（RI）	(Vmax−Vmin)/Vmax
拍動係数（PI）	(Vmax−Vmin)/Vmean

2 基準値

a CRP の早期新生児の生理的変化

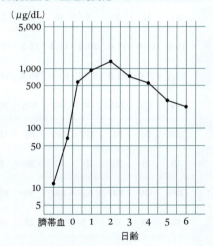

西田 陽．新生児細菌感染症と Emergency CRP．周産期医学 1987；17（臨時増刊号）：289

b 気道吸引液・肺リンパ液・血漿・羊水の組成

	肺水	肺リンパ液	血漿	羊水
Na^+ (mEq/L)	150	147	150	113
K^+ (mEq/L)	6.3	4.8	4.8	7.6
Cl^- (mEq/L)	157	107	107	87
HCO_3^- (mEq/L)	2.8	25	24	19
pH	6.27	7.31	7.34	7.02
PCO_2 (mmHg)	40	-	43	54
膠質浸透圧 (mmHg)	<1.0	17.4	28.2	<1.0
蛋白 (g/dL)	0.027	3.27	4.09	0.10
浸透圧 (mOsm/kg/H_2O)	294	-	291	265

c 正常新生児の凝固因子

凝固因子 \ 生後日数	臍帯血	1日	2日	3日	4日	5日	6日	成人値
トロンボテスト (%)	26	12	7	5	16	20	23	70〜100
PT (秒)	13.3	16.6	17.0	20.8	14.4	13.2	12.2	12.0〜14.0
APTT (秒)	53.9	71.6	83.6	80.8	63.6	56.6	54.2	45〜55
フィブリノゲン (mg/dL)	95	231	245	110	160	225	304	200〜400
V因子 (%)	150	80	65	150	140	85	110	50〜150
Ⅶ〜X因子 (%)	48	18	20	18	42	30	31	50〜150
Ⅷ因子 (%)	200	120	100	65	100	50	200	50〜150
Ⅺ因子 (%)	50	18	15	7.5	34	25	40	50〜150
Ⅹ因子 (%)	28	25	25	24	30	40	38	50〜150

PT：プロトロンビン時間，APTT：活性化部分トロンボプラスチン時間
吉岡慶一郎．新生児出血性疾患の血液学的検討．周産期医学 1982；12：1051-1058 より一部改変

d 在胎週数, 出生体重による凝固因子活性, 凝固検査値, 血小板数

凝固因子	I	II	V	VII and X	VIII	IX	XI	XIII (倍)	PTT	PT
単位	mg/dL				%				秒	
<1,500 g 28〜32 週	215	21	64	42	50	—	—	—	117	21
1,500〜2,000 g 32〜36 週	220	25	67	37	44	—	—	50〜60	113	18
2,000〜2,500 g 36〜40 週	240	35	66	48	67	—	—	50〜60	77	17
>2,500 g 満期	210	60	92	56	67	26	42	50〜60	71	16
早産児の母体	520	92	110	178	—	—	—	—	73	14
満期産児の母体	520	92	110	206	196	130	69	70〜140	75	14

PTT：部分トロンボプラスチン時間, PT：プロトロンビン時間
Klaus AA, et al. Care of the high-risk neonate. 2nd ed, Saunders, 404, 1979/Killick CJ, et al. Prenatal diagnosis in factor XIII-A deficiency. Arch Dis Child Fetal Neonatal Ed 1999；80：F238-F239

3 診断・検査

a 母体血中胎児ヘモグロビン検査

目的	胎児母体間輸血の証明
方法	【高速液体クロマトグラフィー (HPLC)】 委託検査用の EDTA 加血算容器に母体血 2 mL 採取し, 冷蔵保存で提出
判定	正常は 1%未満 胎児母体間輸血量(mL)＝2,400×HbF%/100

b アプトテスト

目的	タール便または新鮮血でメレナが疑われたとき，母体血（HbA）由来の仮性メレナか，児由来の血液（HbF）の真性メレナかを鑑別する簡便法。
準備	1%NaOH（1/4_NNaOH） 試験管，遠沈器 成人血（コントロール）
方法	①検体（吐物，胃吸引物，便）に等量の蒸留水を加える。 ②遠沈による上清，または濾過による液を得る。 ③コントロール目的に成人血 0.5 mL を試験管に入れ，蒸留水で薄める。 ④それぞれに 1/5 量の 1%NaOH を加える。
判定	新生児血（HbF）：2 分以上経過しても変色しない。 母体血（HbA）：2 分以内に黄変する
メモ	コーヒー残渣やタール便の場合，判定が困難なことがある。 あくまで簡易法である。

c マイクロバブルテスト

目的	羊水または胃液を泡立たせ，直径 15 μm 以下の安定した泡の数を算定し，肺の成熟度を評価する。
準備	顕微鏡 ホールグラス，カバーグラス，パスツールピペット，2 mL ゴムキャップ 目盛（なければ，赤血球の大きさをめやすに，赤血球の直径の 2 倍のバブルを 15 μm とする）
方法	①胃液または羊水をパスツールピペットで約 5 cm の高さまで吸引（量として 40 μL）。 ②吸引した胃液をカバーグラス上で 6 秒間 20 回程度，十分泡立て，裏返してホールグラスに載せる。 ③4 分間静置。 ④100 倍で検鏡し，$1 mm^2$ 中の直径<15 μm の泡の数を算定する。ただし，気泡として認められない black dots や円形でないものは除外。
判定	microbubble の数（mm^2） / 判定 0 — zero 1 — very weak 2〜9 — weak 10〜19 — medium 20 以上 — strong
メモ	消毒液につけた吸引チューブは使用しない（泡が立ちにくくなるため）。 少量の血液の影響は受けにくいが，15%の血液で小水泡は半分になる。 胎便混入は小水泡を増加させる。 検体としての胃液は生後 6 時間以内に採取する。 羊水過多症では weak の場合，判定困難。

4　治療

a 超低出生体重児 check list

神奈川県立こども医療センター
超低出生体重児 Check List

修正週数	各時期目標	記録	栄養・薬剤関連 Check List	検査関連 Check List
22	急性期	母乳開始 日齢	ケイツー® 出生時 □ 日齢5 □ 1カ月 □	aEEG □ ガスリー 初回 □ 退院前 □
	経腸栄養確立 各種内服開始	授乳 100 日齢 点滴終了 日齢	HMS-1 開始 □ 増量 □ レスピア開始 □ リン酸ナトリウム □	PVL Check 出生時 □ 2週間 □ 1カ月 □ 栄養評価 採血 □
24			トコフェロール・ パンビタン® □	尿検査 □ （2週間ごと）
26	慢性肺疾患 対策	体重復帰 日齢	インクレミン® □	
		光線療法 回	エポエチン □ 塩化ナトリウム □ アルファロール® □	甲状腺機能 □ 母体CMV確認 □
28			キュバール™ □	
30	抜管 目標	抜管 日齢		眼科診察開始 □ リハビリ科評価 □
32		無呼吸 対策		手根骨X線 □
34		CPAP or nasal high flow 終了 日齢	レスピア終了 □	
36		酸素終了 日齢	直接授乳フリー □	
38	経口 哺乳 確立		予防接種 □ シナジス® □	ALGO □ MRI □
40	退院 準備	輸血回数 回	内服調整 □ 外来調整 □	退院前栄養評価 □ エコー検査再検 □

CPAP：持続気道陽圧，PVL：脳室周囲白質軟化，CMV：サイトメガロウイルス，
aEEG：amplitude-integrated electroencephalogram

b 極・超低出生体重児の栄養管理チェックシート

- □ 維持輸液へのビタジェクト®添加（☞p.134），日齢1より内服開始まで。
- □ 維持輸液へのP（0.5 mEq/kg/日）の添加，Kの添加が可能になったら，フィジオ®35ベースとして，経口でのP添加まで。
- □ 生後24時間以内からの超早期授乳（☞p.20）。
- □ 授乳開始日からビフィズス菌投与，修正32週になるまで（☞p.20）。
- □ 日齢1からのアミノ酸輸液（7.6%プレアミン®-P；総窒素量1,175 mg/100mL，E/N=1.26）アミノ酸量として0.5〜1.0 g/kg/日で開始，0.5 g/kg/日ずつ上げ，1.5〜2.0 g/kg/日を目指す。
- □ 母乳100 mL/kg/日になり消化がよければ，HMS-1添加開始（☞p.20），Pの補充を輸液から経口へ。
- □ 経管栄養が進まない場合（生後2週までに100 mL/kg/日が目標）には，20%イントラリポス®0.5 g/kg/日開始，1.0〜1.5 g/kg/日まで増やす。
- □ 授乳量150〜160 mL/kg/日になるまで経管栄養を増やし，栄養輸液を漸減中止。
- □ 母親の1回搾乳量が50〜60 mLを超えたら，後乳（☞p.23）を使用する。
- □ エポエチン注射開始（生後2〜3週）（☞p.281）。
- □ インクレミン®シロップ内服開始（生後3週から）：始めの週は0.5 mL/kg/日 分2，生後4週から1 mL/kg/日 分2に増量。
- □ トコフェロール顆粒・パンビタン®の開始：生後2週から，トコフェロール顆粒20 mg，パンビタン®0.5 g/日 分2。
- □ アルファロール®：ルーチンには投与しない。投与時には血液や尿CaのモニタリングがŅ必須。
- □ 水分制限を要する児は後乳を使用する。HMS-2を考慮する。
- □ モニタリング項目（栄養状態把握，エポエチンの効果判定，未熟児骨減少症スクリーニング）

血液	2〜3週ごと	血算（Hb，WBC，Plt，網赤血球），TP，Alb，T-bil，D-bil，AST，ALT，LDH，ALP，CHE，γ-GTP，Na，K，Cl，Ca，P，Mg，BUN，Cr
	4週ごと	TSH，FT_3，FT_4，Fe，TIBC，フェリチン，(Cu，Zn)
尿	毎週	尿定性，Na，K，Cl，Ca，P，Mg，Cr
身体計測	体重：毎日，(身長)，頭囲：週1回	

c 産科・小児科・NICU で流行する可能性のある感染症対策

疾患	発病者	感染経路	潜伏期(日)	感染期間	観察(隔離)期間	接触した入院者の処置	接触者へのワクチン・ガンマグロブリン	母乳からの感染	母乳育児
風疹	一般病棟児	飛沫、接触	14～23	発疹出現前7～後7日	発疹出現後7～21日	早期退院	接触後3日以内にワクチン接種、ガンマグロブリンなし	—	可
	新生児								
	先天風疹児		—	不定 (5%以上は1年以上排泄、組織内には3年存在)	接触予防策は1年or生後3カ月以降のPCRで2回(1カ月以上の間隔)連続陰性	母罹患済み:感染なし、母未罹患:早期退院、観察	なし		
	児入院中の母	血行性、飛沫、接触			生後3カ月以降はPCRで2回(1カ月以上の間隔)連続陰性	正常児で母同室者は母児を一緒に隔離し早期退院。他は上段と同じ		母乳中にウイルスは検出されるが、症候性になった報告なし	面会不可中、搾母乳可
	児退院後の母				母児分離しない				
	家族・職員	飛沫、接触	14～23	発疹出現前7～後7日	発疹出現後7～21日	母罹患済み:感染なし、母未罹患:早期退院、観察	なし		
水痘・帯状疱疹	一般病棟児	空気、飛沫、接触	10～21[*1] (通常14～16)	最初の発疹出現7日前(通常1～2日)～すべての水疱が痂皮化(通常5～7日)	水痘:発疹出現後7～21(～28[*1])産褥水痘では日齢1～16に発疹、母の発疹から9～15日後	未罹患者早期退院	96時間以内にIVIG、72時間以内にワクチン		可

付録

365

疾患	発病者	感染経路	潜伏期(日)	感染期間	観察（隔離）期間	接触した入院者の処置	接触者へのワクチン・ガンマグロブリン	母乳からの感染	母乳育児
水痘・帯状疱疹	新生児	空気、飛沫、接触	10〜21[*1]（通常14〜16）	最初の発疹出現前3日（通常1〜2日）〜すべての水疱が痂皮化（通常5〜7日）	水痘：発疹出現後7〜21（〜28日[*1]）周産期水痘では日齢1は1,000 g 未満の児が水痘・帯状疱疹患者に接触した場合は発疹から9〜15日後要観察	未罹患の母親から出生した28週以上の児および28週未満の児は1,000 g 未満の児が水痘・帯状疱疹患者に接触した場合は要観察	左記要観察者に96時間以内にIVIG 200〜500 mg/kg/回	—	可
	先天水痘児	—	—	—	—	—	—	—	—
	児入院中の母	血行性、空気、飛沫、接触	—	水痘：分娩前5日、後2日以内に発疹が出た場合、児が重症水痘のリスク帯状疱疹：母子を一緒に隔離	—	水痘：児にも発疹あれば母児一緒に隔離。分娩前5日以降出生で児に発疹なければ母児分離。帯状疱疹：母児分離しない	分娩前5日、後2日以内に発疹が出た場合、児にIVIG 200〜500 mg/kg/回	なし、隔離中でも搾乳可。乳房に水疱ある場合のみ搾乳中止	可、乳房に水疱ある場合のみ搾乳中止
	児退院後の母	空気、接触	—	—	母子分離しない	要観察	水痘のみ96時間以内にIVIG	なし、乳房に水疱ある場合のみ直接授乳、搾乳授乳とも中止	—
	家族	空気、接触、個室隔離	10〜21[*1]（通常14〜16）	最初の発疹出現前3日（通常1〜2日）〜すべての水疱が痂皮化（通常5〜7日）	水痘：発疹出現後7〜21日（〜28日[*1]）帯状疱疹：発疹出現後10〜21（〜28日[*1]）	未罹患の母親が水痘・帯状疱疹患者に接触した場合。観察期間中は母は面会中止。未罹患の母親から出生した28週以上の児および28週未満の児が1,000 g 未満の児が水痘・帯状疱疹患者に接触した場合は要観察	直接接触ない限りなし	—	可
	職員							—	—

*1：ガンマグロブリンを投与された場合

疾患	発病者	感染経路	潜伏期（日）	感染期間	観察（隔離）期間	接触した入院者の処置	接触者へのワクチン・ガンマグロブリン	母乳からの感染	母乳育児
麻疹	一般病棟児	空気，飛沫，接触	7〜15日	カタル期の始め（曝露早く＜5日）から発疹出現後4日間（免疫不全では長くなる）	発疹出現後5〜15日	麻疹患者に接触した場合，早期退院	72時間以内にワクチン接種，6日以内にガンマグロブリン100〜400 mg/kg 静注		
	新生児						母親が未罹患または感染不明の場合，接触した新生児には6日以内にガンマグロブリン100〜400 mg/kg 静注	―	可
	先天麻疹児	―	2〜10日		―	―	―		
	児入院中の母	空気，胎盤	発疹発現後4日	―	分娩4日前から分娩後5日	児にも発疹があれば母児は一緒に隔離，児が無症状なら母とは別に隔離または退院。5日までに母親が発症した場合，ガンマグロブリン100〜400 mg/kg 静注	分娩4日前から発症後5日までに母親が発症した場合，ガンマグロブリン100〜400 mg/kg 静注	感染性なし	搾母乳可，発症後48時間で特異的 IgA 産生
	児退院後の母	空気，飛沫，接触	7〜15日		母児分離しない		新生児に同じ	―	可
	家族・職員				発疹出現後5〜15日		―	―	―

付録

疾患	発病者	感染経路	潜伏期(日)	感染期間	観察(隔離)期間	接触した入院者の処置	接触者へのワクチン・ガンマグロブリン	母乳からの感染	母乳育児
結核	一般病棟児	空気、飛沫、接触	2～12週	さまざま(曝露後2年、とくに6カ月以内に発症多い)		結核患者と同室だった場合、INH 10mg/kg/日分1投与のうえ、病棟閉鎖し消毒を考慮		—	可
	新生児								
	先天結核児			—			—		
	児入院中の母	空気、飛沫、接触、胎盤			患者は隔離または結核専門施設に転院	感染期間中は母児分離		感染性なし、乳房あれば不可 感染性あり、乳房に乾酪巣あれば不可。結核については*2参照	乳房に病変がないかぎり母乳に感染性はない。抗結核薬については*2参照
	児退院後の母	空気、飛沫、接触				感染期間中は母児分離、児にINH 10mg/kg/日、分1投与し感染チェック		—	可
	家族・職員					接触者にはINH 10mg/kg/日、分1投与。		—	—

*2：多くの抗結核薬(イソニアジド、エタンブトール、リファンピシンなど)は母乳中に少量分泌されるが母乳育児は可能。フルオロキノロンの場合は不可。
INH：イソニアジド

疾患	発病者	感染経路	潜伏期（日）	感染期間	観察（隔離）期間	接触した入院者の処置	接触者へのワクチン・ガンマグロブリン	母乳からの感染	母子育児
ムンプス	一般病棟児	飛沫・接触	12〜25（平均18）日	耳下腺炎出現前7日〜耳下腺腫脹後9日	耳下腺腫脹後10〜25日	未罹患児は早期退院のうえ、経過観察	ワクチンの有効性は確立されていないが、接種可。ガンマグロブリンは無効で、特異的なガンマグロブリンは製造されていない	—	可
	新生児・児入院中の母							—	面会不可中、搾母乳可
	児退院後の母				母児分離しない	経過観察		—	可
					耳下腺腫脹後10〜25日				
	家族・職員							—	—
単純ヘルペス	一般病棟児	接触	2〜15日	不明	手洗い、患部を覆う、口唇ヘルペスはマスク	経過観察	—	—	—
	新生児・児入院中の母			母児分離しない。外陰部ヘルペスは児に触れる前に手洗いまたはマスク	外陰部ヘルペスは厳重管理、病変部は覆う、口唇ヘルペ	外陰部以外の口唇ヘルペ		乳房に病変なければ感染性なし	乳房に病変あれば治癒するまで直接授乳・搾母乳とも中止
	児退院後の母			母児分離しない。手洗い、患部を覆う、口唇ヘルペスはマスク				—	—
	家族・職員	—			—	経過観察		—	—

か

疾患	発病者	感染経路	潜伏期(日)	感染期間	観察(隔離)期間	接触した入院者の処置	接触者へのワクチン・ガンマグロブリン	母乳からの感染	母乳育児
百日咳	新生児	飛沫, 接触	7~10日	抗菌薬投与後5日間, 非投与時は21日間	3週間	EM 40~50 mg/kg/日, 分4, 14日間. とくに生後2週以内は肥厚性幽門狭窄のリスクあり	—	—	可
	児入院中の母					EM 40~50 mg/kg/日, 分4, 14日間, 最高2 g/日, AZM 10~12 mg/kg/日, 分1, 5日, CAM 15~20 mg/kg/日 分2, 7日	—	なし	面会不可中は搾母乳可
	児退院後の母				母児分離しない				可(抗菌薬投与開始5日間過ぎたら)
	家族・職員				3週間				—
インフルエンザ	母(発症が分娩前7日~分娩)	空気, 飛沫, 接触	1~4日	1~10日	母児分離せず, 他の母児から隔離する。児が入院する場合は, 他児と1.5 m以上の距離をとる。隔離期間は発症後7日間, または症状消失から24時間のうち長いほう	オセルタミビルの予防投与はしない	—	なし	(抗インフルエンザ薬内服を含み)面会不可中, 搾母乳可

疾患	発病者	感染経路	潜伏期(日)	感染期間	観察(隔離)期間	接触した入院者の処置	接触者へのワクチン・ガンマグロブリン	母乳からの感染	母乳育児
インフルエンザ	母(分娩後に陽性)	—	1〜4日	1〜10日	母児間の感染対策を行い、分離はしない。隔離期間は発症後7日間、または症状消失24時間のうち長いほう	オセルタミビルの予防投与はしない	—	なし	可(抗インフルエンザ薬内服中を含み)
	家族・職員	—			発症後7日間(or症状消失24時間の長いほう)は原則NICUへ入室しない	—	—	—	—
RSウイルス	新生児	飛沫、接触	2〜8日	3〜8(28)日	—	個室(保育器) 隔離。手洗いの徹底 院内感染予防目的のシナジス®投与は推奨しない	—	—	—

EM:エリスロマイシン, AZM:アジスロマイシン, CAM:クラリスロマイシン

参考文献
- Committee on Infectious Diseases. Red book 2018-2021 : Report of the Committee on Infectious Diseases. 31th ed. American Academy of Pediatrics. 2018
- Wilson CB. et al. Remington and Klein's Infectious Diseases of the Fetus and Newborn Infant. 8th ed. Saunders. 2015
- Lawrence RA, et al. Breastfeeding: A guide for the Medical Professional. 9th ed. Elsevier. 2021
- 日本小児科学会 日本新生児成育医学会. インフルエンザにおける新生児への対応案. 2017年9月20日改訂 http://www.jpeds.or.jp/uploads/files/20170924influencer.pdf (2022.7.20 アクセス)

d 新型コロナウイルス感染症対策（2022 年 1 月時点）

この情報は，上記時点での情報を元に作成した。各施設の責任において運用していただきたい。なお，本手順に沿って運用した結果，不測の事態が起きた場合，作成者は責任を負わない。

① 新型コロナウイルス基本情報

感染防止策	エアロゾル，飛沫，接触
潜伏期間	1〜14 日間
感染期間	発症 2 日前から発症後 7〜10 日間
濃厚接触した入院者の処置	陰圧個室または，保育器に収容し 2 m 以上の間隔を開ける

② 新型コロナウイルス感染確定・または疑いありとされた母親の母乳の搾り方と保存運搬

母乳そのものに感染性のウイルスはいないが，飛沫や飛沫を触れた手，便にはウイルスが存在する。

1. 家族や医療スタッフの助けなしに自分で搾乳できる体調である。
   【具体的な対象】
   ・母親が産科施設で分娩し，症状がない。
   ・子どもは観察のため，または疾病治療のため NICU 入院中。
   ・本感染症の母親が分娩施設退院後の隔離期間中で，自宅または滞在施設で過ごす。

2. 搾母乳を病院内で運ぶ際，容器（母乳バッグ）の表面にウイルスがつかないように，丁寧な手順を踏む。

3. 搾乳手順
   ・はじめに髪の毛をまとめ，アクセサリー，指輪，スマホを離れたところにおく。
   ・石鹸と流水で手洗いする。
   ・手指消毒をして，サージカルマスクをする（確実に鼻と口を覆う）。
   ・手指消毒をして，ディスポーザブルシャワーキャップ（または類似のもの）をかぶる。
   ・手指消毒をして，搾乳物品を置く台を清潔にする。
   ・手指消毒をして，すべての搾乳物品を清潔な状態で用意する。母乳を受ける容器以外に，母乳バッグと母乳バッグを立てるためのスタンドを用意する（スタンドは牛乳パックなどをカットした，高さの低い箱でも可）。
   ・手指消毒をして，上半身を清潔な布などで覆い，乳房だけが出る状態にする。
   ・手指消毒をして，母乳バッグの蓋を切り取り，あらかじめ消毒したスタンドに立てて，触らずに注げるようにしておく。
   ・乳房は前回のシャワーののち，せきやくしゃみをした手，またはマスクに触れた手で触っていれば，70％アルコール（アルコールで皮膚が荒れる場合は湯で温めたタオル）で拭く。
   ・手指消毒をして，搾乳をする。

4. 保存
   - 搾乳し終わったら手指消毒をして，母乳がたまった容器が母乳バッグの口に触れないように注ぐ。
   - 手指消毒をして，母乳バッグを密封する。
   - 手指消毒をして，自分の衣服を整える。
   - 手指消毒をして，搾乳物品を洗浄し，乾燥させる。
   - 手指消毒をして，母乳バッグの表面を消毒用アルコールのついた布や紙で拭く。
   - 手指消毒をして，母乳バッグをビニール袋で包み，ビニール袋の口は閉めずに折りたたんで，冷蔵庫で冷凍・冷蔵する。

5. 運搬
   - 冷凍・冷蔵母乳を渡すときは，受け取る人と接触しないことが基本。
   - 受け取る人：手指消毒をして，環境クロスやルビスタ®で清拭できるか，熱水で洗えるお盆を準備。ドアの外にテーブルを準備できたら，その上にトレイを，準備できなければ廊下にトレイを直接置く。手指消毒をして，お盆の上に新しいポリ袋を広げておく。
   - 本人は手指消毒をして，冷凍冷蔵庫のドアノブおよび部屋の内側のドアノブを拭く。
   - 本人は手指消毒をして，ポリ袋に包んだ母乳バッグを冷凍，または冷蔵庫から取り出し，ドアの外の広げられた袋の中に母乳パックだけをそっと入れる。
   - 受け取る人は手指消毒をして，ポリ袋の口を閉め，保存場所へ。
   - 受け取る人は手指消毒をして，冷凍・冷蔵庫の個別保存場所に，母乳バッグをポリ袋ごと入れる。
   - 受け取る人は手指消毒をして，トレイは清拭，熱水洗浄する。

厚生労働省：新型コロナウイルス感染症 COVID-19 診療の手引き 第 7.2 版，2022/日本新生児成育医学会，新型コロナウイルス感染症に対する出生後早期の新生児への対応について，第 5 版，2021 をもとに作成

e NICU 抗菌薬・抗真菌薬初期投与

施設の antibiogram などを踏まえて検討する。

① 極低出生体重児の入院時	前期破水・臨床的絨毛膜羊膜炎の場合	
	開始	ABPC+AMK
	期間	培養の結果よりも WBC や CRP などをみながら。感染症を疑う臨床症状や検査データがない場合には 3 日以内に中止する
	想定される状況	先天感染
	想定起因菌	B 群溶連菌，大腸菌，リステリア菌
	真菌感染症に対する予防投与	
	26 週未満は全例，予防的にフルコナゾール投与（6 mg/kg 週 2 回，点滴が入っている期間または最大 6 週間） *26 週以降は，原則予防投与はせず，必要なら（母体カンジダ培養陽性や臍帯カンジダ結節など）治療投与する。	

②手技 *1	開始	CEZ
	期間	手技直前に単回
	想定される状況	清潔手技
	想定起因菌	ブドウ球菌属（MRSA の保菌では，VCM＋AMK）
③手術 *2	横隔膜ヘルニア，先天性肺気道奇形など	
	開始	CEZ
	期間	外科医と相談
	想定される状況	清潔手術
	想定起因菌	ブドウ球菌属（MRSA の保菌では，VCM＋AMK）
	腹壁破裂，臍帯ヘルニア	
	開始	CEZ
	期間	外科医と相談
	想定される状況	準清潔手術
	想定起因菌	ブドウ球菌属（MRSA の保菌では，VCM＋AMK）
	食道閉鎖・十二指腸閉鎖手術	
	開始	CEZ
	期間	外科医と相談
	想定される状況	準清潔手術
	想定起因菌	ブドウ球菌属，口腔内レンサ球菌属，好気性腸内細菌性グラム陰性桿菌（大腸菌，クレブシエラ属）
	消化管手術（限局性腸管穿孔，壊死性腸炎）	
	開始	CMZ（＋AMK）
	期間	外科医と相談
	想定される状況	準清潔手術
	想定起因菌	ブドウ球菌群，嫌気性腸内細菌（とくに *B. fragilis*），好気性グラム陰性桿菌（大腸菌，クレブシエラ属） *抗真菌薬も併用する。
④注腸造影（胎便栓）	開始	CMZ
	期間	血中濃度が上がるように，術前 30～60 分前に単回投与
	想定される状況	常在菌の減少による菌交代の抑制。過剰な予防抗菌薬は菌交代を促進させる
	想定起因菌	なし
⑤挿管 *3 慢性期の気管	開始	CEZ（＋AMK）。気管挿管前の 30～60 分前に投与
	期間	気管挿管前に単回投与
	想定される状況	気管挿管に伴う気道感染予防
	想定起因菌	ブドウ球菌属，口腔内レンサ球菌属，好気性腸内細菌性グラム陰性桿菌（大腸菌，クレブシエラ属）

⑥ 尿路感染症	開始	CTX
	期間	WBC，CRP，検尿をみながら
	想定される状況	複雑性尿路感染症の高リスク児
	想定起因菌	大腸菌＞緑膿菌，クレブシエラ属，腸球菌
⑦ 慢性期の感染	開始	①PI カテーテル感染を疑う：CEZ（MRSA 保菌では VCM） ②人工呼吸器関連肺炎を疑う：CTX+AMK〔緑膿菌，アシネトバクター属保菌なら CAZ or PIPC+AMK を考慮（さらに，緑膿菌の感受性によっては，PIPC/TAZ+AMK）〕
	期間	WBC と CRP の結果をみながら，PI カテーテル感染なら CRP 低下すれば速やかに中止
	想定される状況	①PI カテーテル感染 ②人工呼吸器関連肺炎
	想定起因菌	①PI カテーテルならブドウ球菌属，（MRSA） ②肺炎ならブドウ球菌属，クレブシエラ属，セラチア属，エンテロバクター属，（緑膿菌，アシネトバクター属）
⑧ そのほか重症感染症 *4	カルバペネム（メロペン®）の適応	
	想定される状況	腹腔内混合感染
	想定起因菌	緑膿菌，エンテロバクター属，アシネトバクター属，ESBL。ただし，腸球菌の感受性は低め
	第 4 世代セフェム（セフェピム）の適応	
	想定される状況	多剤耐性菌グラム陰性桿菌感染 緑膿菌に対して AMK が長期投与になった際の変更 白血球減少時の初期治療 腹腔内混合感染には不向き（嫌気性菌に無効）
	想定起因菌	緑膿菌，エンテロバクター属，アシネトバクター属。腸球菌には無効
	リネゾリド（ザイボックス®）の適応	
	想定される状況と起因菌	VCM 耐性腸球菌による各種感染症に加え，VCM の効果が乏しい MRSA による敗血症，深在性皮膚感染症，慢性膿皮症，外傷・熱傷および手術創などの二次感染，肺炎。ただし，血流感染には推奨されない

*1 胸・腹腔穿刺，臍カテーテル留置・抜去，PI カテーテル抜去困難時。
*2 皮膚切開時に抗菌薬の血中濃度が上がるように術前 30〜60 分前に投与。
*3 未熟児網膜症治療など。
*4 母体陽性だけでは抗菌薬の予防投与はしない。感染徴候がある場合には，AMK+ABPC を投与。血液培養で GBS が検出された場合には，ABPC 単剤で治療する。

ABPC：アンピシリン，AMK：アミカシン，CEZ：セファゾリン，MRSA：メチシリン耐性黄色ブドウ球菌，VCM：バンコマイシン，CMZ：セフメタゾール，CTX：セフォタキシム，CAZ：セフタジジム，PIPC：ピペラシリン，TAZ：タゾバクタム，GBS：B 群溶血性レンサ球菌

付録

f 薬用量
①抗菌薬

一般名	商品名	用量 体重<1,200g 生後<4週	体重<2,000g 生後<1週	体重<2,000g 1~4週	体重≧2,000g 生後<1週	体重≧2,000g 1~4週	生後>4週	備考
アンピシリン (ABPC)	ビクシリン®	50 mg/kg/回 (静注) 12時間ごと	50 mg/kg/回 (静注) 12時間ごと	50 mg/kg/回 (静注) 8時間ごと	50 mg/kg/回 (静注) 8時間ごと	50 mg/kg/回 (静注) 6時間ごと	50 mg/kg/回 (静注) 6時間ごと	髄膜炎では倍量 腸球菌(E.faecalis), リステリアに有効
ピペラシリン (PIPC)	ペントシリン®	100 mg/kg/回 (静注) 12時間ごと	100 mg/kg/回 (静注) 12時間ごと	100 mg/kg/回 (静注) 8時間ごと	100 mg/kg/回 (静注) 8時間ごと	100 mg/kg/回 (静注) 6時間ごと	100 mg/kg/回 (静注) 6時間ごと	緑膿菌をカバー
アンピシリン/スルバクタム (ABPC/SBT)	ユナシン®	75 mg/kg/回 (静注) 12時間ごと	75 mg/kg/回 (静注) 12時間ごと	75 mg/kg/回 (静注) 8時間ごと	75 mg/kg/回 (静注) 8時間ごと	75 mg/kg/回 (静注) 6時間ごと	75 mg/kg/回 (静注) 6時間ごと	2:1 ABPCとして50 mg 嫌気性菌もカバー
ピペラシリン/タゾバクタム (PIPC/TAZ)	ゾシン®	112.5 mg/kg/回 (静注) 12時間ごと	112.5 mg/kg/回 (静注) 12時間ごと	112.5 mg/kg/回 (静注) 8時間ごと	112.5 mg/kg/回 (静注) 12時間ごと	112.5 mg/kg/回 (静注) 8時間ごと	112.5 mg/kg/回 (静注) 6時間ごと	8:1 PIPCとして100 mg 嫌気性菌もカバー レカルバペネムとなるなら応広域
セファゾリン (CEZ)	セファメジン®	25 mg/kg/回 (静注) 12時間ごと	25 mg/kg/回 (静注) 12時間ごと	25 mg/kg/回 (静注) 8時間ごと	25 mg/kg/回 (静注) 12時間ごと	25 mg/kg/回 (静注) 8時間ごと	25 mg/kg/回 (静注) 8時間ごと	髄液移行不良 MSSAの第一選択
セフメタゾール (CMZ)	セフメタゾール	20 mg/kg/回 (静注) 12時間ごと	20 mg/kg/回 (静注) 12時間ごと	20 mg/kg/回 (静注) 8時間ごと	20 mg/kg/回 (静注) 12時間ごと	20 mg/kg/回 (静注) 8時間ごと	20 mg/kg/回 (静注) 8時間ごと	嫌気性菌もカバー
セフォタキシム (CTX)	クラフォラン®, セフォタックス®	50 mg/kg/回 (静注) 12時間ごと	50 mg/kg/回 (静注) 12時間ごと	50 mg/kg/回 (静注) 8時間ごと	50 mg/kg/回 (静注) 12時間ごと	50 mg/kg/回 (静注) 8時間ごと	50 mg/kg/回 (静注) 6時間ごと	髄液移行良好

①抗菌薬（つづき）

一般名	商品名	用量						備考
		体重<1,200 g	体重<2,000 g		体重≧2,000 g			
		生後<4週	生後<1週	1～4週	生後<1週	1～4週	生後>4週	
セフトリアキソン (CTRX)	ロセフィン®	50 mg/kg/回 (静注) 24時間ごと	50 mg/kg/回 (静注) 24時間ごと	50 mg/kg/回 (静注) 24時間ごと	50 mg/kg/回 (静注) 24時間ごと	50 mg/kg/回 (静注) 24時間ごと	50 mg/kg/回 (静注) 24時間ごと	髄腔移行良好. 静注不可, ビリルビン結合阻害がある
セフタジジム (CAZ)	モダシン®	50 mg/kg/回 (静注) 12時間ごと	50 mg/kg/回 (静注) 8時間ごと	50 mg/kg/回 (静注) 8時間ごと	50 mg/kg/回 (静注) 12時間ごと	50 mg/kg/回 (静注) 8時間ごと	50 mg/kg/回 (静注) 8時間ごと	緑膿菌をカバー
セフェピム (CFPM)	マキシピーム®, セフェピム	30 mg/kg/回 (静注) 12時間ごと	30 mg/kg/回 (静注) 12時間ごと	30 mg/kg/回 (静注) 8時間ごと	50 mg/kg/回 (静注) 12時間ごと	50 mg/kg/回 (静注) 12時間ごと	50 mg/kg/回 (静注) 8時間ごと	髄液移行性あり
メロペネム (MEPM)	メロペネム	20 mg/kg/回 (1時間で持続 静注) 12時間ごと	20 mg/kg/回 (1時間で持続 静注) 8時間ごと	20 mg/kg/回 (1時間で持続 静注) 8時間ごと	20 mg/kg/回 (1時間で持続 静注) 8時間ごと	30 mg/kg/回 (1時間で持続 静注) 8時間ごと	30 mg/kg/回 (1時間で持続 静注) 8時間ごと	嫌気性菌を含む広域. 髄膜炎では40 mgまで増量. (MRSA, E. faecium, Stenotrophomonas maltophilia には無効)
アミカシン (AMK) [*1]	硫酸アミカシン	18 mg/kg/回 (静注) 48時間ごと	15 mg/kg/回 (静注) 36時間ごと	15 mg/kg/回 (静注) 24時間ごと	15 mg/kg/回 (静注) 24時間ごと	15 mg/kg/回 (静注) 24時間ごと	15 mg/kg/回 (静注) 24時間ごと	嫌気性菌や腸球菌に無効
ゲンタマイシン (GM) [*1]	ゲンタシン®	5 mg/kg/回 (静注) 48時間ごと	4 mg/kg/回 (静注) 36時間ごと	4 mg/kg/回 (静注) 24時間ごと	4 mg/kg/回 (静注) 24時間ごと	4 mg/kg/回 (静注) 24時間ごと	4 mg/kg/回 (静注) 24時間ごと	嫌気性菌や腸球菌に無効
バンコマイシン (VCM) [*1,*2]	塩酸バンコマイシン	15 mg/kg/回 (1時間で持続 静注) 24時間ごと	15 mg/kg/回 (1時間で持続 静注) 12時間ごと	15 mg/kg/回 (1時間で持続 静注) 12時間ごと	15 mg/kg/回 (1時間で持続 静注) 12時間ごと	15 mg/kg/回 (1時間で持続 静注) 8時間ごと	15 mg/kg/回 (1時間で持続 静注) 6時間ごと	抗MRSA 点滴静注 (60分) する

①抗菌薬（つづき）

一般名	商品名	用量						備考
		体重<1,200g	体重<2,000g		体重≧2,000g			
		生後<4週	生後<1週	1～4週	生後<1週	1～4週	生後>4週	
テイコプラニン (TEIC)	タゴシッド®	16 mg/kg/回 (30分で持続静注) 24時間ごと	16 mg/kg/回 (30分で持続静注) 24時間ごと	16 mg/kg/回 (30分で持続静注) 24時間ごと	16 mg/kg/回 (30分で持続静注) 24時間ごと	16 mg/kg/回 (30分で持続静注) 24時間ごと	10 mg/kg/回 (30分で持続静注) 12時間ごと	維持量は8 mg MRSA骨髄炎，軟部組織感染で考慮
リネゾリド (LZD)	サイボックス®	10 mg/kg/回 (1時間で持続静注) 12時間ごと	10 mg/kg/回 (1時間で持続静注) 12時間ごと	10 mg/kg/回 (1時間で持続静注) 8時間ごと	10 mg/kg/回 (1時間で持続静注) 8時間ごと	10 mg/kg/回 (1時間で持続静注) 8時間ごと	10 mg/kg/回 (1時間で持続静注) 8時間ごと	抗MRSA 遮光，骨髄抑制
エリスロマイシン (EM)	エリスロシン®	10 mg/kg/回 (静注) 12時間ごと	10 mg/kg/回 (静注) 12時間ごと	10 mg/kg/回 (静注) 8時間ごと	10 mg/kg/回 (静注) 12時間ごと	10 mg/kg/回 (静注) 8時間ごと	10 mg/kg/回 (静注) 6時間ごと	消化管蠕動亢進もある
クリンダマイシン (CLDM)	ダラシン®S	5 mg/kg/回 (静注) 12時間ごと	5 mg/kg/回 (静注) 12時間ごと	5 mg/kg/回 (静注) 8時間ごと	5 mg/kg/回 (静注) 8時間ごと	5 mg/kg/回 (静注) 6時間ごと	7.5 mg/kg/回 (静注) 6時間ごと	嫌気性菌に有効．髄液移行性不良

MRSA：メチシリン耐性黄色ブドウ球菌．MSSA：メチシリン感受性黄色ブドウ球菌
*1 腎機能障害の注意：通常，Cr 0.9 mg/dL以上で1.5倍，1.2 mg/dL以上で2倍に投与間隔を延ばす．
*2 トラフ10～15（重症），15～20（重症）µg/mLを維持する（トラフは投与開始3日目以降の投与直前の血液濃度）可能ならピーク値も調べ，50 µg/mL以上にならないようにする（ピーク値は投与終了3日目以降の投与2時間後の血液濃度）．全身発疹（レッドマン症候群）に注意．

【参考文献】
- Bradley JS, et al. Nelson's Pediatric Antimicrobial Therapy. 28th ed. American Academy of Pediatrics, 2022
- Takemoto CK, et al. Pediatric & Neonatal Dosage Handbook. 28th ed. Lexi-Comp Inc. 2021
- Reuters T. NEOFAX 2011. 24th ed. Physicians Desk Reference Inc. 2011
- McMillan JA, et al. The Harriet Lane Handbook of Pediatric Antimicrobial Therapy. 2nd ed. Saunders, 2013

② 抗ウイルス薬

一般名	商品名	用法・用量	副作用	備考
アシクロビル (ACV)	アシクロビル点滴静注液	20 mg/kg/回 (1時間で持続静注) 8時間ごと【低出生体重】1週未満 12時間ごと，4週未満 24時間ごと【超低出生体重】4週未満 24時間ごと	汎血球減少，腎障害，肝障害	10 mg/mL 以上の濃度で腎毒性，血管炎 腎機能障害時は投与間隔延長
ガンシクロビル (GCV)	デノシン®	6 mg/kg/回 (1時間で持続静注) 12時間ごと，6週間 在胎32週未満は24時間ごと	好中球減少，血小板減少，肝・腎障害	血中濃度測定．腎機能障害時は投与間隔延長
バルガンシクロビル (経口)	バリキサ®	16 mg/kg/回，12時間ごと，6カ月	好中球減少，血小板減少，肝・腎障害	バリキサ®ドライシロップ 5,000 mg は調製した溶液 (50 mg/mL) として処方される．2022年8月時点で保険適用はないので，院内の倫理委員会の審査と家族の同意を得て投与する
ジドブジン (ZDV)	レトロビル®	経口 2 mg/kg を6時間ごと内服 早産児 1.5 mg/kg を12時間ごと (生後2週間)，以後 1.5 mg/kg を8時間ごと	好中球減少，貧血，アシドーシス	HIV 母子感染予防．生後なるべく早期 (8〜12時間) に開始．4〜6週間

③ 抗真菌薬

一般名	商品名	用法・用量	副作用	備考
アムホテリシン B (AMB)	ファンギゾン®	0.5〜1.0 mg/kg/回 (6時間以上かけて持続静注) 24時間ごと 隔日で 0.25 mg/kg ずつ増量，最大 1.5 mg/kg	腎障害，低カリウム血症，発熱，貧血，血小板減少	5%ブドウ糖で 0.1 mg/mL 以下の濃度に希釈 瘙痒・眼移行不良 蛋白結合率高いので黄疸に注意．Cr>0.4 mg/mL の上昇あれば増量中止 腎障害全時はリポソーム製剤を使用
アムホテリシン B リポソーム製剤 (L-AMB)	アムビゾーム®	2.5〜5 mg/kg/回 (2時間以上かけて持続静注) 24時間ごと	血小板減少，貧血，低カリウム血症	5%ブドウ糖で 1 mg/mL 以下の濃度に希釈．すでに留置されている静注ラインは 5%ブドウ糖注射液であらかじめ置き換える

③抗真菌薬（つづき）

一般名	商品名	用法・用量	副作用	備考
フルコナゾール（FLCZ）	ジフルカン®	12～25 mg/kg/回（2 時間以上かけて持続静注）24 時間ごと 6～12 mg/kg/回（2 時間以上かけて持続静注）24 時間ごと、経口も同量【超低出生体重 2 週未満 48 時間ごと、経口も同量】	腎障害，肝障害	2 mg/mL 以下の濃度に希釈。腎障害時は投与間隔延長。髄液・眼液の移行性高い。非 Candida albicans の耐性高いので予防投与に使用
ホスフルコナゾール（F-FLCZ）	プロジフ®	12 mg/kg/回 静注→6 mg/kg/回 静注【低出生体重】2 週未満 6 mg/kg、48 時間ごと2 週以上 6 mg/kg、24 時間ごと予防投与 6 mg/kg/回、週 2 回静注	腎障害，肝障害	静注結晶剤なので単独投与する ジフルカン®のプロドラッグ。髄液・眼移行良好 腎障害時は投与間隔延長
ミカファンギン（MCFG）	ファンガード®	7～10 mg/kg/回（2 時間で持続静注）24 時間ごと【超低出生体重】10～15 mg/kg/回、24 時間ごと		生理食塩液・5%ブドウ糖で 0.5～1.5 mg/mL 以下の濃度に希釈。投与前生理食塩液フラッシュ 髄液・尿への移行なし 蛋白結合率高いので黄疸時に注意
フルシトシン	アンコチル®錠	経口 20～40 mg/kg/回、6 時間ごと	腎障害，骨髄抑制	髄膜炎・深部感染症にファンギン®と併用。腎障害時は減量
ボリコナゾール（VRCZ）	ブイフェンド®	4～8 mg/kg/回（2 時間以上かけて持続静注）12 時間ごと（新生児投与量未確立）経口も同量	腎障害	5 mg/mL 以下の濃度に希釈し 3 mg/kg/時以下の速度で 侵襲性アスペルギルスに有効。髄液移行良好

④おもな静注用薬剤

分類	一般名	商品名	規格含有量	用量・用法	用途	注意点
蘇生・呼吸管理	アドレナリン	ボスミン®	1,000倍 1 mg/mL/A	0.01～0.03 mg/kg（気管内注入）0.05～0.1 mg/kg）持続静注：0.01～0.5 μg/kg/分	心肺蘇生	10倍希釈（ボスミン®1 mL＋生理食塩液 9 mL）で 0.1～0.3 mL/kg 静注、0.5～1 mL 気管内注入
	炭酸水素ナトリウム	メイロン®	7% 20 mL/A	1～2 mL/kg 静注	アシドーシス補正	2倍希釈、カルチコール®と混濁。1 mL あたり 0.833 mEq/L の Na を含む
	ヒドロコルチゾン	ソル・コーテフ®	100 mg/V	2 mg/kg 静注、12 時間ごと	副腎不全、ショック	ショックの副作用あり
	塩酸モルヒネ		10 mg/mL/A	100～200 μg/kg 静注→10～30 μg/kg/時 持続静注	鎮静鎮痛薬	麻痺、胆管拡張、低血圧、消化管運動低下、尿閉
	チオペンタール	ラボナール®	0.5 g/A	3～5 mg/kg 静注	鎮静入眠剤	生理食塩液 50 mL に溶解し、10 mg/mL で使用。血管外漏出に注意。フィジオ®35 やソルデム®3AG との配合で析出注意
	アトロピン硫酸塩	硫酸アトロピン	0.5 mg/mL/A	0.01 mg/kg 静注	徐脈発作、挿管時	腹部膨満、便秘、分泌物粘稠化
	ベクロニウム臭化物	ベクロニウム	4 mg/mL/A	0.1 mg/kg 静注→0.05～0.1 mg/kg/時 持続静注	筋弛緩薬	
	ロクロニウム臭化物	エスラックス®	25 mg/2.5 mL/A	0.6 mg/kg 静注→0.2～0.5 mg/kg/時 持続静注	筋弛緩薬	
	ネオスチグミン	ワゴスチグミン®注 0.5 mg	0.5 mg/mL/A	0.025～0.1 mg/kg/回 静注	筋弛緩薬のリバース	アトロピンと併用
	ナロキソン	塩酸ナロキソン	0.2 mg/A	0.1 mg/kg 静注	麻薬拮抗、敗血症性ショック	

④おもな静注用薬剤（つづき）

分類	一般名	商品名	規格含有量	用量・用法	用途	注意点
蘇生・呼吸管理	ミダゾラム	ドルミカム®	5 mg/mL；10 mg/2 mL/A	32週未満：0.03～0.1 mg/kg/時 持続静注 32週以上：0.06～0.2 mg/kg/時 持続静注	人工換気中の鎮静	鎮痛作用なし。新生児では呼吸抑制の。未熟児では発作様ミオクローヌスの出現多く、静注は不可
	デクスメデトミジン	プレセデックス®	200 μg/2 mL/A	0.2～0.7（最大1.4）μg/kg/時 持続静注	人工呼吸中および離脱後の鎮静	低血圧、徐脈。長期使用後は遅ける
	無水カフェイン	レスピア®静注・経口液	20 mg/mL；3 mL/V	5～10 mg/kg/日、10分以上かけて静注（または経口）初回20 mg/kg、30分かけて静注	呼吸刺激、無呼吸予防	
呼吸	ドキサプラム	ドプラム®	20 mg/mL, 2 mL/A	0.1～0.3 mg/kg/時 持続静注	呼吸刺激、無呼吸予防	低カリウム血症
	デキサメタゾン	デカドロン	デカドロン含量として3.3 mg/mL；0.5 mL/A	0.1～0.25 mg/kg 静注、12時間ごと	抗炎症薬、BPD治療	ショックの報告あり
	フロセミド	ラシックス®	10 mg/mL, 2 mL/A	1 mg/kg 静注	利尿薬	低カリウム血症
循環	イブプロフェン	イブリーフ®	20 mg/2 mL/A	初回は10 mg/kg、2回目および3回目は5 mg/kg（15分以上かけて静注）	動脈管閉鎖薬	フィルター可
	インドメタシン	インダシン®	1 mg/V	0.1～0.2 mg/kg（1～2時間かけて持続静注）	動脈管閉鎖薬	フィルター不可
	Lipo-PGE₁	パルクス®	5 μgmL；1 mL/A, 2 mL/A	5～10 ng/kg/分 持続静注	動脈管開存薬	フィルター不可

④おもな静注用薬剤（つづき）

分類	一般名	商品名	規格含有量	用量・用法	用途	注意点
	PGE₁	プロスタンディン®	20 μg/A	0.01〜0.1 μg/kg/分 持続静注	動脈管開存薬	フィルター不可
	ドパミン	ドパミン	20 mg/mL；2 mL/A	2〜10 μg/kg/分 持続静注	利尿，昇圧，心機能改善	メイロン®，リン酸ニカリウムと混濁
	ドブタミン	ドブタミン	20 mg/mL；5 mL/A	2〜10 μg/kg/分 持続静注	心機能改善	ヘパリンと混濁
	バソプレシン	ピトレシン®	20 単位/1 mL/A	0.02〜0.1 単位/kg/時	昇圧	低ナトリウム血症
	ニトログリセリン	ミリスロール®	0.5 mg/mL；10 mL/A	0.3〜3 μg/kg/分 持続静注	血管拡張薬	非吸着チューブ使用．フィルター不可
	オルプリノン	コアテック®	1 mg/mL；5 mL/A	0.1〜0.5 μg/kg/分 持続静注	急性心不全治療	低血圧
循環	ミルリノン	ミルリーラ®	1 mg/mL；10 mL/A	0.1〜0.75 μg/kg/分 持続静注	急性心不全治療，敗血症性ショック治療	低血圧，血小板減少
	アデノシン三リン酸	アデホス®	5 mg/mL；2 mL/A	0.1〜0.2 mg/kg 静注静注	上室性頻拍治療	急速静注後，生理食塩液フラッシュ
	ジゴキシン	ジゴシン®	0.25 mg/mL/A	成熟児 0.0025 mg/kg 静注 12 時間ごと	上室性頻脈治療	原則は経口投与
	イソプレナリン塩酸塩	プロタノール®L	0.2 mg/mL/A	0.01〜0.2 μg/kg/分 持続静注	ショック，血管拡張薬	頻脈
	エポプロステノール (PGI₂)	フローラン®	0.5 mg/V	2〜20 ng/kg/分	肺高血圧治療	専用溶解液．ヘパリン他配合変化多いので単独ルート．8 時間ごと交換．pH 高く組織傷害性

④おもな静注用薬剤（つづき）

分類	一般名	商品名	規格含有量	用量・用法	用途	注意点
循環	プロカインアミド	アミサリン®	100 mg/mL/A	1.5〜2.0 mg/kg/30分持続静注→20〜60 μg/kg/分持続静注	上室性頻拍治療	低血圧、lupus様反応
	リドカイン	キシロカイン®2%静注用	20 mg/mL；5 mL/A	1 mg/kg静注→10〜50 μg/kg/分持続静注	心室性不整脈治療	
	カルペリチド	ハンプ®	1,000 μg/V	0.02〜0.1 μg/kg/分持続静注	急性心不全治療	低血圧注意、ヘパリン他配合変化多いので単独ルート、フィルター不可
	アセタゾラミド	ダイアモックス®	500 mg/V	3〜5 mg/kg/回静注	利尿薬、代謝性アルカローシスの是正	
神経	フェノバルビタール	ノーベルバール®	250 mg/V	20 mg/kg (30分で静注)、同量追加1回まで	抗けいれん薬	
	ホスフェニトイン	ホストイン®	750 mg/10 mL/A	初回22.5 mg/kg (30分で静注)、2回目以降は12時間ごとに2.5〜3.0 mg/kgを1日2回30分で静注	抗けいれん薬	
	レベチラセタム	イーケプラ®	500 mg/5 mL/A	20 mg/kg (15分で静注)、1日2回から。漸増し最大45〜60 mg/kg/日まで	抗けいれん薬	
	フェニトイン	アレビアチン®	50 mg/mL；5 mL/A	20 mg/kg/30分で静注→6 mg/kg緩徐に静注24時間ごと	抗けいれん薬	ブドウ糖と配合禁忌、生理食塩液でフラッシュ
	グリセリン	グリセオール®	10% 200 mL/V	10 mL/kg (1時間で持続静注)、6〜8時間ごと	脳圧降下薬	

④ おもな静注用薬剤（つづき）

分類	一般名	商品名	規格含有量	用量・用法	用途	注意点
神経	ビタミンB_6（ピリドキサール）	ピリドキサール®	10 mg/mL/A	50〜70 mg 静注	ビタミンB_6欠乏症治療	効果発現時の呼吸抑制に注意
	ビタミンK_2	ケイツー®N	5 mg/mL；2 mL/A	0.5〜1.0 mg/kg 静注	ビタミンK欠乏症治療	フィルター不可
	ウロキナーゼ	ウロナーゼ®	60,000 U/V	5,000 U/kg 注入して2〜4時間待つ→4,000 U/kg 20分静注→4,000 U/kg/時 持続静注	カテーテル閉塞、動静脈血栓症治療	専用溶解液。ヘパリン他配合変化が多いので単独ルート。8時間ごと交換。pH高く組織傷害性
	トロンボモデュリン	リコモジュリン®	12,800単位/V	380 IU/kg（30分以上かけて持続静注）	DIC治療	腎機能障害時には130 IU/kgまで減量
	ナファモスタットメシル酸塩	フサン®	10 mg/V	0.06〜0.2 mg/kg/時 持続静注	DIC治療	血管外漏出に注意
血液	アルテプラーゼ（t-PA製剤）	アクチバシン®		ヘパリンに反応しない凹皮・臓器障害を伴う動脈血栓：0.1〜0.5 mg/時（6時間で持続静注）	血栓症治療	在胎32週未満は治療禁忌。それ以降も出血のリスクあり
	タルテパリンナトリウム	フラグミン®	1,000 U/mL；5 mL/V	75単位/kg/日を持続投与	DIC、血栓症治療	
	ヘパリン	ヘパリンNa注	1,000 U/mL；5 mL/V	カテーテル用持続維持：濃度0.25〜1単位/mLに調整し、総量25〜200単位/kg/日	血栓症治療	血小板減少
	アンチトロンビンⅢ	献血ノンスロン®	500単位/V/10 mL	30〜60単位/kg（1時間で持続静注）	DIC治療	フィルター不可
	血液凝固第ⅩⅢ因子	フィブロガミン®P	240倍/4 mL/V；60倍/mL	70〜100倍/kg（10分以上かけて持続静注）	第ⅩⅢ因子欠乏、縫合不全、瘻孔治療	凝固第ⅩⅢ因子<70%、5日間まで保険適用

④おもな静注用薬剤（つづき）

分類	一般名	商品名	規格含有量	用量・用法	用途	注意点
血液	フィルグラスチム（G-CSF製剤）	グラン®注射液75	75μg/0.3mL/A	2～4μg/kg静注	好中球減少を伴う重症感染症治療	フィルター不可
血液	エポエチンカッパ（エリスロポエチン製剤）	エポエチンアルファBS 750	750単位/0.5mL/A	200 IU/kg皮下注, 2回/週	未熟児貧血予防	
感染症	人免疫グロブリン	献血ヴェノグロブリン®IH	1,000 mg/20 mL/vial 500 mg/10 mL/vial	500 mg/kg（3時間で持続静注）	敗血症治療 母体ITP, 血液型不適合	
感染症	HBIG		200単位/mL/vial	200 IU 筋注	HBV母子感染予防	2カ所に分けて筋肉注射
その他	ファモチジン	ガスター®	20 mg/A	0.5 mg/kg静注 24時間ごと	抗消化管潰瘍薬	抗菌薬と混濁
その他	アルブミン	献血アルブミン20%	20% 20 mL/vial	1 g/kg（1時間で持続静注）	核黄疸予防, 循環血液量増加	フィルター不可
その他	インスリン	ヒューマリン®R注-100	100 U/mL/vial	0.5～1 U/kg/日持続静注	高血糖, 高カリウム血症治療	フィルター不可, 生理食塩液で100倍希釈し, 1 U/1 mL.
その他	グルコン酸カルシウム	カルチコール	8.5% 10 mL/A 1 mLあたりCaとして0.39 mEq, 7.85 mg含有	(0.5 mL/kg静注), 3～5 mL/kg/日持続静注	低カルシウム血症治療	輸血用血液製剤に混注すると凝固する

④おもな静注用薬剤(つづき)

分類	一般名	商品名	規格含有量	用量・用法	用途	注意点
	リン酸ナトリウム	リン酸Na補正液	0.5 mmol/mL：20 mL/A．1 mLあたりNa 0.75 mEq．Pとして0.5 mmol．15.5 mg含有	0.5～2.0 mmol/kg/日 持続静注	低リン血症治療	
	硫酸マグネシウム	硫酸Mg補正液	1 mEq (0.5 mmol)/mL：20 mL/A	0.5 mL/kg（1時間で持続静注）→0.25～0.5 mL/kg/日 持続静注	低マグネシウム血症治療	
そ の 他	レボカルニチン	エルカルチン®FF静注1,000mg	1,000 mg/5 mL/A	20 mg/kg/日	カルニチン欠乏治療	血中遊離カルニチンの目標レベル36～74 µmol/L
	脂肪乳剤	イントラリポス®	20% 50 mL/vial	0.5～2.0 g/kg/日（8～24時間で持続静注）	脂肪補充	遮光，フィルター不可
	アミノ酸製剤	プレアミン®-P	7.6% 200 mL/vial	0.5～2.0 g/kg/日 持続静注	アミノ酸補充	304 kcal/L
	総合ビタミン	ビタジェクト®液	5 mL/vial	A液，B液それぞれ1 mL/kg/日 週1回 持続静注	総合ビタミン製剤	A液が水溶性，B液が脂溶性
	微量元素製剤	エレメンミック®	2 mL/A	0.3 mL/kg/日 週1回 持続静注	微量元素製剤	
	セレン	アセレンド®	100 µg/2 mL/A	1～4 µg/kg/日	セレン補充	血清セレンの目標レベル6～9 µg/dL

BPD：気管支肺異形成，PGE₁：プロスタグランジンE₁，DIC：播種性血管内凝固，t-PA：組織型プラスミノゲンアクチベータ，HSV：単純ヘルペスウイルス，ITP：特発性血小板減少性紫斑病，HBV：B型肝炎ウイルス，HBIG：抗HBsヒト免疫グロブリン，CV：中心静脈

⑤内服薬

分類	一般名	商品名	規格含有量	用量用法	用途	注意点
神経	フェノバルビタール	フェノバール®エリキシル	4 mg/mL	3〜5 mg/kg/日 分2	抗けいれん薬	参考域の血中濃度 15〜40 μg/mL
	フェノバルビタール	フェノバール®散	100 mg/g	3〜5 mg/kg/日 分2	抗けいれん薬	
	レベチラセタム	イーケプラ®ドライシロップ	500 mg/g	20〜60 mg/kg/日 分2	抗けいれん薬	
	ジアゼパム	セルシン®シロップ	1 mg/mL	0.2〜0.3 mg/kg/回	鎮静	1日3〜4回まで
	バルプロ酸	デパケン®	50 mg/mL	10〜20 mg/kg/日 分2	抗けいれん薬	肝障害、高アンモニア血症のため新生児期は通常、使用しない
	トリクロホス	トリクロリールシロップ	100 mg/mL	20〜80 mg/kg/回	鎮静	1日3〜4回まで
	抑肝散	ツムラ抑肝散エキス顆粒		0.3 g/kg/日 分2	夜泣き、疳症	
呼吸	アンブロキシノール	ムコソルバン®DS	15 mg/g	0.9 mg/kg/日 分2	気道粘液溶解薬	
	カルボシステイン	ムコダイン®DS	500 mg/g	30 mg/kg/日 分2	気道粘液溶解薬	
	プロカテロール	メプチン®顆粒	100 μg/g	2.5 μg/kg/日 分2	気管支拡張薬	
	無水カフェイン	レスピア®静注・経口液	20 mg/mL	10 mg/kg/日 分1	未熟児無呼吸発作予防および治療	
	アトロピン	硫酸アトロピン	0.5 mg/mL	0.005〜0.015 mg/kg/日 分4	無呼吸予防	院内製剤。腹部膨満、便秘、分泌物粘稠化に注意
	ジゴキシン	ジゴシン®エリキシル	50 μg/mL	10 μg/kg/日 分2	抗不整脈薬	早産児では半量を分1
循環	スピロノラクトン	アルダクトン®A細粒	100 mg/g	1〜2 mg/kg/日 分2	利尿薬	
	フロセミド	ラシックス®細粒	40 mg/g	1〜2 mg/kg/日 分2	利尿薬	低ナトリウム血症、低カリウム血症
	アセタゾラミド	ダイアモックス®	500 mg/vial	10〜30 mg/kg/日 分2	利尿薬	アシドーシス、低カリウム血症に注意。10 mg/kg/日から開始し増量

⑤内服薬（つづき）

分類		一般名	商品名	規格含有量	用量用法	用途	注意点
循環		トルバプタン	サムスカ®	100 mg/g	0.1 mg/kg/日 分2	利尿薬	急な血清 Na 上昇のリスク
		ベラプロスト（PGI₂）	ドルナー®錠	20 μg/錠	2〜3 μg/kg/日 分4	原発性肺高血圧症	
		プロプラノロール	インデラル®錠	10 mg/錠	1〜2 mg/kg/日 分3	降圧薬, 抗心不全薬	
		エナラプリルマレイン酸塩	レニベース®錠	2.5 mg/錠	0.1〜0.3 mg/kg/日 分2		0.01 mg/kg から開始。乏尿, 高カリウム血症
		ウルソデオキシコール酸	ウルソ®顆粒	50 mg/g	15〜30 mg/kg/日 分2	利胆薬	完全胆道閉塞では禁
		溶性ピロリン酸第二鉄	インクレミン®シロップ	6 mg/mL	2〜6 mg/kg/日 分2	鉄欠乏症予防および治療	便が黒くなることあり
		クエン酸第一鉄ナトリウム	フェロミア®顆粒	100 mg/1.2 g	2〜6 mg/kg/日 分2	鉄欠乏症予防および治療	便が黒くなることあり
		アルファカルシドール	アルファロール®液	0.5 μg/mL	0.05〜0.1 μg/kg/日 分1	くる病予防	
栄養		トコフェロール酢酸エステル（ビタミンE製剤）	トコフェロール酢酸エステル顆粒20%	200 mg/g	20 mg/日 分2	ビタミンE欠乏症予防および治療	1 mg=1U Vit.E, 予防量 5 mg
		メナテトレノン（ビタミンK₂製剤）	ケイツー®シロップ	2 mg/mL	2 mg/回	ビタミンK欠乏症予防および治療	
		リン酸ナトリウム	リン酸ナトリウム	0.5 mmol/mL リンとして 15.5 mg/mL	0.5〜1 mL/kg/日 分2	リン補給, くる病予防	静注薬を内服させる
		経口リン酸製剤	ホスリボン®配合顆粒	リンとして 100 mg/包	リンとして 20〜40 mg/kg/日	低リン血症	分包後は2週以内

389

⑤内服薬(つづき)

分類		一般名	商品名	規格含有量	用量用法	用途	注意点
栄養		総合ビタミン剤	パンビタン®末	パンビタン 0.5 g 中ビタミンA 1,250 IU, ビタミンD 100 IU, ビタミンE 0.5 IU	0.5 g/日 分2	総合ビタミン剤	
		レボカルニチン	エルカルニチン®FF内用液10%	100 mg/mL	50〜100 mg/kg 分2	カルニチン欠乏治療	血中遊離カルニチンの目標レベル 36〜74 μmol/L
感染症		リファンピシン	リファジン®カプセル	150 mg/カプセル	10〜20 mg/kg/日 分1	耐性 MRSA, *H. influenzae* 髄膜炎治療	VCM と併用. 肝障害. 腎障害で減量
		エリスロマイシン	エリスロシン®ドライシロップ		日齢7未満 20 mg 分2 日齢7以降 30 mg 分3		クラミジア結膜炎・肺炎では 50 mg/kg 分4. 14日間 肥厚性幽門狭窄のリスク
		クラリスロマイシン	クラリス®ドライシロップ		15 mg/kg/日 分2		肥厚性幽門狭窄のリスク
		アジスロマイシン	ジスロマック®細粒小児用	100 mg/g	10 mg/kg/日 分1		クラミジア結膜炎, 肺炎では 20 mg/kg 分1, 3日間 肥厚性幽門狭窄のリスク
その他		レボチロキシン	チラーヂン®S		5〜10 μg/kg/日 分2	甲状腺機能低下症治療	
		ファモチジン	ガスター®散	100 mg/g	0.5〜1 mg/kg/日 分2	胃酸分泌抑制剤	
		エソメプラゾール	ネキシウム®懸濁用顆粒	10 mg/包	0.5 mg/kg/日 分1	胃酸分泌抑制剤	
		モサプリド	ガスモチン®散	100 mg/g	0.3 mg/kg/日 分2	消化管運動亢進	

PGI₂:プロスタサイクリン, MRSA:メチシリン耐性黄色ブドウ球菌, VCM:バンコマイシン

索 引

凡例
1. 各項目の語頭の文字によっては和文索引，欧文索引，数字・ギリシャ文字・記号索引に大別し，配列は原則として，和文索引では五十音順，欧文索引ではアルファベット順によった。
2. 欧文索引と和文索引はそれぞれ独立しているわけではなく，相互に補完するものである。したがって，検索に際しては和文のみ，あるいは欧文のみの索引にあたるのではなく，双方の索引を検索されたい。

和文

あ

亜鉛	136
──欠乏	342
足間代	243
アシクロビル	291, 295
アスペルギルス感染症	298
アセタゾラミド	142
アデノシン三リン酸	211
アニオンギャップ	331
アプトテスト	301, 362
アミノ酸	133
──代謝異常	168
アムホテリシン B	297
アルカリホスファターゼ血症	342
アルプロスタジル	191
アルプロスタジルアルファデクス	191
安息香酸ナトリウム	335
アンバウンドビリルビン（UB）	269

い

イオン交換樹脂	174
異型適合輸血	124
胃食道逆流（GER）	75, 189, 308
イソプレナリン	213
一過性骨髄異形成症候群	176
一過性骨髄異常増殖症（TAM）	272
一酸化炭素ヘモグロビン（COHb）	3, 269
一酸化窒素（NO）吸入療法	201
イブプロフェン	156, 162, 197
陰圧方法	67
インドシアニングリーン（ICG）リンパ管造影	226
インドメタシン	162
イントラリポス®	134

う・え

右側大動脈弓	308
ウルソデオキシコール酸	276
エアリーク	183
壊死性腸炎（NEC）	303
エネルギー量	133
エポエチンアルファ	281
エルカルチン®FF	134
エレメンミック®	134
嚥下機能検査	46
塩酸アルギニン	335

塩酸ドキソプラム	190
塩酸モルヒネ	114, 152

お

横隔神経麻痺	347
黄疸	3, 268
遷延性——	348
嘔吐	301
胆汁性——	301, 312
オクトレオチド	225
オメガ 3 系脂肪酸［製剤］	275, 304

か

外来診察	36
下咽頭挿管	118
加湿	158
加湿器温度設定	104
過少捻転	82
ガストログラフイン®	
——胃内予防投与	306
——注腸	307
カップ授乳	27
カテーテル感染予防	15
ガドリニウム造影 MRI	47
過捻転	82
カフェイン	158, 190
下部消化管閉鎖	309
カプト点眼［薬］	12, 345
下部尿路閉塞	326
カルグルミン酸製剤	335
カルニチン欠乏	134
換気グラフィックモニター	113
眼球圧迫	211
換気力学測定	68
間歇的強制換気（IMV）	106
観血的血圧測定	65
間歇的自己導尿	266

ガンシクロビル	289
カンジダ	
——感受性	298
——感染	83
先天性——感染症	297
監視培養	15
間接 Coombs	269
肝線維化マーカー	273
完全大血管転位	195
完全房室ブロック	213
感染モニタリング	15
眼底検査	12, 160
顔面神経麻痺	347

き

期外収縮	208
気管・気管支軟化症	184
気管支ファイバー	69, 184
気管支閉鎖症	322
気管切開	33, 119
気管チューブ	102
気管軟化	308
気道陰圧試験	67
気道吸引液	360
気道狭窄	184
吸気時間	107
急性骨髄性白血病	274
急性腎障害（AKI）	219
吸啜反射	232
仰臥位側面像	44
驚愕反応	243
強化母乳	22
胸腔穿刺	129
胸腔内持続吸引	131
胸腔–羊水腔シャント	224
凝固因子	360
きょうだい面会	7

巨大絨毛膜下血腫	165
巨大ブラ	189
巨大膀胱	324
筋強直性ジストロフィー	222, 256
筋緊張低下	259
筋弛緩	114
緊張性気胸	183

く

空腸閉鎖	309
くも膜下出血	248
グルコース-インスリン（GI）療法	156, 174
グルコン酸カルシウム	152
グルタミン脱水素酵素異常	168
くる病	44
クレアチニン	219
クローヌス	243

け

計画外抜管	115
経管栄養	26, 31
経口残注入	31
経口ビタミン補充量	275
軽症脳症	232
ケイツー®	11
軽度仮死	231
経鼻胃管の位置確認	28
経鼻カニューレ	99
経皮的酸素分圧（TcPO$_2$）	66
経皮的二酸化炭素分圧（TcPCO$_2$）	66
経皮 CO$_2$ モニター	16
けいれん	60
—— 重積	61
—— 発作	61
下血	301

血液浄化療法	139
血漿	360
血小板輸血	120
血栓症	285
血便	312
ケトーシス	331
限局性肺気腫	189
減負荷療法	157

こ

高アンモニア血症	333
高インスリン性低血糖	166
口角下制筋低形成	347
高カリウム血症	156, 173
高カルシウム血症	170, 174
交換血液量	126
交換輸血	125
後期ダンピング症候群	168
後弓反張	243
抗菌薬	373
高血圧	65, 205
高血糖	169
抗甲状腺薬	341
抗コリン薬	327
甲状腺機能	160
—— 亢進症	340
—— 低下症	338
甲状腺刺激ホルモン受容体抗体（TRAb）	340
抗真菌薬	299, 373
光線療法	269
好中球減少	165
後天性サイトメガロウイルス感染症	290
後天性全身カンジダ感染症	297
喉頭浮腫	185
高度貧血	126

高ナトリウム血症	159, 171
後乳	23
高拍出性心不全	87
高頻度振動人工換気（HFO）	107
後負荷過剰	157
後部尿道弁	324, 326
硬膜外出血	249
硬膜下出血	245
高マグネシウム血症	177
高リン血症	176
呼気吸気変換方式持続陽圧（DPAP）	100
呼気時間	107
呼吸機能検査	321
呼吸窮迫症候群（RDS）	178
呼吸抵抗	70
骨折	348
固定ループ	306

さ

最小振幅値	58
臍静脈カテーテルの深さ	94
臍帯	
――潰瘍	309
――カテーテル	149
――欠損	316
――ヘルニア	315
――ミルキング	150
最大振幅値	58
在宅医療	31
在宅酸素療法（HOT）	32
臍動静脈カニュレーション	91
臍動脈カテーテルの深さ	93
サイロ造設	315
搾乳	23
鎖肛	310
左室拡大	157

左心低形成症候群	192
左房径 / 大動脈径（LA/Ao）比	63
左房容積	157, 163
――係数（LAVI）	63
三尖弁逆流（TR）	155
酸素療法	99

し

ジアゾキシド	167
糸球体濾過量（GFR）	47
シスタチン C	220
持続血糖モニター（CGM）	169
シタラビン	274
時定数（TC）	71, 107
自動聴性脳幹反応（自動 ABR）	72
シナジス®	35
脂肪	134
斜頸	350
周期的中心静脈栄養（cyclic TPN）	136
周産期感染症	286
収縮末期左室壁応力（ESWS）	160
重症感染症	296
重度仮死	231
十二指腸	
――栄養	137
――液検査	76, 276
――チューブ	160, 189
――閉鎖	309
絨毛癌	87
手関節 X 線	343
手指再生	14
手掌把握反射	232, 234
出血後水頭症	252
循環血液量	126
消化管穿孔	311
上室頻拍（SVT）	209

常染色体劣性多発性囊胞腎
（ARPKD） ... 324
小脳出血 ... 249
静肺コンプライアンス ... 70
上部消化管造影 ... 45
静脈洞血栓症 ... 249
褥瘡 ... 16
食道ステントチューブ ... 308
食道閉鎖 ... 307
除細動 ... 212
腎盂前後径（APD） ... 326
腎盂尿管移行部狭窄 ... 325
心エコー ... 60
新型コロナウイルス感染症対策 ... 372
真菌感染症 ... 297
神経特異エノラーゼ（NSE） ... 325
人工栄養 ... 26
心室期外収縮（PVC） ... 208
心室細動（VF） ... 213
心室頻拍（VT） ... 212
新生児
　―― 一過性多呼吸（TTN） ... 180
　―― 仮死 ... 228
　―― 肝不全 ... 277
　―― けいれん ... 242
　―― 遷延性肺高血圧症（PPHN） ... 200
　―― 聴覚スクリーニング ... 72
　―― 同種免疫性血小板減少症
　　　（NAIT） ... 284
　―― 搬送 ... 39
　―― ヘモクロマトーシス ... 278
　―― ヘルペスウイルス感染症 ... 290
　―― 発作 ... 242
　―― マススクリーニング ... 13
　―― 慢性肺疾患（新生児CLD） ... 185
　―― 溶血性疾患 ... 271
新鮮凍結血漿（FFP）輸血 ... 120
心電図 ... 72
腎尿路奇形 ... 324
腎尿路系造影 ... 46
心拍補正左室平均円周短縮速度
　（mVcfc） ... 160
心房期外収縮（PAC） ... 208
心房性の頻脈 ... 209
心房頻拍（AT） ... 212

す

髄液 ... 132
水子宮 ... 310
水腎症 ... 325
水腟 ... 310
水痘 ... 294
水頭症 ... 48, 264
　出血後―― ... 252
髄膜炎 ... 296
頭蓋骨骨折 ... 350
頭蓋内出血 ... 245
頭蓋癆 ... 350
スカーフ徴候 ... 232
頭血腫 ... 348

せ

清潔間歇導尿法（CIC） ... 327
精索捻転 ... 328
声門下狭窄 ... 189
脊髄髄膜瘤 ... 264, 327
脊髄性筋萎縮症 ... 263
赤血球輸血 ... 120
セレン ... 136
遷延性黄疸 ... 348
全交換輸血 ... 125
全前脳胞症 ... 47, 243

先天性
- ——横隔膜ヘルニア（CDH） ...316
- ——下垂体機能低下 ...168
- ——カンジダ感染症 ...297
- ——感染症 ...286
- ——サイトメガロウイルス感染症 ...289
- ——多発性関節拘縮症（AMC） ...261
- ——胆道拡張症 ...277
- ——トキソプラズマ症 ...287
- ——乳び胸 ...224
- ——囊胞性肺疾患 ...322
- ——肺気道奇形（CPAM） ...322
- ——貧血 ...279
- ——風疹感染症 ...287

先天代謝異常 ...329
先天麻疹 ...295
前腹壁欠損 ...316

そ

造影 CT ...47
早期ミオクロニー脳症（EME） ...243
双胎間輸血症候群（TTTS） ...215
総動脈幹症 ...192
総肺静脈還流異常 ...193
僧帽弁逆流（MR） ...155
側臥位正面像 ...44
足底把握反射 ...232, 234
側脳室囊胞 ...239
鼠径ヘルニア ...313
蘇生 ...10

た

体外式膜型人工肺（ECMO） ...202
胎児水腫 ...221
胎児ヘモグロビン ...361

胎児母体間輸血 ...87
帯状疱疹 ...295
大動脈縮窄複合 ...192
胎盤 ...78
- ——後血腫 ...85
- ——重量の標準値 ...78
- ——迅速病理診断 ...325
- ——肉眼的所見 ...81

胎便吸引症候群（MAS） ...181
胎便性腹膜炎 ...310
胎便病 ...163, 305
第XIII因子欠乏 ...250
多血症 ...126, 282
多尿 ...159
多囊胞性異形成腎（MCDK） ...326
単一臍帯動脈 ...83
探索反射 ...232
胆汁うっ滞 ...274
胆汁性嘔吐 ...301, 312
胆道閉鎖症 ...275, 276

ち

チオペンタール ...56, 157
窒素吸入療法 ...144
中鎖脂肪酸（MCT）
- ——オイル ...23, 275
- ——ミルク ...227, 275

中腸軸捻転 ...301, 312
注腸造影 ...46
チューブ閉塞 ...115
腸管不全合併肝障害（IFALD） ...304
腸管壁内気腫像 ...303
長期予後 ...149
超緊急輸血 ...123
超早期授乳 ...20
腸捻転 ...312
重複腎盂 ...326

直接授乳	24
直接 Coombs	269
直腸肛門奇形	310
鎮静	56

つ・て

追加哺乳	2
低カリウム血症	170, 171
低カルシウム血症	174
低血圧	65
低血糖	2, 166
高インスリン性——	166
抵抗係数（RI）	55
低酸素換気療法	144
低酸素性虚血性脳症（HIE）	228
定常流	71
低体温療法	234
——の除外基準	231
——の適応 ABC	228
低蛋白血症	141
低ナトリウム血症	141, 170
低分子ヘパリン	285
低マグネシウム血症	176
低リン血症	165, 170, 175, 342
鉄剤	280

と

銅	136
頭囲拡大	256
頭蓋骨骨折	350
頭蓋内出血	245
頭蓋癆	350
同期化除細動	211
頭血腫	348
糖原病	168
糖質	133
洞徐脈	213
糖尿病母体児	337
洞頻脈	209
頭部 CT	57
頭部 MRI	53
動脈管開存（PDA）	195
動脈管早期収縮（PCDA）	204
透明中隔腔	47
吐血	301
ドナーミルク	26
ドプラ法	62
トランスデューサー	65
トリクロホス	56
トリクロリール®	116
トロンビン-アンチトロンビン複合体（TAT）	282
トロンボモジュリン	284

な

内視鏡検査	68
内大脳静脈（ICV）血流波形の揺らぎ	162
ナトリウム排泄分画（FE$_{Na}$）	220
生ワクチン	35

に

二酸化窒素（NO$_2$）濃度	203
日光浴	344
ニトログリセリン	162
二分脊椎	48, 264, 327
——患児の麻痺レベル	265
乳酸アシドーシス	335
乳酸/ピルビン酸比	337
乳児消化管アレルギー	302
乳児早期てんかん脳症（EIEE）	243
乳び胸水	223
尿カルシウム/クレアチニン比	344
尿管瘤	326

尿細管リン再吸収率（%TRP）
....175, 343
尿素回路異常症............................334
尿道カテーテル............................152
　——　固定法............................154
尿路感染症....................................327
尿路閉塞..310

の

脳梗塞..240
脳室拡大..256
脳室周囲白質軟化症（PVL）.....50, 237
　囊胞性 ——............................237
脳室-心房シャント
　（V-Aシャント）......................143
脳室内出血（IVH）................157, 248
　早産児の ——............................251
脳室-腹腔シャント（V-Pシャント）
....142
脳性麻痺..238
脳脊髄液リザーバー......................140
脳波..236
囊胞型胎便性腹膜炎......................324
囊胞性脳室周囲白質軟化症..........237
脳梁欠損..47

は

肺機能..69
肺胸郭断面積比（LT比）............317
敗血症..296
肺高血圧（PH）..............................73
　—— スコア..................................73
肺サーファクタント..............150, 179
　—— 洗浄療法............................184
肺出血....................................157, 182
肺動脈狭窄....................................288
肺動脈弁欠損................................194

排尿時膀胱尿道造影（VCUG）.........326
肺分画症..322
肺胞気動脈血酸素分圧較差
　（AaDO$_2$）..................................68
肺リンパ液....................................360
白質障害..237
拍動係数（PI）...............................55
播種性血管内凝固（DIC）.....273, 282
　—— 診断基準............................283
抜管..117
　計画外 ——............................115
　—— 基準..................................69
　—— 困難................................185
バックトランスファー..................41
発達検査..36
バニールマンデル酸（VMA）...........325
パリビズマブ..................................35
バルガンシクロビル....................289
反回神経麻痺................................184
晩期循環不全........................160, 329
パンビタン®..................................343

ひ

非観血的血圧測定..........................65
引き起こし反射............................232
肥厚性幽門狭窄症........................313
微細発作..243
皮質形成障害................................243
ビタジェクト®............................134
ビタミンK欠乏性出血症........4, 302
ヒト脳性ナトリウム利尿ペプチド
　前駆体N端フラグメント
　（NT-proBNP）..........................197
ヒト免疫不全ウイルス（HIV）
　感染症..295
ヒドロコルチゾン................152, 155

ヒト T 細胞白血病ウイルス 1 型
（HTLV-1）感染症 293
ビフィズス菌 20
皮膚脂肪壊死症 175
皮膚消毒 15
表在脳実質性軟髄膜出血 250
ピリドキサール 245
ピリドキシン依存性てんかん 243
微量元素 134
頻脈 209

ふ

ファビアン 108
ファモチジン 302
フェニル酪酸ナトリウム 335
フェノバルビタール 245
不感蒸泄量 221
副腎機能低下 168
腹水 303
腹部コンパートメント症候群 314
腹部膨満 159
腹壁破裂 314
不整脈 207
部分交換輸血 125
フルコナゾール 297
プレアミン®-P 133
フレカイニド 212
フローサイトメトリー 273
プロテイン C 欠損症 242
プロテイン S 欠損症 242
プロバイオティクス 304
分娩損傷 347

へ

閉鎖式気管吸引 105
ベクロニウム 117
ペースメーカ 213

ヘモグロビン F（HbF） 279
辺縁出血 85
辺縁付着 81
片側巨脳症 243

ほ

保育器内温度 17, 149
保育器内湿度 17, 149
膀胱内圧 314
膀胱尿管逆流（VUR） 325
房室回帰頻拍（AVRT） 210
房室結節回帰頻拍（AVNRT） 211
帽状腱膜下血腫 348
母児同室 2
ホスフェニトイン 245
ホスリボン®配合顆粒 344
補正カルシウム 174
補足 2, 24
母体橋本病 340
発作性上室頻拍（PSVT） 210
母乳
　強化 —— 22
　—— 育児支援 23
　—— 栄養 20
　—— 添加用粉末 20
　—— の誤投与 30
　—— の保存期間 25
哺乳障害 300
ホモバニリン酸（HVA） 325
ボリコナゾール 298

ま

マイクロバブルテスト 150, 362
末梢挿入中心静脈カテーテル
　（PI カテーテル） 15, 96, 152
末梢動脈カニュレーション 90
慢性肺疾患（CLD） 185

み

未熟児くる病 342
未熟児骨減少症 342
未熟児動脈管開存症（未熟児 PDA）
.... 195
未熟児貧血 281
未熟児網膜症（ROP） 345
　── 国際分類 346
ミダゾラム 116

む

無気肺 183
無呼吸 244
　── 時間 112
　── 発作 189

め・も

迷走神経刺激法 211
メトヘモグロビン（Met Hb） 203
メナテトレノン 302
面会 7
門脈内ガス像 303

ゆ

有機酸代謝異常症 331
遊離カルニチン 134
輸液療法 18
輸血 120
　異型適合 ── 124
　血小板 ── 120
　交換 ── 125
　新鮮凍結血漿 ── 120
　赤血球 ── 120
　全交換 ── 125
　胎児母体間 ── 87
　超緊急 ── 123
　部分交換 ── 125
　── 時間 122
　── の適応 280
　── 用血液 121
　── 量 122

よ

溶血性疾患 269
羊水 360
ヨウ素 341
腰椎穿刺 131
抑肝散 116
予防接種 35

ら

落陽現象 243
ラボナール® 56
卵円孔早期閉鎖（PCFO） 180, 204
ランジオロール 212
卵巣囊腫 324
卵膜付着 81

り

リアルタイム持続血糖モニター 169
リハビリテーション 13
硫酸アトロピン 213
良性家族性新生児けいれん 243
良性睡眠時ミオクローヌス 243
リンパ濾胞増殖症 302

れ

レスピア® 113
レベチラセタム 245
レボカルニチン 332, 335

ろ・わ

ロクロニウム 117
ロタウイルスワクチン 35

| 鷲手 | 348 |
| 腕神経叢麻痺 | 347 |

欧文

A

AaDO2	68
ABO 不適合	272
ABR (auditory brainstem response)	72
aEEG (amplitude-integrated electroencephalogram)	57, 229, 236
AFP (alpha-fetoprotein)	325
AKI (acute kidney injury)	219
AMC (arthrogryposis multiplex congenita)	261
amyoplasia	262
APD (anterior posterior diameter)	326
Apger スコア	231
ARPKD (autosomal recessive polycystic kidney disease)	324
AT (atrial tachycardia)	212
AVNRT (atrioventricular nodal re-entrant tachycardia)	211
AVRT (atrioventricular reciprocating tachycardia)	210

B

B 型肝炎ウイルス (HBV) 感染症	291
B 型肝炎ワクチン	292
BabyD®	344
Basedow 病	340
Beckwith-Wiedemann 症候群	316
Bell 病期分類	305
body stalk anomaly	316

C

C 型肝炎ウイルス (HCV) 感染症	292
Cantrell 症候群	316
CDH (congenital diaphragmatic hernia)	316
CGM (continuous glucose monitoring)	169
Chiari 奇形	266
CIC (clean intermittent catheterization)	327
circular shunt	194
CLD (chronic lung disease)	185
cloaca	310
COHb (carboxyhemoglobin)	3, 269
connatal cyst	239
Cornelia de Lange 症候群	316
CPAM (congenital pulmonary airway malformation)	322
craniotabes	350
cross table lateral view	44
Currarino 3 徴	310
CVR (congenital pulmonary airway malformation volume ratio)	322
CW (continuous wave) ドプラ	62
cyclic TPN (cyclic total parenteral nutrition)	136

D

| decubitus view | 44, 183 |
| DIC (disseminated intravascular coagulation) | 273, 282 |

――診断基準.....283
Down 症候群.....272
DPAP (directional positive airway pressure).....100
Dräger Babylog® VN500.....108
dry lung 症候群.....182
ductal shock.....191

E

Ebstein 病.....193
ECMO (extracorporeal membrane oxygenation).....202
Edi.....101
　――トリガー.....112
　―― min.....112
　―― peak.....111
EIEE (early infantile epileptic encephalopathy).....243
EME (early myoclonic encephalopathy).....243
Erb の麻痺.....348
ESWS (end-systolic wall stress).....160

F

Fallot 四徴症.....193
FE$_{Na}$ (fractional excretion of sodium).....220
fetal akinesia.....261
FFP (fresh frozen plasma) 輸血.....120
flip-flop.....201
full bladder.....327

G

GER (gastroesophageal reflux).....75, 189, 308

GFR (glomerular filtration rate).....47
GI (glucose-insulin) 療法.....156, 174

H

HB グロブリン.....292
HB ワクチン.....292
HbF (hemoglobin F).....279
HBV (hepatitis B virus) 感染症.....291
HCV (hepatitis C virus) 感染症.....292
HFO (high frequency oscillatory ventilation).....107
HIE (hypoxic ischemic encephalopathy).....228
Hirschsprung 病.....311
HIV (human immunodeficiency virus) 感染症.....295
HMS-1.....20
Horner 症候群.....348
HOT (home oxygen therapy).....32
HTLV-1 (human T-cell lymphotropic virus type 1) 感染症.....293
Humming Vue.....107, 108
HVA (homovanillic acid).....325

I

ICG (indocyanine green) リンパ管造影.....226
ICV (internal cerebral vein).....162
IFALD (intestinal failure-associated liver disease).....304
IMV (intermittent mandatory ventilation).....106
IVH (intraventricular hemorrhage).....157, 248

J・K

Jacoby 線 131
jitteriness 243
Klumpke の麻痺 348

L

LA/Ao 比 63
LAVI（left atrial volume index）............ 63
leaky lung 症候群 182
lower margin 58
LT 比 317

M

MAS（meconium aspiration syndrome）.. 181
MCDK（multicystic dysplastic kidney）.. 326
MCT（medium-chain triglyceride）オイル 23, 275
MCT（medium-chain triglyceride）ミルク 227, 275
megacystis-microcolon intestinal hypoperistalsis syndrome 324
Menkes 病 350
mesenchymal dysplasia 165
Met Hb（methemoglobin）.................. 203
Modified Sarnat スコア 230
Moebius 症候群 263, 347
Moro 反射 232
MR（mitral [valve] regurgitation）... 155
MRI 236
MRS（MR spectroscopy）..................... 236
mVcfc（mean velocity of circumferential fiber shortening）
.... 160

N

NAIT（neonatal alloimmune thrombocytopenia）............................ 284
nasal high flow 99
NAVA（neurally adjusted ventilatory assist）........................... 110
—— レベル 101, 111
NIV —— 101
NEC（necrotizing enterocolitis）....... 303
neonatal seizure 242
NIV NAVA（noninvasive neurally adjusted ventilatory assist）........... 101
NO 吸入療法 201
NO_2 濃度 203
NSE（neuron specific enorase）......... 325
NT-proBNP（N-terminal prohormone of brain natriuretic peptide）... 197

O

O/E LHR（observed/expected lung-to-head ratio）........................... 317
OI（oxygenation index）........................ 68
omegaven® 136, 304
Ommaya リザーバー 140
oxygen reduction test 187

P

PAC（premature atrial constraction）....................................... 208
Pallister-Killian 症候群 316
PCDA（premature closure of ductusarteriosus）.............................. 204
PCFO（premature closure of foramen ovale）............................ 180, 204
PDA（patent ductus arteriosus）
.... 195

Pedi-Cap™ 103
perineal groove 310
PH (pulmonary hypertension) 73
　—— スコア 73
pH チェッカー 26
PI (pulsatility index) 55
PI カテーテル (peripherally
　inserted central venus catheter)
　.. 15, 96, 152
PPHN (persistent pulmonary
　hypertension of newborn) 200
PSVT (paroxysmal supraventricular
　tachycardia) 210
purne belly 症候群 324
PVC (premature ventricular
　contraction) 208
PVL (periventricular leukomalacia)
　... 50, 237
PW (pulsed wave) ドプラ 62

R
RDS (respiratory distress
　syndrome) 178
recoli の診察 232
refeeding 症候群 165, 170, 175
RhD 不適合 272
RI (resistance index) 55
ROP (retinopathy of prematurity)
　.. 345
　—— 国際分類 346

S
SERVO-n® 108
SFU (Society for Fetal Urology)
　分類 327
SGA (small for gestational age) 163
SiPAP (sigh positive airway
　pressure) 100
sleep/wake cycling 58
SS-A 抗体 213
SS-B 抗体 213
Stress-Velocity 関係 160
striatal vasculopathy 51
subclinical seizure 245
subcutaneous fat necrosis 175
SVT (supraventricular
　tachycardia) 209
Sync +モード 107

T
TAM (transient abnormal
　myelopoiesis) 272
TAT (thrombin-antithrombin
　complex) 282
TC (time constant) 71, 107
TcPCO$_2$ 66
TcPO$_2$ 66
Testicular Workup for Ischemia
　and Suspected Torsion
　(TWIST) Scoring System 328
TORCH 286
　—— 症候群 165
TR (tricuspid [valve] regurgitation)
　.. 155
TRAb (thyroid stimulating
　hormone receptor antibody) 340
TTN (transient tachypnea of
　the newborn) 180
TTTS (twin-to-twin transfusion
　syndrome) 215

U
UB (unbound bilirubin) 269
upper margin 58

V

- V-A シャント ... 143
- VACTERL 連合 ... 310
- VATER 連合 ... 310
- VCUG（voiding cystourethrography）... 326
- VF（ventricular fibrillation）... 213
- VI（ventilatory index）... 68
- VMA（vanillyl mandelic acid）... 325
- V-P シャント ... 142
- VT（ventricular tachycardia）... 212
- VUR（vesicoureteral reflux）... 325

W・Y

- whirlpool sign ... 312
- white matter injury ... 237
- Y 字胆管 ... 309

数字・ギリシャ文字・記号

- 13 トリソミー ... 316
- 18 トリソミー ... 316
- 21 トリソミー ... 316
- 25-ヒドロキシビタミン D ... 342
- α-フェトプロテイン（AFP）... 325
- β-D グルカン ... 297
- β遮断薬 ... 341
- %TRP（%tubular reabsorption of phosphate）... 175, 343

urorectal septum malformation syndrome ... 324

***

新生児診療マニュアル 第7版

定 価	4,620円(本体 4,200円+税10%)
	※消費税率変更の場合,上記定価は税率の差額分変更になります。

発 行	1986年 1月10日	第1版第1刷発行
	1993年 3月10日	第2版第1刷発行
	2001年11月26日	第3版第1刷発行
	2003年 5月15日	第3版第2刷発行
	2004年12月 6日	第4版第1刷発行
	2008年 2月 5日	第4版第4刷発行
	2010年 5月25日	第5版第1刷発行
	2014年 4月25日	第5版第5刷発行
	2014年11月10日	第6版第1刷発行
	2020年 8月25日	第6版第5刷発行
	2022年 9月30日	第7版第1刷発行
	2024年 6月25日	第7版第2刷発行

編 集　神奈川県立こども医療センター

監 修　豊島勝昭

編集代表　下風朋章　柴崎 淳　齋藤朋子

発行者　株式会社 東京医学社
　　　　代表取締役 佐藤志穂
　　　　〒101-0051 東京都千代田区神田神保町 2-40-5
　　　　編集部　TEL 03-3237-9114
　　　　販売部　TEL 03-3265-3551
　　　　URL：https://www.tokyo-igakusha.co.jp
　　　　E-mail：info@tokyo-igakusha.co.jp

ジャケットデザイン 株式会社オセロ

表紙・扉イラスト　きしがみまこと

印刷・製本　三報社印刷株式会社

本書に掲載する著作物の複製権・翻訳権・上映権・譲渡権・公衆送信権(送信可能化権を含む)は(株)東京医学社が保有します。
ISBN 978-4-88563-737-7
乱丁,落丁などがございましたら,お取り替えいたします。
正誤表を作成した場合はホームページに掲載します。

JCOPY 〈出版者著作権管理機構 委託出版物〉

本書の無断複製は著作権法上での例外を除き禁じられています。複製される場合は,そのつど事前に出版者著作権管理機構(TEL：03-5244-5088,FAX：03-5244-5089, e-mail：info@jcopy.or.jp)の許諾を得てください。

© 2022 Printed in Japan